ELISABETH ELLIOT

USADA POR DEUS

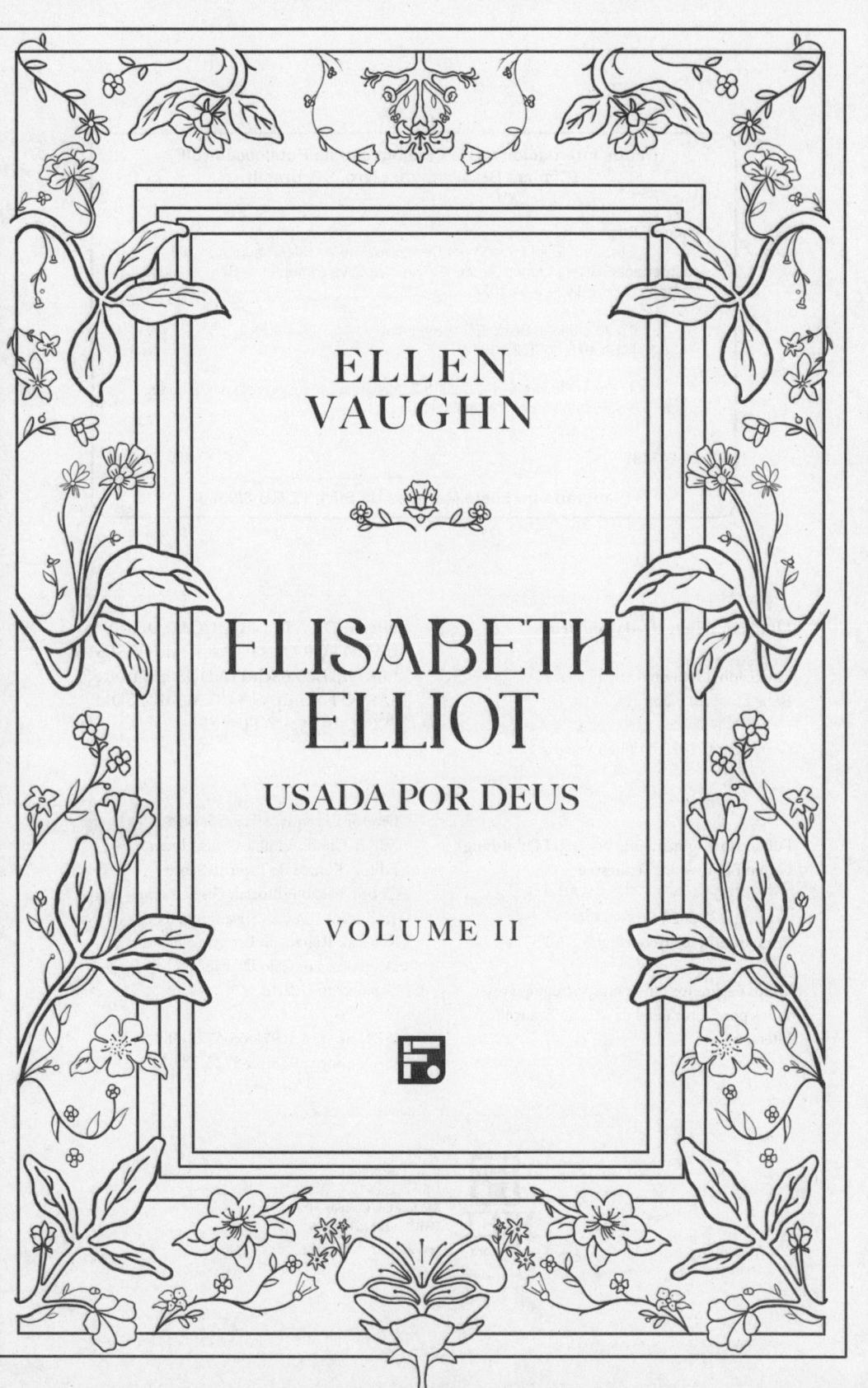

ELLEN VAUGHN

ELISABETH ELLIOT

USADA POR DEUS

VOLUME II

Dados Internacionais de Catalogação na Publicação (CIP)
(Câmara Brasileira do Livro, SP, Brasil)

Vaughn, Ellen
   Elisabeth Elliot : usada por Deus : volume 2 / Ellen Vaughn ; coordenação Gisele Lemes ; tradução Vinícius Silva Pimentel. -- São José dos Campos, SP : Editora Fiel, 2024.

   Título original: Being Elisabeth Elliot
   ISBN 978-65-5723-384-9

   1. Elliot, Elisabeth, 1926-2015 2. Missionárias - Biografia 3. Mulheres cristãs - Biografia I. Lemes, Gisele. II. Título.

24-242197   CDD-266.0092

Elaborado po Eliete Marques da Silva - CRB-8/9380

Elisabeth Elliot: Usada por Deus

Traduzido do original em inglês:
Being Elisabeth Elliot

Copyright © 2023 by Ellen Vaughn

•

Publicado originalmente por B&H Publishing Group Brentwood, Tennessee

Copyright © 2023 Editora Fiel
Primeira edição em português: 2025

Todos os direitos em língua portuguesa reservados por Editora Fiel da Missão Evangélica Literária

PROIBIDA A REPRODUÇÃO DESTE LIVRO POR QUAISQUER MEIOS SEM A PERMISSÃO ESCRITA DOS EDITORES, SALVO EM BREVES CITAÇÕES, COM INDICAÇÃO DA FONTE.

•

Diretor Executivo: Tiago Santos
Editor-Chefe: Vinicius Musselman
Editor: Renata do Espírito Santo
Coordenação Editorial: Gisele Lemes
Tradução: Vinicius Silva Pimentel
Revisão: Renata do Espírito Santo
Diagramação: Caio Duarte
Capa: Caio Duarte

ISBN impresso: 978-65-5723-384-9
ISBN eBook: 978-65-5723-383-2

Caixa Postal, 1601
CEP 12230-971
São José dos Campos-SP
PABX.: (12) 3919-9999
www.editorafiel.com.br

"Se o livro que estamos lendo não nos desperta, como com um punho martelando em nossos crânios, então por que o lemos? Meu Deus, também seríamos felizes se não tivéssemos livros e, se necessário, nós mesmos poderíamos escrever livros que nos fizessem felizes. O que precisamos ter são aqueles livros que vêm sobre nós como má sorte. [...] Um livro deve ser uma picareta para quebrar o mar congelado dentro de nós."
—Franz Kafka, citado no diário de Elisabeth Elliot, 30 de outubro de 1978

Em memória de e gratidão a
Lee Vaughn
29 de março de 1958 – 20 de julho de 2022
"O SENHOR o deu e o SENHOR o tomou; bendito seja o nome
do SENHOR!"
(Jó 1.21)

SUMÁRIO

Prefácio 11

PARTE I - FUNDAMENTADA EM DEUS
Capítulo 1. Certeza 17
Capítulo 2. Uma pedra irregular 21

PARTE II - USADA POR DEUS
Capítulo 3. Elisabeth Elliot e os psicodélicos anos 1960 31
Capítulo 4. Nova construção 37
Capítulo 5. Playboy, caça às pechinchas e bloqueio criativo 49
Capítulo 6. A imaturidade não tolera a ambiguidade 55
Capítulo 7. O coração da experiência humana 65
Capítulo 8. O triciclo fugitivo 73
Capítulo 9. Sacudidas violentas 81
Capítulo 10. Dúvidas Assombrosas 89
Capítulo 11. Um retorno ao Equador 99
Capítulo 12. O caminho adiante? 107
Capítulo 13. O fardo do biógrafo 115
Capítulo 14. A irredimível Elisabeth Elliot 125
Capítulo 15. "Estou irremediavelmente vulnerável" 129
Capítulo 16. A conferência de escrita 137
Capítulo 17. A Guerra dos Seis Dias 143
Capítulo 18. A dourada Jerusalém 149
Capítulo 19. 1968 155
Capítulo 20. As coisas como são 163
Capítulo 21. "Eu simplesmente fico pasma" 171
Capítulo 22. Toma-me! 179
Capítulo 23. Domesticidade e complexidade 187

Capítulo 24. Trégua 203
Capítulo 25. "É câncer?" 209
Capítulo 26. Selva Escura 213
Capítulo 27. "Ah! Se ao menos..." 223
Capítulo 28. Faça-se a tua vontade 231
Capítulo 29. A estrada é sempre ladeira acima? 239
Capítulo 30. Um fio tênue 247
Capítulo 31. Homens na casa 257
Capítulo 32. Crise de inquilinos 263
Capítulo 33. Passeando com MacDuff 277
Capítulo 34. Depressão à espreita 281
Capítulo 35. Guarda-me das lágrimas 289
Capítulo 36. É demais 299
Capítulo 37. A cerca 307

PARTE III - CRENDO EM DEUS
Capítulo 38. Quem era ela? 317

    Epílogo - A verdade é amor 327
    Com gratidão 329

PREFÁCIO

Não é nenhum segredo que eu adoro Elisabeth Elliot. Depois de um pescoço quebrado quase me matar, seu estilo de vida sem rodeios e sua robusta teologia do sofrimento misericordiosamente me puxaram de volta da beira do desespero. Ela me ensinou a acordar de manhã, sentar-me na minha cadeira de rodas e encarar a vida com coragem.

De certas maneiras, nossas histórias são paralelas. Minha tetraplegia me acorrentou à sombria companheira do sofrimento e, como Elisabeth, eu escrevi extensivamente sobre o assunto. Um dos meus primeiros livros incluía uma lista de trinta e cinco boas razões bíblicas pelas quais Deus permite a aflição, e como você pode se beneficiar dela — uma fé refinada, uma vida de oração mais profunda, compaixão pelos outros, para citar apenas três. Pedi a Elisabeth que oferecesse um endosso, e ela o fez. Porém, em sua resposta, ela confessou que, embora o livro fosse muito satisfatório, era um pouco técnico. E ligeiramente mecanicista.

Fiquei arrasada. Lembro-me de ter pensado: *Ela tem escrito tanto sobre o sofrimento; como poderia não elogiar seus benefícios?* Depois de mais uma década de paralisia, entendi o que ela queria dizer. Passei a sentir uma dor lancinante, de rasgar a mandíbula, e aquilo fez com que minha deficiência parecesse brincadeira de criança. Percebi então que havia muito mais no crescimento cristão do que ter confiança nas razões de Deus para o sofrimento. A vida era mais complexa e misteriosa do que eu pensava.

Talvez fosse isso que Elisabeth queria dizer ao me responder. Ela era a mulher mais velha transmitindo à mais nova que a vida nunca vem embrulhada em papel de presente. Que o sofrimento vai espremer você como um limão, fazendo escorrer o verdadeiro conteúdo do qual você é feita, conteúdo que às vezes surpreende e choca até você. Que a vida é um fluxo de sentimentos, fragilidades e fracassos e que somente ao confessar nosso estado quebrado é que realmente nos envolvemos com nosso Salvador sofredor. Que os santos mais fortes são fracos e necessitados.

Você descobrirá isso quando virar as páginas de *Elisabeth Elliot: usada por Deus*. Nossa heroína da fé não era uma estátua de bronze, imune a fissuras; nem era um protótipo irretocável de virtude, incapaz de ser testada por aquilo que contraria e frustra a todas nós. Elisabeth assumia suas deficiências de carne e osso e se irritava sempre que as pessoas insistiam em colocá-la em um pedestal.

Sim, depois de tragédia após tragédia, ela se tornou uma heroína para todas nós. Mas, como qualquer herói que valha seu peso, ela corrigia aquelas que a idolatravam, apontando-as para o único herói que nunca nos decepcionará: Jesus Cristo.

Minha querida amiga Ellen Vaughn foi encarregada da tarefa assustadora de nos mostrar esse lado de Elisabeth Elliot. É um lado dolorosamente pungente. Relacionável e acessível. Não há muitos autores habilidosos o suficiente para escrever de forma ao mesmo tempo honesta e graciosa sobre uma estadista cristã tão amada como a notável Elisabeth Elliot. Mas Ellen leva o prêmio. Esta autora de livros que figuram na lista de mais vendidos do *New York Times* escreveu várias obras com Chuck Colson; com Greg Laurie, escreveu o livro *Jesus Revolution* (agora adaptado em filme); ela também publicou uma biografia poderosa de Mama Maggie — a Madre Teresa do Egito que cuida dos pobres nas favelas e lixões do Cairo; assim como muitos outros belíssimos livros.

Valendo-se dos diários particulares de Elisabeth e cartas nunca antes publicadas, Ellen nos leva além da vida da jovem e idealista Elisabeth e abre nossos olhos para a calorosa discípula de Jesus que foi honesta o suficiente para reconhecer o quão pouco ela compreendia.

É por isso que este livro me toca tanto. Tenho vivido mais de meio século com imenso sofrimento e com uma necessidade constante de Jesus, mas, ainda assim, não decifrei o código da vida. Estou sempre sendo testada por coisas que frustram e perseguem a todas nós. Já houve noites que passei em claro, pensando: *Senhor, é assim que devo viver, isso está certo?* Quanto mais velha fico, mais lido com o reino do desconhecido e, como Elisabeth, mais tenho certeza de apenas algumas coisas: a graça insondável de Deus e o surpreendente deleite de Cristo para com seu povo.

Vire a página e descubra como uma jovem profeta do sofrimento, recém-saída do campo missionário, aprendeu a arte de *ser Elisabeth Elliot*, esta mulher *usada por Deus*. Deleite-se com o "mistério impenetrável", como ela dizia, do complexo e belo enigma que é a vontade de Deus para você e para mim. E se Deus deu a você uma mão desfavorável, jogue suas cartas com coragem. Deus lhe mostrará do que se trata a vida.

Joni Eareckson Tada
Joni and Friends International Disability Center
Março de 2023

PARTE I

FUNDAMENTADA EM DEUS

CAPÍTULO 1
CERTEZA

> "O cristão percebe que sua verdadeira identidade é um mistério conhecido somente por Deus, [...] e que qualquer tentativa de definir a si mesmo, neste estágio no caminho do discipulado, está fadada a ser blasfema e a destruir aquela misteriosa obra pela qual Deus está formando Cristo nele pelo poder do Espírito Santo."
>
> — Elisabeth Elliot

"Sinto-me absolutamente certa de que nunca mais me casarei", declarou Elisabeth Elliot no início de 1956.

Havia nove dias desde que seu jovem e musculoso marido e seus quatro companheiros missionários foram mortos a lanças por membros de um remoto povo tribal na selva amazônica.

"Sem dúvida, todas as recém viúvas fazem essa declaração", continuou Elisabeth. "Mas tenho certeza em meu coração".[1]

Mas "certezas perfeitas", mesmo entre os mais disciplinados e celebrados santos de Deus, às vezes mudam diante das surpresas divinas.

Depois que Jim e seus colegas morreram, Elisabeth permaneceu no Equador por mais sete anos. De modo improvável, ela fez a trilha pelos rincões da selva,

---

[1] Não querendo bagunçar o texto, não incluí notas de rodapé para as muitas entradas do diário de Elisabeth Elliot neste livro. Também, rotineiramente, fiz pequenos ajustes gramaticais nesses registros, como escrever por extenso algumas de suas abreviações, para tornar a experiência de leitura mais suave. Além disso, para evitar confusão, chamei minha biografada de "Elisabeth" ao longo deste volume, embora a família e amigos próximos a chamassem de "Betty". Em público, ela preferia o mais formal "Elisabeth" e, a partir de 1969, frequentemente passou a usá-lo em particular, pois era assim que Addison Leitch se referia a ela.

com sua filha pequena e uma colega, e viveu entre o povo waorani[2] que havia matado seu marido e amigos. Muitos dos waorani abraçaram um novo modo de vida. As notícias a chamavam de uma "heroína missionária", uma viúva corajosa que levava o evangelho para aqueles que nunca o tinham ouvido.

Porém, essa viúva corajosa teve dificuldades. Muitas. Conflitos dolorosos de personalidade com sua colega missionária a obrigaram a deixar os waorani. Ela trabalhou entre o povo quíchua por um tempo, morando na casa que seu falecido marido havia construído em uma estação missionária chamada Shandia. Seus dias avançavam como uma série de fotos em uma tela.

Contudo, em meados de 1963, o cenário dessas imagens mudou. A selva verdejante do leste do Equador foi trocada pelas Montanhas Brancas de New Hampshire. A pequena Valerie Elliot já não brincava nua no rio com seus amigos waorani; agora ela usava suéteres xadrez e ia de ônibus escolar amarelo para a escola primária, todos os dias. A cabana de palha na selva e a casa de madeira mofada que Jim construíra em Shandia deram lugar à casa que Elisabeth projetou, uma estrutura retilínea com uma enorme janela panorâmica com vista para o Monte Lafayette. Os dias de traduzir o Novo Testamento para o quíchua ou de ficar deitada em uma rede de tecido com mulheres waorani — intrigando-se com seu idioma indecifrável e espantando moscas — foram substituídos por uma vida debruçada sobre uma máquina de escrever, lidando com interrupções e lutando para colocar palavras em inglês no papel para cumprir o prazo de alguma editora. A missionária que havia escrito alguns livros, agora, se propunha a ser uma escritora "séria" que antes costumava ser uma missionária. Era trabalho duro.

O ritual de beber *chicha* de uma cabaça comum e oca, em volta da fogueira com as pessoas da tribo, já não existia. Agora, a tribo de Elisabeth era o lacônico trabalhador da Nova Inglaterra que limpava seu campo e cavava seu poço, o vizinho vestido de lã que a ensinava a esquiar e a multidão erudita bebendo gimlets nos coquetéis de Nova York. A pequena fogueira na selva, com seu barulho de pássaros equatoriais ao fundo, foi trocada por uma chama crepitante em sua própria lareira de pedra, os hectares de floresta além de sua janela envoltos em uma mortalha silenciosa de neve. Em vez de correr pela selva à noite, a parteira leiga

---

2 Assim como no primeiro volume, *Elisabeth Elliot: moldada por Deus*, escolhi chamar a tribo de "waorani" ao longo deste livro, tanto em meus próprios escritos quanto em minhas citações das palavras de outras pessoas daquele período em que o insulto "auca" era rotineiramente — e inocentemente — usado por muitos.

chamada para atender crises de parto, agora Elisabeth voava em jatos Boeing para palestras em convenções e seminários, uma figura pública disputada.

Mais cedo ou mais tarde, a solidão de uma mulher apaixonada que sonhava na selva com seu amante perdido, Jim, foi substituída pela surpresa de um novo amor que a arrebatou. A "certeza" que ela antes tinha sobre casar de novo se derreteu. Uma mulher de meia-idade, escritora e palestrante financeiramente independente, Elisabeth Elliot agora tremia ao toque de Addison Leitch, o professor universitário, teólogo e escritor por quem ela se apaixonara perdidamente. Eles se casaram no primeiro dia de janeiro de 1969.

Mas a história, assim como a vida conjugal de Elisabeth com Jim Elliot, não terminaria com essa nota feliz.

A morte de um ente querido pode vir rápida ou lentamente. A perda repentina é devastadora, uma queda livre pelo espaço na qual a mente não consegue alcançar a realidade física da morte. Com a perda gradual, talvez a mente tenha tempo para "se acostumar" à ideia da partida do ente querido antes que ela ocorra. O problema é: nós nunca nos acostumamos ao roubo cruel da morte de quem amamos, seja um furto repentino, por assim dizer, ou um desfalque longo e lento.

Antes atordoada pela alegria de um novo amor, agora ela estava viúva novamente. Outra morte. Mas sua viuvez não a definiria, principalmente porque ela se casaria pela terceira vez em 1979. Sua vida continuou, década após década, até sua própria morte em 2015.

Seus primeiros anos, relatados em *Elisabeth Elliot: moldada por Deus*, traçaram a transição de uma jovem moça que lidava com "certezas" para a mulher mais velha que lidava, muitas vezes, com o reino das incertezas e do desconhecido. Agora, *ser* Elisabeth Elliot cada vez mais significava entender o quanto ela não entendia. Ela tinha certeza de pouquíssimas coisas — o caráter bom e santo de Deus, seu amor redentor e sua fidelidade misericordiosa. Ela buscava seu ponto de referência além de suas próprias experiências, sempre ponderando o que ela chamava de o "mistério impenetrável" da interação entre a vontade de Deus e as escolhas humanas.

Foi esse estranho mistério que moldou a próxima parte de sua surpreendente história de vida.

CAPÍTULO 2
UMA PEDRA IRREGULAR

"Aqui está, então, o máximo de verdade que um biógrafo poderia descobrir sobre uma [pessoa]. Que o leitor descubra o máximo de seu significado que ele [ou ela] puder."
— Elisabeth Elliot, em sua biografia do missionário Kenneth Strachan, 1968

Eu conheci a alegre filha de Elisabeth Elliot, Valerie, quando Val e seu marido Walt pegaram sua caminhonete e dirigiram centenas de quilômetros de sua casa até à minha. A caçamba estava lotada de caixas, caixas de papelão, álbuns de fotos e engradados cheios de uma invenção antiga chamada fitas cassete. Levamos tudo para o meu escritório em casa.

Nós rimos, conversamos e comemos lombo de porco, aspargos e batatas vermelhas assadas. Então Val e Walt tiveram que pegar a estrada, rumo à casa de um de seus oito filhos. Deixei a louça para meu gentil marido lavar e entrei furtivamente em meu escritório, abrindo as caixas como se fosse manhã de Natal.

Ali estavam os diários de Elisabeth Elliot, pilhas deles, cheios de sua caligrafia firme e fluida, contando seus dias desde a infância até às seis décadas seguintes. Seu livro de primeiras memórias quando bebê; resmas de correspondência pessoal escrita com tinta azul desbotada e uma caligrafia floreada; cópias de cartas datilografadas feitas em papel carbono; dezenas de cadernos cheios de despesas mensais. Havia listas de presentes de Natal dados e recebidos a cada ano, livros lidos e listas de compras. Havia anotações para discursos, anotações para aulas de seminário que ela dava, devocionais pessoais, álbuns de recortes com páginas descascadas e amareladas e fotografias soltas, a cola que antes as prendia à página já desintegrada há muito tempo. E ali estava a Bíblia de Jim Elliot e seus mapas, desenhados à mão, da grande selva oriental do Equador. Ali estavam as famosas fotografias em preto e branco tiradas depois que Jim e seus colegas missionários foram mortos. Eu já tinha visto todas elas antes, é claro, em livros e revistas. Mas aquelas eram as originais. Usando luvas como uma arqueóloga, dispus tudo aquilo em mesas dobráveis de um metro e oitenta que eu havia montado no meu escritório. Montões de tesouros enterrados.

À medida que eu vasculhava esses tesouros ao longo das semanas e meses que se seguiram, a voz forte de Elisabeth falou desde o passado. Ela frequentemente me fez rir. Às vezes ela me surpreendeu e, mais tarde, quando questionei sua família e amigos sobre algumas dessas surpresas, ouvi histórias que não esperava. Havia realidades ocultas que estragariam a casca brilhante de uma história bem encaixada, ondulações de relacionamentos rompidos, difíceis disfunções: em suma, os desafios desordenados que pessoas reais enfrentam no mundo real. Só que eu não esperava que eles fizessem parte da vida de Elisabeth Elliot, uma mulher famosa por seu senso de ordem e decoro.

Sua vida era cheia de paradoxos. Uma rebelde espiritual ao retornar aos Estados Unidos depois de sua temporada no Equador, ela mais tarde se tornou uma porta-estandarte do evangelicalismo conservador, embora não fosse nenhuma moralista. Ela enxergava tanto a atração heterossexual como a homossexual cheia de compaixão. Isso pode surpreender quem talvez imaginasse que ela julgaria e berraria diante de qualquer tentação ou comportamento que desviasse de uma vida de imaculada pureza. Uma mulher ferozmente independente, em seu terceiro casamento ela se submeteu a uma definição de submissão conjugal que muitas de nós questionaríamos. Em sua idade mais avançada, essa mulher conhecida por sua timidez e interações pessoais monossilábicas com estranhos em conferências e sessões de autógrafos se tornou uma amada "figura materna" para milhares que nunca a haviam conhecido pessoalmente. Com seus conselhos ouvidos por dezenas de milhares de ouvintes de rádio, ela cometeu alguns erros pessoais surpreendentemente tristes.

Será que algo nisso desqualificou meu interesse em Elisabeth Elliot? Longe disso. Eu a amei como uma companheira de estrada e peregrinação. A história dela ecoava partes da minha, e eu senti tudo aquilo ter um efeito redentor.

Então, como uma biógrafa ao mesmo tempo zelosa e condenada, eu tinha uma escolha. Eu poderia escrever uma história triunfalista, "inspiradora" e maquiada, sempre uma opção popular em muitos círculos cristãos. Ou eu poderia contá-la sem rodeios. Então, pensei sobre a Bíblia. Certamente, seus autores teriam produzido um livro muito menos intrigante se tivessem omitido certas histórias, aquelas que simplesmente não costumamos ler para nossos filhos. Alguns protagonistas do Antigo Testamento eram mestres da duplicidade. Sara, Raquel e Tamar: espertas e enganosas. Noé, sozinho, salvou a humanidade do dilúvio global, e depois ficou bêbado e nu em suas próprias uvas recém-colhidas. Algumas crianças — bem, quarenta e duas delas — zombaram da cabeça calva do profeta Eliseu enquanto ele caminhava por uma trilha, e ele basicamente invocou juízo sobre elas. Duas ursas emergiram da floresta e dilaceraram todas sem cerimônia.

Há também relatos sem rodeios da agonizante fragilidade e quebrantamento humanos. Adão e Eva desobedeceram a Deus e perderam o Paraíso. Assim como nós faríamos. Pedro, o amigo de Jesus Cristo que vivera por três anos com ele, negou que o conhecesse pouco antes da crucificação.

Se as Escrituras tivessem sido forjadas para embasar uma religião projetada por humanos, elas teriam sido muito mais polidas e palatáveis a leitores humanos. Seus próprios escândalos — mais notavelmente, o Escândalo da Cruz — oferecem evidências de sua autenticidade. É um livro real sobre um Deus sobrenatural que misteriosamente invade as histórias de pessoas reais. A menos que passasse por uma revisão radical, a Bíblia jamais serviria de roteiro para um filme açucarado da Sessão da Tarde.

Como Elisabeth escreveu em 1968: "Possivelmente não haja melhor modelo de biografia do que a Bíblia. Lá, fica perfeitamente claro que uma verdadeira compreensão do mundo não se obtém fingindo que as coisas são diferentes do que são. Se há algo bom, não o exageremos. Se há males, vejamos do que se trata e, se quisermos, ponhamos sobre eles a luz de uma fé bíblica, mas não nos comportemos como se eles simplesmente não existissem e, portanto, não precisassem de redenção".[1]

Há grande virtude na verdade, dita em amor. Protagonistas com fraquezas e com os quais podemos nos identificar mostram o poder sobrenatural de Deus. Todas nós conseguimos nos colocar no lugar deles, o que não ocorre com as personagens unidimensionais e caricatas de uma religiosidade falsa.

Esta é apenas uma biografia. Não é a Bíblia. Eu vi partes da história de Elisabeth que não haviam sido incluídas em seus discursos públicos, nem em seus

---

1 Elisabeth Elliot, *Who Shall Ascend: The Life of R. Kenneth Strachan of Costa Rica* (Nova York: Harper & Row, 1968), p. xi–xii.

livros sobre família, sobre homens e mulheres ou sobre a fé. Eu desejaria que ela as tivesse incluído; a história teria sido ainda mais rica, transbordando da graça de Deus. Afinal, ela era um ser humano, não uma impecável e reluzente capitã no exército de Deus. Tive de montar o quebra-cabeça de alguns dos relacionamentos quebrados, as falsidades que haviam sido perpetradas — não deliberadamente, mas por suposições que correram à solta por muitos anos com energia própria. A história também se tornou mais difícil de contar, porque alguns de seus diários meticulosamente numerados e peças-chave de sua correspondência estavam faltando. Eu não sabia por quê.

Comecei a perceber que deveria alertar minhas leitoras: se você quer a versão já esperada da história de Elisabeth Elliot, não leia este livro. Encontre outra versão mais previsível.

Não quero criar um melodrama, com santos e vilões unidimensionais. Não quero causar frisson com revelações bombásticas. Não quero ofender, nem difamar, nem bajular, nem distorcer. Não quero escrever este livro, em parte porque sei que precisarei inserir mais da minha própria voz no relato.

Os primeiros anos de Elisabeth, o assunto do primeiro volume desta biografia em duas partes, se prestaram a um arco narrativo discernível. Aquela história teve começo, meio e fim, e os anos de Elisabeth no Equador transbordavam de cor e drama.

Seus últimos anos não foram menos dramáticos, mas foram mais psicologicamente complexos. Na década de 1960, Elisabeth articulou visões que provavelmente chocariam algumas de suas seguidoras das décadas de 1980 e 1990, ao mesmo tempo que talvez aliviassem alguns de seus críticos.

Como em um filme, é tudo uma questão de edição e o que se deixa no chão da sala de corte, por assim dizer. Eu poderia escolher cenas e escritos da vida de Elisabeth que a apresentariam de uma maneira. Ou poderia escolher outras seleções e girar para o sentido inverso. Todas nós poderíamos dizer: Ah, sim! Elisabeth Elliot... ela era *assim*. Ou *assado*. Escolha sua hashtag; publique seu tuíte.

Sentindo-me miserável com tamanha responsabilidade, fui estranhamente confortada pelo único romance de Elisabeth, publicado em 1966. Ele não foi particularmente popular. *No Graven Image* ["Nenhuma imagem de escultura"] evocava os ídolos que tão facilmente estabelecemos em nossas vidas, particularmente as construções religiosas que codificam Deus e resistem a qualquer complexidade e mistério. Presumimos falar por Deus, o deus que imaginamos compartilhar não apenas das nossas visões políticas e sociais, mas do nosso *gosto*. O deus do adesivo de para-choque, da hashtag, do slogan. Aquele que está do nosso lado. Não importa se estamos do lado dele.

Não é nenhuma novidade que tendemos a fazer isso com o Todo-Poderoso. O problema simultâneo, é claro, é que fazemos isso uns com os outros. É tão fácil dividir o mundo em "nós" e "eles" e demonizar o outro lado. Enquanto houver um inimigo, podemos arrecadar dinheiro e angariar adeptos para nossa causa. Enquanto virmos as pessoas em uma ou duas dimensões, podemos estereotipá-las. Ah! Ele foi um grande herói... Mas então a estátua — a imagem de escultura — é derrubada, e ele se torna apenas um vilão. Olhamos para alguém como um porta-voz do nosso movimento... Mas então o pecado secreto emerge, e não sabemos para onde olhar. Admiramos alguém, mas acontece que ele odeia golden retrievers, e tudo cai por terra. Ansiamos por heróis sem complexidade, heróis sem aspectos que simplesmente não apreciamos nem conseguimos admirar. Queremos imagens, a estátua nobre e brilhante sem o cocô de pombo.

Porém, entre os heróis humanos, isso simplesmente não existe.

Há um movimento atual que parece sugerir que a virtude perfeita é possível, e que qualquer ser humano com falhas deve ser lançado por terra. Dados esses padrões, o movimento em si não pode se sustentar; visões utópicas sobre a natureza humana sempre se mostram insustentáveis no final.

Há apenas um Herói que não decepciona. Quanto ao resto de nós, devemos estar estranhamente contentes em ver as pessoas como elas são, corajosas e aterrorizadas, nobres e mesquinhas, perspicazes e cegas. Em tudo isso, entre os melhores representantes de nossa estirpe, há muito o que admirar e muito o que imitar; o resto é apenas, e como sempre, motivo de olharmos para Deus e louvá-lo por sua maravilhosa graça pela qual ele salva "miseráveis como nós", como diz o antigo hino. Nosso legado, enquanto indivíduos, não está tanto nos troféus que ganhamos em nossa breve vida, pois isso facilmente conduziria ao orgulho. Em vez disso, o legado de nossa fragilidade e necessidade de Cristo enaltece as suas eternas e preciosas misericórdias.

Martinho Lutero é uma dessas figuras complexas que mudaram o curso da história humana. Todas nós sabemos que ele era notoriamente cheio de falhas. Brilhante, teimoso, apaixonado por Deus e suas Escrituras, dado à cerveja, sujeito à depressão e ira, fonte de obscenos e horripilantes discursos de ódio contra certos grupos de pessoas. O que fazemos? Deveríamos cancelá-lo?

O próprio Lutero cuidadosamente forneceu a chave para o resto de nós: suas palavras em seu leito de morte. *Somos todos mendigos.* Elisabeth Elliot gritaria um "Amém para isso, meu irmão", se ela fosse o tipo de pessoa que grita amém — o que ela não era. Mas somos todos pessoas pobres, intranquilas e necessitadas até o derradeiro fim desta vida desconcertante. Não temos mérito próprio; não trazemos em nossos bolsos nenhuma riqueza de boas obras que Deus soma e, apaziguado, nos deixa entrar. Não, somos todos mendigos. Vadios. Vagabundos. No entanto, o que nos espera é o grande Banquete da graça que Deus oferece do lado de lá, ali onde Martinho Lutero, Elisabeth Elliot e uma série de outros heróis imperfeitos se assentam hoje, passando as travessas e louvando ao Senhor.

No início do meu processo de pesquisa, visitei a Costa Norte de Boston. Elisabeth viveu por muitos anos em Magnolia, Massachusetts, em uma casa aconchegante com vista para o mar frio e cinzento. Na época, seu terceiro marido, Lars Gren, ainda morava lá. Fiz várias visitas a ele, tanto intrigantes quanto amigáveis, bem como tive ricas conversas com o irmão mais novo de Elisabeth, Tom, vários amigos próximos e outros parentes na área. Eu tinha muito o que desvendar.

Uma tarde, dirigi até a igreja onde Elisabeth cultuava durante seus últimos anos, a Primeira Igreja Congregacional de Hamilton. Ela fora fundada em 1713, sessenta e três anos antes da assinatura da Declaração de Independência, uma pequena igreja paroquial no minúsculo vilarejo que eventualmente se tornou Hamilton, Massachusetts.

Estacionei e atravessei a rua até o cemitério da igreja. Era um dia glorioso, azul-celeste. O sol brilhava através das altas e antigas árvores acima de mim; pequenas bandeiras americanas tremulavam na brisa. As lápides eram todas de tamanhos e formatos diferentes. Algumas marcavam as vidas daqueles que lutaram na Guerra Revolucionária; outras pedras homenageavam homens e mulheres, meninos e meninas, que viveram suas vidas e morreram nos séculos seguintes.

Eu havia procurado a localização do túmulo de Elisabeth Elliot e caminhei em direção aos fundos do longo cemitério. Não havia mais ninguém por perto.

A lápide era uma pedra grande, irregular e lisa, com o nome de Elisabeth e um de seus versos favoritos gravados nela. "Quando passares pelas águas, eu serei contigo". Ela está enterrada com Addison Leitch, cuja inscrição diz: "Amado marido e melhor amigo de Elisabeth". Isso é interessante, dado o fato de que ela foi casada com Addison por menos de cinco anos e com Lars por mais de três décadas. Decidi pensar sobre isso mais tarde.

UMA PEDRA IRREGULAR

Sentei-me, minhas costas contra a pedra aquecida pelo sol. Pensei nos santos imperfeitos que nos precederam, todos aqueles personagens da Bíblia e os homens e mulheres de fé das eras seguintes. Inclinei-me naquela rocha e pensei nas formas irregulares de todas as nossas histórias, como Deus redime a todos nós e no fato de que, em algum lugar no céu, tão perto e ainda assim tão longe, tudo está calmo e tudo está bem. Minha mente flutuava na brisa, ao alto, em direção à luz entrecortada pelas árvores. *Então, Deus,* orei; *como queres que eu conte a história de Elisabeth?*

Ele não respondeu audivelmente. Elisabeth Elliot, cujos ossos jaziam sob o gramado verde e a grande pedra na qual eu me apoiava, também não o fez. Presumivelmente, ambos tinham coisas melhores para fazer.

Respirei fundo, me espreguicei e me levantei. Meus olhos fitaram a lápide atrás da de Elisabeth. Não sei por que fui atraída por ela, já que eram as costas dela que estavam voltadas para mim. Mas andei alguns passos, ajoelhei e afastei a grama alta que escondia a inscrição perto de sua base. Li as palavras profundamente esculpidas.

"A verdade, em amor".

Aquilo era tudo.

Tomei aquilo como uma mensagem, um princípio orientador, quando comecei a jornada de escrever esta biografia sobre a vida e a morte de Elisabeth Elliot. *Fale a verdade, em amor.*

Foi isso que me esforcei por fazer.

PARTE II
USADA POR DEUS

CAPÍTULO 3

ELISABETH ELLIOT E OS PSICODÉLICOS ANOS 1960

"O homem moderno está preso à sua identidade. O cristão percebe que sua verdadeira identidade é um mistério conhecido somente por Deus, e que qualquer tentativa de definir a si mesmo, neste estágio no caminho do discipulado, está fadada a ser blasfema e a destruir aquela misteriosa obra pela qual Deus está formando Cristo nele pelo poder do Espírito Santo. Certamente o cristão não define sua identidade por suas ações: isso seria o princípio máximo do anticristo, pois afirma, em última instância, que eu sou meu próprio criador."
— Michael Marshall, citado por Elisabeth Elliot[1]

"Eu deploro aquelas saias acima do joelho. Ninguém fica bem de joelhos de fora."
— Elisabeth Elliot

Quando Elisabeth Elliot navegou pela primeira vez para o Equador na primavera de 1952, ela era uma missionária idealista, dedicada e solteira na casa dos vinte e poucos anos. Quando retornou definitivamente aos Estados Unidos no verão de 1963, ela era uma viúva com uma filha de sete anos, fervorosamente comprometida com Cristo, mas não mais idealista.

É claro que, durante os doze anos de Elisabeth no Equador, a vida seguiu em frente no mundo além da estação missionária e da selva amazônica. Mas as

---

[1] Michael Marshall, *Gospel Healing and Salvation*, citado por Elisabeth Elliot em http://www.reformedsheology.com/2008/01/femininity-by-elisabeth-elliot.html.

mudanças sociais na América não haviam tido grande efeito na vida diária de Elisabeth ali, na selva distante e isolada.

Quando ela e Val se mudaram para Francônia, New Hampshire, no verão de 1963, a nova vida de Elisabeth na pequena cidade americana continuou a ser bastante isolada.

Aqueles anos de transições radicais na vida e pensamento americanos fomentaram forças filosóficas que ainda colhem profundas mudanças no mundo em que vivemos hoje. E mesmo que Elisabeth Elliot não tenha marchado na linha de frente dos protestos pelos direitos civis dos anos 60, queimado seu sutiã no nascente movimento feminista, ou se manifestado contra o envolvimento dos EUA no conflito do Vietnã, essas convulsões sociais — e muitas outras — constituíram os tempos cada vez mais turbulentos nos quais ela e Valerie fizeram a transição para sua nova vida na América do Norte.

Em 1963, o presidente John F. Kennedy e sua esposa glamourosa Jackie moravam na Casa Branca. Um mês antes da posse de Kennedy no início de 1961, uma insurgente coalizão comunista chamada Vietcong ameaçara o regime existente no distante Vietnã do Sul. Preocupada com um efeito dominó no Sudeste Asiático, com países cedendo um por um a regimes comunistas, a Casa Branca, sob Kennedy, aumentou silenciosamente a presença dos EUA no Vietnã... o que só se intensificaria ao longo dos anos.

Em 1962, Nikita Khrushchev, da União Soviética, colocou o jovem e carismático presidente Kennedy à prova. Em 14 de outubro de 1962, um avião de espionagem americano fotografou um míssil soviético de médio alcance sendo montado para instalação na ilha de Cuba, a apenas noventa milhas da costa da Flórida. Um míssil nuclear lançado de Cuba contra os Estados Unidos poderia significar a morte de oitenta milhões de americanos, em dez minutos.

A Crise dos Mísseis de Cuba levou os Estados Unidos à beira de uma guerra nuclear com a União Soviética. Parecia não haver saída até que, treze dias depois, a URSS concordou em remover seus mísseis se os Estados Unidos concordassem em não atacar Cuba.

Era uma trégua, mas ninguém sabia por quanto tempo. Havia poucos motivos para se sentir confiante sobre uma paz duradoura no mundo tenso da Guerra Fria.

Os Estados Unidos também tinham problemas profundos internamente. Embora a Suprema Corte houvesse decidido contra a segregação racial em escolas públicas em 1954, a segregação ainda era legal em 1963. O novo governador do Alabama, George Wallace, havia proclamado em seu famoso discurso de posse: "Segregação agora, segregação amanhã e segregação para sempre!" Na primavera de 1963, o Rev. Martin Luther King Jr. foi preso em Birmingham durante um protesto pelos direitos civis por "desfilar sem permissão". King então escreveu suas magistrais *Letters from a Birmingham Jail* ["Cartas de uma prisão em Birmingham"]. Em agosto, o líder dos direitos civis fez seu discurso "I Have a Dream" ["Eu tenho um sonho"] diante de 250.000 pessoas no Lincoln Memorial. Em setembro, membros da Ku Klux Klan bombardearam uma igreja batista predominantemente negra em Birmingham, Alabama, matando quatro jovens meninas da escola dominical. A segregação não terminaria oficialmente até a Lei dos Direitos Civis de 1964; seu terrível legado continua até hoje.

Em 1963, a população de New Hampshire era de aproximadamente 660.000 pessoas. Noventa e três por cento eram brancos. O programa mais popular no desengonçado aparelho de televisão que Elisabeth Elliot não possuía era *The Beverly Hillbillies*, sobre uma família caipira que enriquece e se muda para Hollywood, chocando os moradores locais com suas maneiras rústicas. *Cleópatra*, um épico estrelado por Elizabeth Taylor e Richard Burton, foi o filme número um nas bilheterias. O primeiro filme de James Bond foi lançado. Um ingresso de cinema custava 85 centavos de dólar.

O custo médio de uma casa nova era de cerca de US$ 12.650. O salário padrão era de cerca de US$ 4.400 por ano — aproximadamente 84 dólares por semana. Um pão custava vinte e dois centavos de dólar; um galão de gasolina, trinta centavos. Os carros eram largos e brilhantes, com grandes barbatanas, bebendo alegremente toda aquela gasolina barata. Uma empresa de automóveis falida chamada Studebaker foi a primeira a oferecer novos dispositivos chamados cintos de segurança como equipamento padrão do veículo. Os Correios dos EUA introduziram sua própria ideia inovadora: códigos de endereçamento postal.

A Beatlemania ainda não havia chegado à América. A música mais tocada nas paradas em 1963 foi uma balada alegre chamada "Dominique", gravada por uma freira e música amadora conhecida como "Irmã Sorriso". Uma nova vacina contra a poliomielite foi introduzida; como era administrada por meio de um cubo de açúcar, as crianças em idade escolar não tinham problemas em ingeri-la. A Coca-Cola lançou sua primeira bebida diet, uma invenção desagradável chamada TaB. Era adoçada com ciclamato, que mais tarde foi proibido por causar câncer em ratos preocupados com calorias.

Havia também outras drogas em ação. A década que começara com a conformidade em preto-e-branco dos anos 1950 agora florescia em uma exuberante profusão de arte pop psicodélica, símbolos da paz em neon, céus cheios de diamantes e visões caleidoscópicas — tudo, é claro, realçado por maconha, haxixe e o guia de viagem favorito dos anos 1060: o LSD.

Ao lado das drogas — e auxiliada pelas drogas — a maior reviravolta da década psicodélica seria a revolução sexual. Rejeitando os padrões duplos ou a sexualidade enclausurada dos anos 1950, os jovens dos anos 1960 surfavam alegremente cada onda de amor livre e experimentação sexual, imensamente ajudados pela introdução da pílula anticoncepcional em 1961.[2]

Haveria também uma revolução musical, liderada pelos Beatles, Rolling Stones, The Doors, The Who, Jimi Hendrix, Pink Floyd, The Kinks, Creedence Clearwater Revival, The Beach Boys, The Byrds, Grateful Dead, Bob Dylan... a lista, como a batida, continua. E continua.

Grande parte da música refletia o que estava acontecendo na cultura popular, mesmo que liderasse o caminho. "I want to hold your hand" ["Quero segurar sua mão"] virou "Why don't we do it in the road?" ["Por que não fazemos na estrada?"]. "Love, love me, do" ["Amor, ama-me"] virou "I'd love to turn you on" ["Eu adoraria te excitar"]. Se George Harrison se interessasse por religiões orientais, Maharishi e cítaras, logo em seguida você veria todo mundo cantando sobre Vishnu e experimentando a meditação transcendental. Em 1966, quando John Lennon disse que os Beatles eram mais populares que Jesus — com uma grande reação de pastores irritados com cortes de cabelo estilo militar — a maioria das pessoas com menos de trinta anos apenas deu de ombros e concordou com John.

A filosofia dos adesivos de para-choque colados em kombis enfeitadas com flores dizia tudo. Timothy Leary, professor de Harvard e um entusiasta do LSD, famosamente conclamou os jovens: "Sintonizem-se, liguem-se e desliguem-se". Eles o fizeram. "Faça amor, não faça guerra". Eles o fizeram. "Não confiem em ninguém com mais de trinta". Eles não confiaram... até um ano após seu vigésimo nono aniversário. E havia ainda o zeitgeist do momento: "Questione a autoridade". Eles o fizeram.

---

[2] Parte desse material descritivo sobre a década de 1960 se originou em *Jesus Revolution* ["Revolução de Jesus"], que escrevi em 2018 em coautoria com Greg Laurie. Foi lançado pela Lionsgate como um longa-metragem em 2023.

ELISABETH ELLIOT E OS PSICODÉLICOS ANOS 1960

De sua parte, Elisabeth Elliot não considerava o Dr. Timothy Leary exatamente uma autoridade por cujo comando ela questionaria a autoridade. Ela já estava na casa dos trinta. Ela não usou alucinógenos, não curtiu rock and roll, não abraçou o amor livre, não se juntou a uma comunidade hippie nem marchou pelas ruas. Em um aspecto, porém, Elisabeth Elliot foi uma rebelde dos anos 1960. Afinal, se sua tantas vezes dolorosa jornada de fé no Equador lhe ensinara alguma coisa, foi realmente a questionar a autoridade. Não a autoridade divina. Ela levava Deus e sua Palavra a sério. Mas ela questionava a autoridade humana daqueles que tantas vezes alegavam falar em nome de Deus.

CAPÍTULO 4
NOVA CONSTRUÇÃO

"Estavam confortáveis em casa, em sua casinha feita de toras, envolta em neve, ouvindo os lamentos do vento, que não conseguia entrar."
—Laura Ingalls Wilder, *Uma casa na floresta*[1]

Enquanto ainda estava no Equador, a empreendedora Elisabeth havia comprado um terreno em Francônia, New Hampshire, com vista para as Montanhas Brancas. Havia bosques densos com cheiro de pinheiro, uma colina natural e sem florestas para construir uma casa com vistas abertas e sem obstrução das montanhas ao longe, e um vale abaixo pontilhado de fazendas, estações de esqui, uma vila e uma escola pública para Valerie.

Elisabeth contratou uma franquia de construção civil chamada Techbuilt, criada nos Estados Unidos em 1953 por um arquiteto de Harvard que lecionava no MIT. Caracterizadas por linhas simples, telhados inclinados, beirados salientes, revestimento de cedro e uso extensivo de vidro, essas casas eram criadas a partir de módulos de paredes, piso e painéis de telhado pré-fabricados e entregues por caminhão. A ideia era que uma equipe de construção pudesse montá-la em poucos dias. O resultado seria uma casa elegante e moderna que poderia ser erguida a um custo muito menor do que uma casa construída pelo "método convencional".

Elisabeth escreveu para sua família que amava as "encantadoras linhas simples, a aparência quase rústica e os materiais de boa qualidade". Quanto à decoração, ela não queria "nada distinto, identificável, único, original ou extravagante... Queria materiais da melhor qualidade e tive de sacrificar o estilo e a

---

[1] Laura Ingalls Wilder. *Uma casa na floresta*, coleção Os pioneiros americanos, trad. Lígia Azevedo (Jandira, SP: Principis, 2022), p. 25, Edição do Kindle.

individualidade para adequá-los ao meu orçamento".[2] A casa, presumivelmente, seria um pano de fundo para a vida, não o ponto focal. Ela chamaria sua nova casa de "*Indinyawi*", uma palavra quíchua extraída das tradições incas. Significava "Olho do Sol". A casa não era nenhuma Machu Picchu, mas sua orientação sudeste significava que a luz do sol inundaria suas janelas da frente a maior parte do dia.

Embora a estrutura se erguesse rapidamente, demoraria até que o resto da casa se completasse. Elisabeth observou que encanadores e outros profissionais geralmente vinham "apenas quando se sentiam inclinados a isso". Ela e Val se estabeleceram temporariamente no Chalé Gale, a propriedade da família Howard que moldara os felizes verões da infância de Elisabeth. Ela fora construída em 1889 por seu tio Will e tia Annie, em uma época em que qualquer casa onde pessoas abastadas passassem a estação quente era chamada de "chalé", até mesmo enormes casas de veraneio completas com dependências para empregados, várias chaminés, grandes lareiras de pedra e varandas que contornavam todo o perímetro.

O Chalé Gale, muito menos grandioso, era uma simples cabana de madeira. Havia dois aposentos grandes no andar de baixo, dois quartos grandes e dois pequenos no andar de cima e duas dependências para empregados no sótão. Quando criança, Elisabeth adorava ler perto da lareira, fazer caminhadas nas florestas intermináveis, nadar no gélido Rio Gale e pescar com o pai. Em dias chuvosos, ela explorava os baús empoeirados empilhados no sótão. Eles continham tesouros como uma caixa de música, um urso de pelúcia mecânico e um pé de criança mumificado, trazido de alguma tumba antiga no Egito quando o tio de Elisabeth, Will, rodeava o mundo procurando artefatos para o então novo Museu Metropolitano em Nova York.

Agora, a Elisabeth adulta inalava os cheiros de sua juventude: madeira velha, couro velho, livros velhos, aromas de pinho e bálsamo e fumaça de lenha. À noite, havia os sons do vento nos pinheiros brancos e do rio fluindo sobre as pedras frias e lisas. Elisabeth e Val se aconchegavam sob uma colcha de plumas e liam os livros que Elisabeth amava quando criança. Elas devoraram *Uma casa na floresta*, de Laura Ingalls Wilder, com sua família exemplar de pioneiros americanos do final do século XVIII. O cenário parecia o chalé dos Elliots, com

---

2 EE para "Queridíssima família", 8 de outubro de 1963.

uma exceção. As pequenas "Laura e Mary tremiam, ainda mais aconchegadas [em seu pai]", Elisabeth leu para Val. "Estavam a salvo em seu colo, envolvidas por seus braços fortes".[3]

"Ela ficou encantada com o aconchego da história, o calor da vida familiar", escreveu Elisabeth para sua família. Ela perguntou a Val: "O que deixava as personagens tão felizes? Qual é a coisa mais importante em um lar?"

Elisabeth estava pensando em "amor", mas Val foi direto ao ponto: "Um papai".

Val entrou na escola no início de setembro. Ela estava empolgada para subir em um ônibus escolar, carregar uma lancheira e aprender em uma sala de aula com outras crianças. Lembrando de seus próprios dias difíceis quando criança, Elisabeth ficou perplexa e encantada quando viu a saltitante e loura Val "correndo para dentro da escola" no primeiro dia. Val parecia ter herdado mais dos genes de "vida de festa" de seu pai do que do DNA socialmente desajeitado de sua mãe.

Com Val alegremente ajustada à sua nova vida, Elisabeth respirava mais aliviada, contemplava a floresta silenciosa e se perguntava como começar seus esforços como uma escritora séria. Seus dias se espalhavam diante dela como páginas em branco; um momento propício à criatividade. Eleanor Vandervort — Van — sua amiga íntima, confidente e suporte emocional durante aqueles últimos meses no Equador, estava visitando a família e amigos e retornaria depois do Natal.

Elisabeth não precisava estar sozinha. Afinal, ela havia recebido uma proposta de casamento enquanto ainda estava no Equador. Um "estranho e pequeno tcheco" continuava a aparecer na casa dela em Shandia. Ele chegava quase todos os dias na hora do almoço, com um saco de estopa surrado jogado sobre o ombro, com a barba por fazer nas bochechas e no queixo. Ele era cerca de trinta centímetros mais baixo que Elisabeth e tinha dentes suficientes apenas para ela quase entender o que ele estava dizendo. Tinha algo a ver com comida... e sua casa... então ele finalmente criou coragem para deixar claras as suas intenções e pediu a mão dela em casamento.

Elisabeth não precisou orar para descobrir a vontade de Deus a esse respeito. Ela lhe disse não e, por favor, que ele não a visitasse mais. O semblante dele descaiu, seus ombros despencaram e ele se esgueirou para longe.[4]

---

3 Wilder. *Op. Cit.*, p. 24, Edição do Kindle.
4 EE para "Queridíssimos pais", 19 de fevereiro de 1963.

Agora, Elisabeth estava sentada no solitário e silencioso esplendor do Chalé Gale e ponderava sobre o que escrever. Ela tinha um contrato com a Harper's, sua editora, para escrever um novo livro sobre o assunto que quisesse e no gênero de sua escolha. Era como um cheque em branco... mas o *cérebro* de Elisabeth também estava em branco. Ela tinha lampejos de ideias, sim, mas nada que pudesse capturar e organizar em um livro. Em vez disso, sua mente transbordava com mil detalhes domésticos sobre pisos, cores de tinta e puxadores de armários.

A maioria das escolhas não era fácil. Ela se angustiava sobre instalar uma bomba submersível ou um jato centrífugo de vários estágios. "Eu me sinto como o soldado que não queria catar feijões", escreveu para a família. "Essas DECISÕES".[5]

Ela escapava das decisões conhecendo os moradores locais. Durante os verões, os Howards costumavam cultuar em uma igreja batista local chamada Sugar Hill; a mãe de Elisabeth estava ansiosa para que ela agora se envolvesse ali em tempo integral. Um grupo de senhoras de Sugar Hill convidou Elisabeth para um chá. Ela ficou agradecida, mas achou a conversa "mortalmente chata — alergias, dietas, cães, Harvard, cavalos, empregadas domésticas, casas em Palm Beach, etc.".

Uma mulher do chá convidou Elisabeth para um jantar que foi muito mais divertido. Serviram elegantes aperitivos e o jantar incluía duas lagostas do Maine para cada pessoa. Após o jantar, um dos anfitriões leu em voz alta um romance humorístico e, então, eles brincaram de charadas.

A igreja convidou Elisabeth para cantar um solo durante o culto. O pastor visitante tinha "cerca de um metro e cinquenta, com "mãos pequenas e uma vozinha suave". Antes de ela se levantar para cantar, ele a apresentou como "Sra. Saint", como a viúva do piloto Nate Saint, que havia sido morto com Jim.

"Eu cantei mesmo assim." Mais tarde, ela almoçou em um clube local com um casal que não frequentava a igreja, mas que realmente sabia o nome dela. "É um grupo estranho de pessoas — definitivamente uma panelinha, um chamando o outro de 'queridinho', mas todos foram muito cordiais comigo, ofereceram-me algumas das bebidas e cigarros que haviam trazido, já que o clube serve apenas hambúrgueres nesta temporada (aceitei apenas os hambúrgueres)".[6]

---

5 EE para "Queridíssimos pais", 8 de outubro de 1963 (aniversário de Jim e aniversário de casamento dela).
6 EE para "Queridíssima família", 30 de setembro de 1963.

NOVA CONSTRUÇÃO

Ela continuou tentando se entrosar com o pessoal da igreja de Sugar Hill. Eles foram à casa dela para uma reunião de oração. "O estudo da Bíblia foi bem patético, infelizmente. [O pastor] é um cara legal... mas só fala banalidades, as quais temo que realmente signifiquem muito pouco para ele ou qualquer outra pessoa. Fundamentais — sim, claro, mas onde está a vida? Onde está a honestidade? Estou em um dilema sobre o que fazer sobre essa situação de igreja. Alguém deve ir a uma igreja apenas para 'encorajar o pobre grupinho esforçado'? Não tenho certeza se isso é exigido".[7]

Previsivelmente, a mãe de Elisabeth estava preocupada com a saúde espiritual dela. Por que a filha não podia simplesmente sossegar, frequentar aquela agradável igreja batista e ser feliz?

"Eu me sinto terrível quando esses grandes abismos parecem se abrir entre nós", Elisabeth escreveu para a mãe. "Quanto mais a vida passa, mais distante eu me sinto de todos os velhos laços — mais ou menos como Abraão, deixando parentelas e terras — e talvez seja isso que Deus tenha a fazer com cada um de nós, em alguma medida, para nos isolar para si mesmo. Porém, nunca é fácil perceber que estamos machucando quem se ama. Eu amo você, mãe, e agradeço a Deus por você, por sua constância de amor e pela humildade de espírito que lhe permite buscar entender seus filhos excêntricos, em vez de condená-los e desprezá-los".[8]

Os trabalhadores que Elisabeth conheceu eram muito mais interessantes do que as pessoas da igreja.

Uma figura local lhe contou histórias sobre sua infância na área. Elisabeth escreveu a história dele em seu diário: "Eu custumava caçá rato-almiscarado por aqui — uma vêi ganhei sete dóla por uma pele, mái hoje em dia acho que num valem mái nada. A única coisa que ainda tem algum valô é pele de mink". Ele apontou "para uma fazenda perto do rio Connecticut: 'A sinhora tá vendo aquela fazenda acolá? Morava um hôme chamado Reynolds. Olha na caixa de correio — não tá escrito Reynolds?'"

"Ali diz: Runnels", observou a sempre peculiar Elisabeth.

"Sim", respondeu o faz-tudo. "*Reynolds*. A filha dele ainda mora lá. Bem, aquele era o homem mais malvado que já existiu. A cidade inteira o odiava. Uma vez, um empregado dele — ele era um velho — chegou um pouco atrasado e ele

---

7 EE para "Queridíssima mãe e demais", 3 de fevereiro de 1964.
8 EE para "Queridíssima mãe", 10 de outubro de 1964.

o espancou até que o internaram no hospital. Por fim, a cidade ficou tão brava com ele que todos se amotinaram, amarraram suas mãos e pés e o jogaram no rio.

"Nunca o acharam até a primavera seguinte. Tinham toda a polícia estadual, o FBI e todo mundo aqui tentando descobrir quem fez aquilo. Foi a cidade inteira que fez — então, ninguém ia falar. Eles nunca descobriram quem fez aquilo, então consideraram suicídio".

Para não ficar para trás, o homem que cavava no quintal dela lhe contou sobre a vez em que ele fizera um trabalho em uma colônia de nudismo.

"Isso é como um acampamento de igreja?", Elisabeth perguntou jocosamente. "Diabos", respondeu o homem. "A senhora provavelmente aprenderia tanto quanto. "Caras andando por aí com seus equipamentos de fora", continuou ele, meneando a cabeça. "Quando um homem o apresenta e diz: 'Esta é minha esposa', e ela não está vestida, minha nossa, você tem que ter cuidado" com apertos de mão.

O homem fazia parte de uma equipe que perfurava um poço artesiano, necessário em uma situação geográfica na qual a água está confinada sob pressão abaixo de camadas de rocha relativamente impermeável. Após dois dias de perfuração, a equipe atingiu sete litros e meio de água por minuto, a noventa metros. "Eles atingiram a 'beirada' (gíria regional para granito sólido) a trinta metros e, dali em diante, era tudo rocha sólida, daí a taxa padrão de vinte e um dólares por metro", escreveu a frugal Elisabeth para sua família. (Vinte e um dólares por metro em 1963 seriam, aproximadamente, US$ 180 por metro hoje.)

"Enfim", continuou ela, "eu quase tive um colapso nervoso e tudo o mais, parada ali assistindo àquela imensa perfuratriz moendo, mas aí eu me dei conta de que Deus sabia onde estava aquela água, de que o dinheiro era dele, afinal; e de que ele poderia facilmente tê-los feito encontrar a água a quinze metros, se ele quisesse economizar parte do seu dinheiro, mas temos de aprender que as ideias dele sobre [dinheiro] não são as nossas".[9]

Elisabeth andava pela propriedade usando botas e uma saia xadrez, cortando árvores menores com seu facão trazido da selva. Agora, em vez de criaturas da Amazônia, ela disputava com guaxinins na varanda da frente e esquilos na sua garagem. Um porco-espinho se arrastou e entrou por uma janela; uma marmota correu perto da porta da frente.

---

9 EE para "Queridíssima família", 30 de setembro de 1963.

NOVA CONSTRUÇÃO

Enquanto isso, o pedreiro que assentava os ladrilhos de cerâmica no banheiro principal murmurava e gaguejava consigo mesmo porque a banheira não tinha sido colocada corretamente. Ele se consolava fumando charutos, um após o outro. Outros trabalhadores espalhavam lama pela casa, que "cheirava a metrô", e tudo aquilo parecia um pesadelo para a meticulosa Elisabeth. Ela simplesmente não conseguia tirar aquilo da cabeça, se retirar para o Chalé Gale, atiçar as brasas de sua fria imaginação e criar grandes obras de arte literária.

"Para sua informação", escreveu para a família, "não estou escrevendo um livro sobre coisa nenhuma agora. Não consigo pensar em nada além de concreto (amanhã eles vão concretar a garagem) e coisas do tipo".[10] Ela não fazia a menor ideia do que escreveria para cumprir o contrato com sua editora, mas conseguiu adiar o prazo fatal daquele livro desconhecido de junho para dezembro de 1964.

Valerie disse à mãe que, na escola, as outras crianças ou seus pais às vezes lhe perguntavam o que sua mãe fazia.

"O que você lhes diz?", perguntou Elisabeth.

"Ah", disse Val, dando de ombros. "Eu só digo que ela não faz nada. Ela nunca trabalha".

Enquanto isso, pelo menos Val estava escrevendo. Ela enviou um poema rabiscado a lápis para sua "Vovó".

"Era uma vez um rato / Que se enfiou em um sapato / Ele gostava de um rato / Que usava um chapéu barato".

Logo após esta obra de arte, a casa foi finalmente concluída. Elisabeth amou cada centímetro dela. Ela poupou a família de poucos detalhes da sua arquitetura e da decoração da última moda dos anos 1960. A "casa tem formato de L", escreveu, "quinze metros de comprimento de norte a sul, onze metros de largura na extremidade larga e sete metros, na estreita. Janela panorâmica de três metros na frente. Sala de estar, sala de jantar com paredes revestidas em painéis de madeira, piso de carvalho e lareira de pedra na extremidade leste, estantes embutidas flanqueando a lareira e, no chão, um tapete branco trazido do Equador".

A cozinha tinha armários de nogueira escura, papel de parede e o que havia de mais moderno em balcões de fórmica branca e dourada. Havia um banheiro

---

10 EE para "Queridíssima família", 11 de novembro de 1963.

de hóspedes com azulejos bege "cor de cervo", com toalhas em areia, bege e coral. O corredor era "azul francês com detalhes em madeira natural" e piso de ladrilho de cortiça. O quarto de Val tinha papel de parede de lavanda e orquídea com fundo branco; Elisabeth havia costurado cortinas de organza branca com babados e uma saia para a nova cama de Val, com seu dossel branco e sua colcha de lavanda.

O quarto de hóspedes tinha paredes douradas e carpete dourado de parede a parede, tudo da última moda; já o quarto branco de Elisabeth tinha uma colcha azul e roxa, uma cama e uma cômoda novas de madeira bordo e um banheiro feito em cerâmica azul com detalhes em azul-piscina. O exterior da casa, tingido de um marrom profundo, tinha guarnições brancas e uma porta turquesa brilhante, com um caminho de pedras descendo sinuosamente da porta da frente até à entrada da garagem e um poste de jardim na lateral.[11]

Havia apenas algumas lembranças do Equador: lanças waorani como as que haviam matado Jim; a mesa de centro que ele havia construído com madeira de lei da selva; e o tapete branco na sala de estar.

As Elliots se mudaram para sua nova casa em meados de novembro de 1963. "O puro luxo desta casa às vezes me é avassalador", escreveu Elisabeth para sua família. "Só Deus sabe o quanto sou grata. Acordar à noite em um colchão de espuma de borracha, deliciosamente quentinha sob meu cobertor... em lençóis novos e macios, e ouvir o vento assobiando lá fora e saber que a neve está caindo, mas estamos protegidas de tudo isso — bem, é um contraste tão grande com o passado que mal consigo superar!"[12]

Era muito diferente de dormir em uma rede suja na lama da selva amazônica.

Logo depois que Elisabeth e Val se mudaram para sua nova casa, em 22 de novembro de 1963, Val estava na escola e o presidente John Kennedy estava em campanha, andando em uma limusine preta de cauda de barbatana e capota aberta em Dallas, Texas. A multidão acenava, esticando o pescoço para ter uma visão de JFK e Jackie, tão elegante em seu terno Chanel rosa combinando com seu chapéu pillbox. Ela carregava um buquê de rosas vermelho-sangue ao mesmo tempo que, com o presidente, acenava para seus fãs.

Um empresário chamado Abraham Zapruder, empunhando sua câmera de filme Zoomatic Bell & Howell de 8 mm de última geração, permanecia sobre uma

---

11 EE para "Queridíssima família", 20 de novembro de 1963.
12 EE para "Queridíssimos pais", 10 de dezembro de 1963.

base estreita de concreto, de um metro e vinte, na rota do desfile, enquanto filmava a animada procissão.

O governador do Texas, John Connally, e sua esposa, Nellie, estavam sentados na limusine na frente do presidente Kennedy e da primeira-dama. Nellie se virou. "Sr. Presidente", gritou ela por sobre o barulho da multidão, sorrindo largamente; "o senhor não pode dizer que Dallas não o ama!"

Poucos segundos depois, houve um tiro de rifle, despercebido no rugido da multidão. Depois outro. O presidente e o governador Connally foram ambos atingidos, embora não mortalmente. Então veio o terceiro disparo, aquele que a câmera de Abraham Zapruder capturou arrancando o topo do crânio do presidente, soprando uma névoa rosada no ar e cuspindo parte de sua massa óssea e encefálica na parte de trás da limusine. Ali estava Jackie Kennedy naquele momento primitivo de horror, rastejando para abrir a tampa da capota; um agente do Serviço Secreto se jogou para dentro do carro, o qual disparou em direção ao hospital enquanto Jackie embalava seu marido arruinado em seus braços.

Elisabeth Elliot não tinha televisão, mas devorava tudo o que a mídia impressa publicava sobre a tragédia. Ela citou um editorial do *New Yorker* sobre a comoção nacional: "Foi como se dormíssemos de sexta a segunda e sonhássemos um sonho opressivo e insondavelmente significativo, o qual, como descobrimos ao acordar, milhões de outros também haviam sonhado. Móveis, família, ruas e o céu se dissolveram; apenas o sonho na televisão era real".[13] Ela leu atentamente a edição da revista *Life* de 26 de novembro, que trazia imagens estáticas do vídeo arrepiante de Abraham Zapruder.

Elisabeth se identificava com a esposa de JFK, subitamente viúva por um ato de violência impensável. Ela escreveu para a própria família: "O vídeo reproduzido na Life da semana passada é terrivelmente comovente, não é? O que vocês acham que Jackie estava pensando ao rastejar sobre o porta-malas do carro? As legendas dizem: 'uma busca patética por ajuda'. Duvido disso. Duvido que ela soubesse — ou se lembrasse mesmo agora — o que estava fazendo. Que coisa. Ainda mal consigo acreditar".[14]

O Dia de Ação de Graças de 1963 foi cinco dias após a morte do presidente. Elisabeth e Val foram ao desfile de Ação de Graças de Nova York, no Central

---

13 EE para "Queridíssimos pais", 10 de dezembro de 1963.
14 EE para "Queridíssimos pais", 3 de dezembro de 1963.

Park. Havia balões do Pato Donald e do Popeye que mediam um quarteirão de comprimento. "Eram necessários cerca de 45 homens, segurando as cordas de sustentação com todas as suas forças, para impedir que os monstros voassem sobre os arranha-céus". Elas celebraram o Dia de Ação de Graças com amigos da família, nos arredores da Filadélfia, e depois voltaram para Nova York a caminho de casa.

Val estava participando de uma encenação de Natal com outras crianças da escola. Elisabeth assou tortas e decorou a cornija da lareira com pungentes folhas de pinheiro de sua floresta. A neve caiu. Empolgada com a ideia de andar de trenó pela primeira vez em sua jovem vida, Val subiu confiante em seu novo trenó vermelho, com a cabeça voltada para baixo, deitada de costas. Elisabeth teve que colocá-la na posição certa. Enquanto isso, Zippy, o novo cachorrinho delas, latia freneticamente e saltava pelos montes de neve. Um conhecido na cidade o havia dado a Elisabeth, de graça. Ele era "uma mistura de walker hound (seja lá o que isso for), collie, e sabe-se lá o que mais. Ele é muito gordinho e fofo, quase todo branco e com manchas pretas muito mal-arranjadas".

Embora não fosse um gênio, Zippy Elliot seria uma entusiasmada companhia para Elisabeth e Val, sempre pronto para explorar a floresta com seu focinho farejando as trilhas estreitas, tremendo de empolgação. Ele acompanhava Elisabeth a todo lugar, esperando no carro enquanto ela fazia compras na cidade, deitando-se ao lado de sua cadeira perto da lareira, à noite, depois que Val ia dormir. Ela tolerava nele o que não aceitava em humanos, perdoando seus comportamentos desleixados. Ele tirava papel da lata de lixo dela e o mastigava em pedaços. Embora ele soubesse que ela não "gostava de ter minha lixeira esvaziada desse jeito", ela escreveu que "ele faz aquilo de forma tão discreta e humilde que sabe que consegue se safar". Ocasionalmente, seus pecados eram mais extravagantes, como quando ele comeu uma das borlas da colcha nova do quarto de hóspedes... ou quando derrubou e devorou o assado de porco e batata de Elisabeth, certa noite, enquanto ela saía da mesa para atender um telefonema. Ela o amava mesmo assim.

Na manhã de Natal de 1963, enquanto Elisabeth e Val celebravam nas neves brancas de New Hampshire, os pais of Elisabeth, Philip e Katharine, sentaram-se à mesa do café da manhã. Philip parecia distraído. Ele olhava ansiosamente por cima do ombro esquerdo como se alguém estivesse atrás dele. Repetidamente. Depois da segunda vez, sua esposa perguntou o que havia de errado. Nenhuma resposta. Um instante depois, ele olhou por cima do ombro esquerdo novamente, com os olhos arregalados, e não deu nenhum sinal de estar ouvindo Katharine lhe perguntar o que ele estava fazendo.

NOVA CONSTRUÇÃO

Preocupada, Katharine ligou para alguns amigos — um tal de Sr. B e sua esposa — os quais eles planejavam visitar mais tarde naquele dia. Eles chegaram em questão de minutos. Eles se sentaram juntos, e a Sra. B. leu a Bíblia em voz alta. Philip continuou a olhar por cima do ombro esquerdo. O Sr. B. o acompanhou pela casa para mostrar que não havia ninguém lá.

Mais tarde, Philip se recuperou o suficiente para que os convidados retornassem para casa. Mais tarde, ele e Katharine conseguiram ir até lá para abrirem os presentes de Natal juntos. De repente, Phil olhou por cima do ombro, encolheu-se e caiu no chão, convulsionando, gemendo e vomitando. Enquanto eles corriam para ajudá-lo, a Sra. B. ouviu Katharine sussurrar uma oração frenética: "Oh, Senhor, leva-o logo, e leva-o sem dor!" No hospital, estabilizaram Philip, então Katharine voltou para casa para receber os convidados de Natal, que a acompanhariam de volta ao hospital... Nesse ínterim, seu marido faleceu. Ele havia partido rápido. E sem dor.

Mais tarde, a Sra. B. contou a Katharine que tivera um sonho vívido na madrugada daquela manhã de Natal. Nele, ela perguntava: "Por que este Natal está tão diferente?" Uma voz desconhecida lhe respondia: "Porque houve uma morte na família".

Mais tarde naquele dia, é claro, ela descobriu o que seu sonho significava.[15]

Após a agitação do funeral, Elisabeth escreveu para sua mãe com empatia. Ela havia ficado viúva há oito anos e conhecia o choque da perda repentina.

"Eu sei que você amava o papai, que vocês tinham uma vida feliz juntos; e sei que, agora que é chegado o tempo de Deus para a senhora ficar sozinha, ele será sua porção, como prometeu, e a senhora encontrará um novo tipo de vida com Deus.

"Lembre-se daquela palavra sobre nossa 'leve aflição' — ela está produzindo para nós um peso de glória muito mais excelente e eterno. Não sei o que isso significa, mas sei que deve ser maravilhoso.

"Não perca tempo ou energia em autocensura pelo que a senhora não fez pelo papai, ou pelo que talvez tenha dito e agora se arrepende etc. Esta é uma reação natural, mas inútil, e provavelmente resulta de uma visão distorcida.

"Eu te amo, mãe, e confio que Deus provará o seu próprio amor que ele tem pela senhora".[16]

---

15 Relato da morte do pai de Elisabeth para seus irmãos Phil, Dave, e Ginny, 10 de janeiro de 1964.
16 EE para "Queridíssima mãe", 8 de janeiro de 1964 (o oitavo aniversário da morte de Jim).

CAPÍTULO 5
PLAYBOY, CAÇA ÀS PECHINCHAS E BLOQUEIO CRIATIVO

"Caminhando na floresta, passarinhos encurvados sob o peso da neve, pegadas de coelho cruzando em todas as direções, e um silêncio tão profundo! Como eu amo este lugar."
— Diário de Elisabeth Elliot, inverno de 1964

No início de 1964, Elisabeth finalmente parou para escrever seu novo livro, agora com a sua amiga Eleanor Vandervort — ou Van — em sua companhia. Van havia sido amiga de Elisabeth e de Jim desde os tempos do Wheaton. Aos 24 anos, ela havia ido para o Sudão do Sul como missionária presbiteriana. Ela trabalhou entre os Nuer, um povo primitivo que nunca tinha ouvido falar de Jesus e não tinha linguagem escrita. Van trabalhou por treze anos desafiadores, desenvolvendo uma forma escrita da língua deles e, então, traduziu o Novo Testamento para ela.

Como Elisabeth, Van não tinha medo de fazer perguntas difíceis sobre métodos, meios e mentalidades comumente aceitos entre os missionários; o que significava, realmente, comunicar o evangelho a pessoas cuja cultura é diferente da sua?

No início de 1963, Van foi abruptamente informada pelo novo governo sudanês de que ela, assim como outros missionários, deveria deixar o país. Ela foi até o Equador para visitar sua velha amiga Elisabeth Elliot, e as duas mulheres — tendo sido afetadas de forma semelhante por suas experiências missionárias — encontraram uma conexão profunda em suas visões sobre a vida, a fé e o mundo. Para Elisabeth, Van foi um muito bem-vindo alívio da profunda solidão que ela sentia desde a morte de Jim; finalmente, alguém que entendia como ela se sentia e pensava.

"A alegria de estar com Van continua, dia após dia, como uma fonte de águas puras, e ainda é difícil para mim acreditar no amor que Deus teve por nós duas ao fazer isso acontecer. Pensar em Deus [...] a contemplar duas mulheres solitárias, esperar o seu próprio tempo e, então, finalmente dizer: 'Agora!' e enviá-la para o outro lado do mundo para que pudéssemos estar juntas! É maravilhoso pensar em como ele <u>conhece</u> nossas necessidades e anseios, e ele os atende à sua própria maneira, muito além de nossas imaginações. Há momentos em que precisamos aprender a nos satisfazer somente com ele, mas há muitos outros momentos [...] quando ele livremente nos dá, consigo mesmo, todas as coisas".[1]

Elisabeth apresentou Van a Mel Arnold, seu editor na Harper's. Depois de ouvir a história de Van, ele lhe ofereceu um contrato para escrever seu próprio livro, um relato de seus anos exaustivos entre os Nuer.

Van se mudou para o novo quarto de hóspedes de Elisabeth, aquele dourado e branco. Ela ajudava Val com o dever de casa e Elisabeth com o trabalho doméstico. Ela sabia usar tanto uma chave inglesa como uma chave de fenda. Quando Elisabeth viajava para dar palestras, Van ficava em casa com Val.

Era um ótimo arranjo. As duas missionárias excêntricas, espíritos afins e pensadoras talentosas agora escreveriam seus respectivos livros no retiro de Elisabeth no topo da colina. Mas para Elisabeth — e para Van também — a veia criativa simplesmente não pulsava.

"Tento escrever um livro desde setembro", Elisabeth resmungou em seu diário. "Morava no chalé [Gale] na época — lá fazia muito frio, e eu estava muito ocupada com ladrilhos e fundações, cores de tinta e bancadas de cozinha, bombas de jato e sistemas de aquecimento, para me concentrar em um livro".

Ela continuava dizendo a si mesma que, assim que se mudasse para sua nova casa, a escrita fluiria.

"Depois foram cortinas e móveis. Depois o Natal, a morte do papai, a Flórida... 'Ah, bem — <u>janeiro</u> verá a grande inauguração!'", ela pensava.

Janeiro passou. Assim como fevereiro. "Ainda sem forma. Muito a dizer — mas como contê-lo em um livro? Um romance? Um diário? Um ensaio? Nenhuma linha no papel até agora".

O que havia dentro dela, ardendo para ser expresso?

---

1 EE para "Queridíssima mãe", 3 de abril de 1963 (escrito enquanto ela morava em Shandia).

"Orem por clareza de visão, pela habilidade de colocar no papel, pela verdade no íntimo", rogou ela à família. "Isso é sempre algo difícil para mim ao escrever — continuo sentindo minha própria inadequação em perceber a verdade e em formulá-la de fato no papel. É de se perguntar se a alma de alguém é realmente grande o suficiente para a tarefa. Fico pensando no velho João [o apóstolo], tendo aquela visão tremenda e ouvindo a ordem: <u>Escreve o que vês</u>. Nenhum de nós pode fazer outra coisa com honestidade — devemos escrever o que vemos, não o que outra pessoa vê, não o que podemos pensar que devemos ver, não o que desejamos ver".[2]

Elisabeth sentia que a maior parte de sua vida tinha sido no contexto de pessoas vendo o que pensavam que deveriam ver, expressando as respostas "certas", tendo as reações "certas". Os "deveres" haviam sido o pão de cada dia durante toda a sua vida. Agora, para dizer o mínimo, era difícil para ela escrever sobre a vida sem o subtexto de uma agenda missionária. Em seus anos de amadurecimento, ela estivera cercada por pessoas que não viam valor na arte ou na literatura, a menos que aquilo apontasse as pessoas abertamente para o "plano de salvação". Agora, ela acreditava que a literatura em si mesma, ao mostrar — não "dizer" — a verdade sobre a vida, os seres humanos, o pecado, a morte e os relacionamentos, poderia ela mesma evocar de modo redentor o desígnio do divino em sua criação. Mas seria *ela* capaz de fazê-lo?

Os dias e noites tranquilos se sucediam.

"23h30 perto da lareira. Zip dorme sobre o tapete branco aos meus pés. Paz. Van e Val também dormem".

Ela estava lendo *A fazenda africana*, de Isak Dinesen, uma "joia requintada da literatura do século XX... Será que meu livro deveria ser um romance? Será que sou capaz dessa criatividade?!"

E quem no mundo leria seu romance? — ela se perguntava. As pessoas que ela conhecia que liam livros missionários desaprovavam romances. As pessoas que liam romances não tinham interesse em livros missionários. Ela estava condenada.

Ela continuou lendo *A fazenda africana*. "Tanta dignidade e graça, tanta veracidade e brilhante imaginação".

---

2 EE para "Queridíssima família", 3 de fevereiro de 1964.

"É extremamente doloroso ver-me incapaz de colocar uma única linha no papel", escreveu em seu diário no dia seguinte. "Eu me sento, em uma casa perfeitamente silenciosa, sem telefone tocando. Valerie na escola, sem índios nas janelas, sem tarefas domésticas para fazer, sem interrupções de qualquer tipo. Eu leio, penso, leio um pouco mais — a Bíblia, a revista *Playboy* (primeiro exemplar que vi na vida — comprei em Boston porque alguém mencionou que de vez em quando eles publicam alguma literatura excelente. Eu queria também, é claro, ver que tipo de mulheres são as 'Playmates'). Então, eu penso um pouco mais. Mas não há nenhum proveito".

Enquanto estava em Boston, além de comprar uma *Playboy*, Elisabeth visitou a loja de departamentos Filene's Basement. Apesar das lutas para escrever seu livro, ela não teve dificuldade em descrever a loucura da cena que viu na Filene's em uma carta para sua família.

"Eles conseguem todo tipo de pechinchas fabulosas das melhores lojas do país (Neiman-Marcus de Dallas etc.). Os preços são automaticamente reduzidos em 20% após 10 dias, 40% após 20 dias e, após 30 dias, os produtos saem de graça".

"Era pura gritaria e confusão. Famílias inteiras, com bebês e crianças pequenas, mulheres escandalosas determinadas a comprar escarpins dourados por US$ 2,99, a mãe acompanhando a filha adolescente de penteado de colmeia que precisa de casacos para a Páscoa, senhorinhas lutando por espartilhos. Eles não permitem que você experimente nada e, para esse fim, todas as aberturas das roupas são costuradas. Não importa. As mulheres vêm equipadas com tesouras, cortam os pontos, tiram seus próprios vestidos nos corredores, experimentam tudo e mais um pouco, jogam o que não querem no chão, onde tudo fica pisoteado. [...] Eu mal aguentei ficar durante a cerca de meia hora que passamos ali, mas, naquele período, consegui um terno de lã para Val, por US$ 7,99, uma bolsa preta de verniz para mim, que custava US$ 15 e saiu por US$ 5, e Van conseguiu algumas lindas luvas infantis e uma mala".[3]

De volta para casa, ela era menos produtiva.

"Ontem passei o dia inteiro sentindo que finalmente conseguiria escrever algo. [...] Um dia gasto na esperança — mas foi uma esperança adiada. Nada vem de forma <u>clara</u>. Pânico de que o que escrevo não seja verdade — no sentido

---

3 EE para "Queridíssima família", 27 de março de 1964.

mais verdadeiro (isto é, a ficção também pode ser verdade — naquilo em que ela verdadeiramente representa a vida e o ser humano que se depara com a vida). Temores do que os colegas missionários sentirão ao se reconhecerem; medo de ser mal interpretada; novas dúvidas sobre se sou realmente capaz de avaliar minhas experiências de forma justa e retratá-las honestamente — com perspectiva e compreensão. Deus me ajude. Deus me dê um estalo. Revela, Senhor, <u>revela</u> o que devo fazer. Essa falta de frutos é uma <u>agonia</u>. Sinto-me culpada quando não estou produzindo. Oh, me ajuda, Senhor".

Ela iniciou um diálogo vigoroso consigo mesma; a Elisabeth Irritada e a Elisabeth Fiel discutiram sobre seus medos de que ela fosse incapaz de dar à luz um novo livro.

Como posso escrever?
(*Cale a boca — Deus lhe deu um dom.*)

Como pagarei as contas?
(*Elas estão pagas, não estão, por cerca de um ano?*)

Sim, mas e depois?
(*Não se preocupe com o futuro. Seja grata pelo presente.*)

Mas eu não estou produzindo nada.
(*Mas a gestação é um pré-requisito.*)

E se eu estiver me enganando sobre esse negócio de gestação? E se for tudo gravidez psicológica — e eu tiver apenas um tumor ou algo assim?
(*Mas você tem algo a dizer.*)

Que proveito isso tem, se não consigo escrevê-lo?
(*Você vai conseguir. Embora a visão demore, espere por ela.*)

Quanto tempo isso vai durar?
(*Isso não é problema seu. Confie um pouco. Espere pacientemente — "pelo Senhor".*)

Mas eu devo trabalhar, não devo?
(Não quando se deve esperar.)

Deus — eu venho "esperando" desde setembro.
(Mas o tempo não é desperdiçado. Você está aprendendo, ruminando, formulando — isso faz parte do processo.)

"Oh, céus", concluiu a Elisabeth Irritada. "Vou parar por hoje. Ainda bem que preciso ir para a cozinha agora e começar a preparar a carne enlatada. É sempre bom ter algo imediato que simplesmente <u>temos</u> de fazer. Qualquer coisa em vez de pensar!"

CAPÍTULO 6
A IMATURIDADE NÃO TOLERA A AMBIGUIDADE

"[...] duvidar sabiamente, talvez seja de estranhar,
investigar direito, não é se desviar;
dormir, ou correr errado, é."
— John Donne, na Sátira III

Como seu pensamento e escrita pareciam estar criativamente bloqueados, era um alívio paradoxal para a introvertida Elisabeth viajar para dar palestras. Por causa de seus livros e de sua história pessoal bem conhecida, o correio chegava todos os dias com convites para falar em conferências missionárias, encontros de mulheres, reuniões da igreja ou algum outro grupo. Alguns dos anfitriões pareciam bastante confusos sobre o porquê haviam desejado que ela viesse. Meses depois de fazer um convite, uma anfitriã lhe escreveu novamente, agora se perguntando se por acaso Elisabeth era a mesma Elisabeth Elliot que havia escrito algum livro e sido missionária para os waorani. *Por que ela me convidou em primeiro lugar?*, Elisabeth se perguntou. Outra anfitriã falou sobre o quanto o excelente "trabalho na África" do falecido marido de Elisabeth tinha significado para ela.

Elisabeth não tinha certeza do que fazer com todas essas oportunidades. "Não sinto que posso promover muito a 'causa' das missões, se é isso que eles querem, mas eu poderia lhes contar algumas lições pessoais que o Senhor me mostrou... Mas sinto também que isso é o que eu deveria estar escrevendo".[1]

Ela foi convidada para falar no King's College, uma instituição cristã em Nova York. Seu presidente, um conhecido líder evangélico, nunca a tinha conhecido

---

1 EE para "Queridíssimos", 14 de fevereiro de 1964.

antes. Elisabeth ficou desconcertada com o entusiasmo e a familiaridade instantânea dele, que lhe pareceram forçados. Ele a acompanhou até a capela, onde 400 alunos esperavam. Houve um hino entusiasmado e então o tipo de introdução que Elisabeth tinha ouvido muitas vezes... "Autora, missionária para os selvagens waorani que martirizaram" seu marido e quatro outros missionários corajosos, mas Deus usou aquilo para trazer uma grande colheita para o Reino.

O presidente continuou. "E agora estamos felizes em receber a Sra. Elliot, que eu sei que tem um verdadeiro peso por ganhar almas e por fazer com que vocês, jovens, se sintam motivados para o campo missionário".

Elisabeth se levantou, não se sentindo muito "motivada". Ela não tinha certeza de que era capaz de induzir emocionalmente os jovens a se alistarem para missões.[2] Ela acreditava que estava ali para falar sobre o que sabia ser verdade, o que havia vivenciado no Equador e o que havia aprendido sobre Deus naquelas situações difíceis. Pura e simplesmente.

"Eu temo", disse ela aos alunos do seu jeito preciso e desapaixonado, "que seu estimado presidente tenha convidado a oradora errada para a capela. Quero falar simplesmente sobre conhecer a Deus".

"[O presidente] não tinha a mínima ideia de onde eu queria chegar", Elisabeth disse mais tarde à família. Ele "disse 'Amém' em momentos inapropriados, agradeceu-me no final, entregou-me um cheque e disse adeus".[3]

Da capela da faculdade, ela seguiu para um almoço para quatrocentas mulheres, com um lindo desfile de moda de chapéus de primavera antes de sua palestra. Uma ou duas noites depois, a ácida Elisabeth falou em uma reunião de igreja que considerou "terrível. A zombaria vazia, o espetáculo, a máquina missionária, o evangelho como negócio, a forma como fui apresentada, a total falta de compreensão do que eu estava dizendo, todo aquele total fingimento. Van e eu saímos chocadas".[4]

Uma ou duas semanas depois, ela viajou para uma escola cristã chamada Barrington College, em Rhode Island, para falar ao lado de outras pessoas em uma "conferência de visão-vocação".

---

2 Ironicamente, várias pessoas entrevistadas para este livro que acabaram servindo no ministério disseram que Deus usou Elisabeth Elliot para motivá-las a fazê-lo.
3 EE para "Queridíssima família", 25 de fevereiro de 1964.
4 Ela observou que "é assim que os não cristãos se sentem... simplesmente uma alma a ser 'ganha', uma estatística em um relatório de missões".

A IMATURIDADE NÃO TOLERA A AMBIGUIDADE

Ela estava receosa.

"Estava lotada, para minha surpresa, e senti que foi o público mais ávido, atento e inteligente para o qual já falei. Foi um grande prazer, de fato, depois do tipo de público de igreja que tenho encarado".[5]

Ela mostrou slides coloridos com cenas de seu tempo entre os waorani. Ela falou sobre o conhecimento de Deus, tomando por base Isaías 43.10 e aquela passagem de Êxodo que havia sido tão significativa para ela no Equador. Nela, Deus diz a Moisés para fazer algo que estava, de fato, fadado ao fracasso. "Eu te enviarei. Eu estarei contigo, mas Faraó não te ouvirá".

Qual é a aparência da fé, perguntou Elisabeth, quando os "resultados" da obediência não podem ser vistos? Como entendemos o ministério para além das estatísticas impressionantes e das histórias triunfalistas?

"Muita gente me disse que nunca tinha ouvido nada parecido", disse Elisabeth mais tarde, na mesma carta à família. "A atitude tanto dos alunos como do corpo docente era de busca sincera pela verdade, uma abertura e disposição para ouvir algo novo que eu simplesmente não tenho encontrado nas igrejas — nelas, parece haver muita esterilidade intelectual e insuportável fanatismo".

Elisabeth passou várias noites na escola, que ficava em uma antiga propriedade do início da década de 1920, construída com pedras pesadas, salas sombrias, gramados extensos e piscinas com estátuas de golfinhos. Lembrava-a de *O Morro dos Ventos Uivantes*. Porém, cada sessão de palestras a animava. Uma reunião do corpo docente a fez sentir que "ainda havia algumas pessoas no mundo que estão em sintonia comigo! E, naturalmente, não se pode deixar de sentir que aqueles que entendem seu ponto de vista são excepcionalmente inteligentes", ela brincou em uma carta à família. "Nunca recebi tantas expressões gentis de apreciação, e as pessoas de lá me trataram como um ser humano, em vez de uma mercadoria, que é o sentimento que costumo ter".[6]

Ela falou sobre o livro de Jó, um tema constante em seu estudo e contemplação. Ela se fascinava com a honestidade de Jó diante de Deus e pelo fato de que, longe de condenar Jó por suas perguntas impertinentes, Deus o elogiou por essa honestidade. Elisabeth falou sobre "a desonestidade na representação da missão,

---

5 EE para "Queridíssimo povo", 9 de março de 1964.
6 EE para "Queridíssimo povo", 9 de março de 1964.

nosso falso senso do que significa crer em Deus, nossa ideia equivocada do que significa servir a Deus".

Para Elisabeth, os amigos de Jó — que presumiram que Deus só poderia agir de certas maneiras e, portanto, que Jó certamente havia pecado de modo a trazer tanto sofrimento sobre si mesmo — eram como os cristãos modernos que colocam Deus em uma caixa. Ela ficava "perturbada com a tendência dos palestrantes missionários de se esquivarem das questões reais e tentarem defender um evangelho que eles de fato não entendem".

Deus era misterioso. O universo não era tão previsivelmente ditado em relações de causa e efeito. Quando os pobres amigos de Jó equipararam o sofrimento de Jó ao juízo de Deus sobre o pecado em sua vida, eles "estavam diante de algo grande demais para eles, algo que suas categorias não abarcavam. Então, em vez de admitirem a ignorância, eles recorrem a simplificações exageradas, julgamentos precipitados, clichês fáceis — coisas que equivalem a mentir".

Houve uma sessão de perguntas e respostas em uma recepção após a palestra de Elisabeth no Barrington College. Foi igualmente revigorante. Não houve nenhuma daquelas perguntas superficiais do tipo: "Você não é *viúva*, é?", as quais ela recebeu em outros lugares. As questões abordaram uma ampla gama de assuntos:

"Que lugar você atribui à inteligência e à razão [das pessoas] na vontade de Deus?"

"Jim parece ter praticado uma forma de autodisciplina que se aproximava do ascetismo; que valor você acha que isso teve?"

"Há qualquer coisa em termos de linguagem que possa ser dito sem medo de equívoco?"

"O quanto um missionário tenta mudar em termos de padrões culturais?"

"Se alguém tivesse dito a você as coisas que você nos tem dito, você teria ido para o campo missionário?"[7]

Elisabeth sorriu quando ouviu a última pergunta. Ela sabia que não poderia ter dito as coisas que disse aos alunos *a menos que* tivesse ido para o Equador. Teria

---

[7] Observe que essas perguntas causaram uma impressão suficiente para serem anotadas em seu diário.

ela, poderia ela ter internalizado tais conselhos se lhe tivessem sido dados por outra pessoa? Não se sabe. Deus trabalha como ele quer para seus próprios propósitos misteriosos que ecoam na eternidade. As perguntas "e se?" eram intrigantes, mas inúteis no escopo prático das coisas. E Elisabeth Elliot era uma pessoa muito prática.

Mais ou menos na mesma época, Van e Elisabeth foram a uma apresentação vespertina de "Lutero" em Nova York. "Muito comovente, de fato", ela escreveu. "A busca interior de Lutero existia bem antes de ele romper com a Igreja".

Elisabeth não era nenhum Martinho Lutero. Mas, à sua maneira, na época, ela estava rompendo com a igreja como a conhecera no passado. Ela se sentia como um produto embalado, uma engrenagem na roda, de quem se esperava que desempenhasse o papel da "missionária heroica" que jamais sentia dor ou perplexidade, apenas vitória e certeza. Ela estava interessada em falar sobre o conhecimento de Deus, não em vender as coisas de Deus.

Por que Elisabeth Elliot ficou tão perturbada com sua experiência em muitos de seus compromissos como palestrante? Por que a hospitalidade no King's College, por exemplo, a irritou tanto? Por que ela tinha repulsa àquela efusiva intimidade — "Bem-vinda, irmã, tenho certeza de que seremos abençoadas pelo que o Senhor a tem conduzido a compartilhar conosco" — tão comum entre os bajuladores cristãos da época? Será que ela apenas se sentia deslocada diante de estilos de personalidade calorosos tão diferentes dos seus?

Isso provavelmente era parte da explicação. Parecia haver, nos círculos cristãos, uma intimidade habitual que irritava as sensibilidades mais formais de Elisabeth. Mas sua aversão era mais profunda do que diferenças de personalidade. E, embora ela às vezes pudesse soar sarcástica em suas críticas, ela estava reagindo contra o que enxergava como a mesma falsa piedade e certezas fáceis que ela havia rejeitado no Equador.

Além disso, Elisabeth cresceu em um ambiente que, mais tarde, ela rejeitou como sendo, talvez não legalista, mas pelo menos mais preocupado com as aparências do que com a verdade. Seus anos de crescimento, estudo e trabalho missionário haviam se passado todos dentro da "bolha" de uma cosmovisão que era articulada de um modo específico e não podia ser questionada. Aquela visão agora a deixava louca. Não o cristianismo; Elisabeth Elliot abraçava ferozmente sua fé em Cristo. Mas ela rejeitou uma subcultura religiosa que bifurcava o mundo em secular e sagrado, mundano e espiritual, "eles" e "nós". Era uma aceitação inquestionável de costumes que não permitia dúvidas, perguntas ou pensamento crítico.

Um fim de semana em Nova York ocorrido no final de 1963 evidencia seu desconforto com suas antigas instituições.

Elisabeth e Val passaram a noite no Upper East Side com uma amiga chamada Mena e seu marido. Mena havia sido uma aluna de pós-graduação em Wheaton ao mesmo tempo que Elisabeth cursava seu último ano lá. Ela agora era uma editora e escritora talentosa. Mena e seu marido convidaram outro casal bem instruído para um pequeno jantar; o marido lecionava em Columbia e a esposa, na Rutgers.

A conversa naquela noite, Elisabeth disse a sua família, foi uma discussão sobre "fome espiritual. Nenhum deles acredita em Deus, mas todos pareciam bastante fascinados com a ideia de que as comunidades mais ricas (por exemplo, Scarsdale) sofrem da pobreza espiritual mais aguda. Ninguém tinha nenhum remédio para sugerir. Mena me fez algumas perguntas sugestivas sobre os waorani, e ficou evidente que nenhum dos demais jamais ouvira falar deles ou dos cinco companheiros".

Mena "é uma linda mulher — alta, louro cor de mel, com mãos requintadas e olhos perfeitamente maravilhosos", continuou Elisabeth. "Seu apartamento é exatamente do meu gosto, até o último detalhe, assim como suas roupas, sua maneira de pensar e tudo mais. Ela falou de Kennedy com lágrimas e de sua crença de que possivelmente há um significado supremo no universo, mas [os seres humanos] não podem de modo algum ter qualquer conhecimento dele. Sua experiência em Wheaton [...] a repeliu — oh, encontrar tantas pessoas 'pequenas', articulando esses mistérios profundos com tanta segurança. Eu me vi incapaz de responder a ela".

A descrição de Elisabeth dessa cena diz mais sobre seu próprio pensamento naquele momento do que sobre a bela Mena. Naquele apartamento requintado em Manhattan, atipicamente sem palavras diante do comentário de sua amiga sofisticada, ela se viu dividida entre dois mundos, suas raízes em um e suas inclinações, em outro. Ela havia crido, desde a infância, que realmente há "significado supremo no universo". Ela cria em um Deus de poder, amor, justiça e misericórdia que havia irrompido na história humana na pessoa de Cristo.

Porém, como Mena, ela era repelida por cristãos que articulavam brandamente os profundos mistérios de Deus, como se precisassem defendê-lo e pudessem fazer isso com um texto-prova ou uma frase de efeito. Ela detestava a maneira como tantos cristãos que conhecia se esquivavam de pessoas "mundanas", a menos que, é claro, as encontrassem em algum campo missionário estrangeiro — e, nesse caso, o objetivo era salvar a alma delas e, pelo amor de Deus, fazê-las vestir roupas adequadas. Eles não desenvolviam amizades com ninguém, exceto no ambiente seguro da escola dominical, e então falavam uns com os outros em um dialeto estranho de "vitória", "ganhar almas" e frases como: "Deus colocou no meu coração" que eu deveria lhe dizer isso e aquilo — geralmente algo que você não queria ouvir. Ao mesmo tempo, esses cristãos olhavam de soslaio para qualquer um em seu meio que confessasse medos, ira, dúvidas, dor ou depressão. Essas emoções humanas mostravam falta de fé. Ponto final.

Não havia mistérios. Apenas certezas, que poderiam ser transmitidas com um versículo bíblico memorizado, muitas vezes fora do contexto, ou uma fórmula ou frase pronta para defender sua posição. *A Bíblia diz, eu acredito, está resolvido.* Fim de papo. Ela duvidava que qualquer pessoa "no mundo" poderia ser "ganha para Cristo" com aquelas táticas.

Poucos amavam mais a Bíblia do que Elisabeth Elliot. Mas ela ficava chocada quando cristãos a usavam como uma arma para espancar ou se distanciar de pessoas que eram diferentes deles. Ou para se distanciar do sofrimento, dos mistérios e das questões difíceis.

"A imaturidade não tolera ambiguidade", pensou Elisabeth mais tarde. "É preto ou branco. E se você fizer do seu sistema o seu deus, logo começará a contar mentiras para permanecer consistente".[8] Tais pessoas eram emperradas. Estáticas.

Em contraste, como Elisabeth escreveu para sua mãe sobre uma amiga que crescera na igreja, "ela parece estar em um estado constante de aprendizado e mudança, o que para mim é o sinal mais encorajador em uma pessoa. Quando paramos de mudar, estamos mortos. E como é triste ver pessoas mortas andando por aí tentando convencer os outros de que têm vida. É o que muitos cristãos fazem. Deus não pode ser limitado, rotulado, exaurido ou categorizado".[9]

Ela protestou contra isso em seu diário, citando com regularidade sarcástica os comentários daqueles que codificavam sua fé em um sistema de comportamentos. Às vezes, os comentários eram pequenos ou triviais, mas, para Elisabeth, todos partilhavam de uma tendência geral: medo.

Certa noite, ela convidou um pastor local e sua esposa para jogar Scrabble. Em algum momento, ele começou a falar sobre o tema da "separação do mundo". Para ele, aquilo significava

---

8 EE, notas, Lectures on Job ["Palestras sobre Jó"].
9 EE para "Queridíssima mãe", 10 de março de 1964.

"certos tabus arbitrários. Ele realmente crê que não fumar é evidência de fé. E continuou a lista, *ad nauseum*, e eu senti que não conseguia mais lidar com esse tipo de mente. É inútil explicar. É extremamente doloroso ver tamanha teimosia articulando o que supostamente é a verdade de Deus. Como se Deus fosse assim tão pequeno.

"Ó Senhor, ó Soberano — até quando nos sofrerás? Quando iluminarás nossa escuridão?"

Fumar não era a única prova cabal de mundanismo. Ao ver fotos de Jackie Kennedy usando roupas de luto no funeral público de seu falecido marido, uma amiga cristã de Elisabeth concluiu desdenhosamente que Jackie "certamente não é salva". Ficar de luto e usar preto em um funeral era "egoísta" e significava que ela não acreditava que seu marido tinha a gloriosa esperança da vida eterna.

Havia outros tabus facilmente identificáveis. Ao visitar Elisabeth, uma de suas cunhadas ficou preocupada com seu filho pequeno jogando Banco Imobiliário com Val, receosa de que o jogo de tabuleiro pudesse despertar uma "cobiça por dinheiro". Enquanto lia a história de Robin Hood para as crianças, ela se esforçava para explicar às crianças confusas que "nós não aprovamos beber cerveja!"

Quando a mãe de Elisabeth, Katharine, a visitava, ela frequentemente levantava essa questão do consumo social de bebida — "sempre como se beber fosse sinônimo de ficar bêbado", anotou Elisabeth em seu diário. Quando Elisabeth a questionou a respeito, Katharine citou um exemplo de um homem no campo missionário na Colômbia, o qual "se tornou um cristão simplesmente lendo o Novo Testamento, e a primeira coisa que ele fez foi parar de beber".

"Isso prova", disse Katharine, "que é o Espírito Santo que convence que beber é pecado".

Elisabeth encarou sua mãe por um momento. "Por que, então, o Espírito Santo não convenceu Jesus?", ela perguntou.

Essa evidentemente não era a pergunta certa. "Não sei", disse sua mãe, pegando um pano de prato para tirar um pouco de poeira invisível de um prato já seco.

Certa noite, Elisabeth foi ouvir um evangelista, autor e palestrante que era bem conhecido nos círculos de "vida vitoriosa" em que ela crescera. Sua teologia "já não fala mais comigo", disse ela. Sua cunhada a interrogou detidamente sobre a falta de entusiasmo dela, preocupada com seus questionamentos, e disse a Elisabeth "que eu devo 'mergulhar', 'estar disposta a ir até o fim' etc. Agora eu sei como é ser 'vítima do testemunho'. Senhor, tu não és realmente assim, és?"

A situação toda não melhorava com a banalidade de alguns pastores que ela encontrou. "Um homem de uma igreja [local] proferiu uma das piores mensagens que já ouvi em qualquer lugar", observou em seu diário. "Ele descreveu como a fragrância de Cristo supera o fedor do pecado (o qual 'literalmente revira o estômago de Deus') — como um <u>aromatizante de banheiro</u>.

"Fiquei tão chocada", disse Elisabeth, "que não sabia para onde olhar".

CAPÍTULO 7
O CORAÇÃO DA EXPERIÊNCIA HUMANA

> "Eu não fiz o que se esperava. Não renunciei ao cristianismo. O puxar e arrastar [questionando os dogmas e a ortodoxia] não me convenceu de que Deus não estava em Cristo. Levou-me, por outro lado, a suspeitar que estamos envolvidos em algo selvagem e incontrolável, nada que possa ser encarcerado com sucesso em uma ortodoxia dogmática."
> — Thomas Howard, *Christ the Tiger* ["Cristo, o Tigre"]

Em 1866, um poeta baixo e de cabelos volumosos chamado Algernon Swinburne escreveu uma peça chamada "Hymn to Proserpine" ["Hino a Proserpina"], na qual lamentava a perda de uma cultura pagã que considerava vigorosa e dinâmica. Ela havia sido substituída por uma cultura "cristã" que ele via como um sentimentalismo vitoriano enjoativo e anêmico.

"Tu conquistaste, ó pálido Galileu", escreveu Swinburne; "e o mundo se tornou cinza com teu hálito".

Ele via Jesus Cristo não como a mais cativante e central figura da história, como Deus encarnado, como o moreno rabino carpinteiro do Oriente Médio que amava, ria e dançava em casamentos; mas como o pálido homem efeminado da arte sacra, de cabelo repartido ao meio, com passivas mãos de marfim, sempre um pouco incomodado com o fato de que talvez alguém, em algum lugar, esteja se divertindo.[1]

Isso era o que incomodava Elisabeth Elliot em sua própria época. Parecia-lhe que as igrejas estavam divulgando uma imagem pálida de um Jesus sem

---

1 Esta é uma paráfrase da famosa descrição do puritanismo feita pelo jornalista H. L. Mencken no início do século XX.

personalidade, paixões, sangue e emoção, um líder insípido cujo principal legado tinha sido deixar para seus seguidores listas de atividades que eram seguras e agradáveis, em contraste com aquelas que eram perigosas e mundanas.

O irmão de Elisabeth, Thomas Howard, daria a melhor refutação da fantasmagórica imagem de Jesus descrita por Swinburne. Em seu livro de 1967, *Christ the Tiger* ["Cristo, o Tigre"], ele escreveria: "Considero convincente a Encarnação. Afinal, há na figura de Jesus, o Cristo, algo que nos escapa. Ele tem sido o alvo dos maiores esforços de sistematização na história humana. Porém, qualquer um que já tenha tentado fazê-lo teve de admitir, no final, que as costuras continuam se rompendo. Mais cedo ou mais tarde, tal homem descobre que está em contato não com um pálido Galileu, mas com uma figura imponente e furiosa que não se deixará domar".

Este é o Jesus que atraiu Elisabeth Elliot nos primeiros anos de seu retorno aos Estados Unidos. O Jesus da Verdade, não do dogma religioso. Ela o percebeu em lugares onde não o tinha visto antes.

Ao ler o dramaturgo russo Anton Chekhov, ela se identificou com sua determinação de ser um artista livre. "Ele rejeitava 'qualquer um dos dogmas que ameaçassem atrapalhar a tarefa do observador'. Ele sabia exatamente como evocar um sentimento [...] Fico espantada com minha capacidade atual de entender e apreciar coisas (por exemplo, Chekhov) que não tinham a menor importância para mim em 1957. Isso é gratificante, por um lado — tenho uma nova visão, um horizonte muito mais amplo — e, por outro lado, é lamentável. Por que vivi tanto tempo, por assim dizer, na prisão? Toda a minha perspectiva estava limitada pelas quatro paredes do <u>dogma</u> cristão — não digo da verdade cristã. Deus nos livre a todos — o dogma aprisiona. É somente a verdade que liberta".

Por causa disso, ela resistia aos rótulos. Sua mãe lhe perguntou sua opinião sobre o "neoevangelicalismo" da época. Ela disse que tinha ouvido o termo, mas não sabia nada a respeito. "Eu só sei o que Deus parece me dizer, e, se alguém quiser rotular meu pensamento, logo descobrirá que o rótulo se desfaz em algum lugar, que nenhum padrão pode ser encontrado. Jesus disse: 'Eu sou a verdade', e não: 'Esta é a verdade'".[2]

Ela viu que, no passado, tinha sido limitada em sua capacidade de enxergar bem. Ela queria ser o que considerava uma escritora "de verdade", ser capaz de

---

2 EE para "Queridíssima mãe", 10 de março de 1964.

evocar organicamente a vida em sua essência, não uma caricatura da experiência humana.

"Levei mais de um ano para começar a pensar em mim mesma como escritora. Nunca pensei em mim mesma como escritora, embora tivesse escrito três livros, enquanto era missionária". Ela sentia que havia feito apenas "esforços fracos" para obter qualquer compreensão autêntica do mundo e das pessoas nele. Ela tinha vivido em um contexto no qual outros cristãos tendiam a ver as pessoas em termos de *nós* e *eles*. Agora ela via isso como "um mundo de faz-de-conta, no qual as pessoas eram meramente pecadoras, precisando de redenção, ou seja, do que eu tinha. Ó Deus no céu, tem misericórdia da minha idiotice".

Quando era missionária, Elisabeth disse que estava "totalmente isolada e impedida de tentar entender o mundo em geral. Por ser o tipo de pessoa que sou, não consegui seguir a linha do partido missionário e continuei tentando entender os índios. Não tinha noção da necessidade de entender a vida, as pessoas e a mim mesma, e o desejo de chegar à verdade não chegou ao ponto de colocá-la no papel (somente até certo ponto). Agora, percebo que devo tentar entender e chegar aos sentimentos reais que uma situação evoca.

"Como missionária, via toda a minha responsabilidade em termos de fazer algo específico para um determinado povo. Quando essa teoria se mostrou inadequada em Tewaeno, começou o processo de questionar, examinar e tentar entender, o que lançou os fundamentos — muito tarde na vida, com certeza — da minha escrita. E é só agora — [tanto tempo] depois de deixar o Equador, que a perspectiva está se clareando e sinto como se estivesse começando a conhecer. Claro, sempre buscarei. E espero ser capaz, com essa perspectiva, de lidar com precisão com o material que está armazenado".

Ela também se sentia uma idiota por causa do que agora via como enormes lacunas em sua educação. Ela não tinha lido Shakespeare, Dostoiévski, Tolstói e tantos outros até então. Nem Flannery O'Connor — uma "nova amiga", escreveu Elisabeth em seu diário. "Ó escrita maravilhosa. Mulher humilde, com visão terrivelmente clara e sagacidade demolidora. E ela amava a Deus". Lendo esses escritores, ela sentiu seu coração saltar ante o reconhecimento da autenticidade do retrato que faziam da vida humana. Tal escrita era como um banquete ambulante ao qual ela não sabia que podia comparecer.

Contrariando sua educação, ela agora podia ver que "toda verdade é verdade de Deus" e que Deus imprimiu sua imagem criativa até mesmo em pessoas que ainda não o confessaram como Senhor. Um romance belamente escrito, que tocasse o âmago da experiência humana e evocasse os próprios ritmos da criação, queda, redenção e restauração, mesmo no mais tênue dos ecos, falava mais poderosamente da glória de Deus do que um romance "cristão" banal em que todos os personagens principais fizessem a "oração por salvação" no final.

Apesar dos medos de sua mãe, Elisabeth não se tornara uma libertina, bêbada ou "mundana". Ela estava saboreando, pela primeira vez, as riquezas da literatura, música, poesia, teatro, filmes, vinho e conversa. Se a natureza e os próprios céus declaram a glória de Deus, ela agora enxergava que qualquer beleza e verdade implícita no melhor das artes de fato havia sido semeada ali pelas bênçãos da graça comum do próprio Deus.

Em uma só sentada, ela lia fontes tão variadas quanto *A Vida Secreta de Walter Mitty*, a autora francesa Simone Weil, Deuteronômio e Eclesiastes. Então, ela pensava sobre seu próprio projeto, "tentando formular um livro. É o pensamento que é, de longe, a parte mais difícil, e eu passo pelas mesmas dúvidas profundas a cada livro — por exemplo, quão arrogante, quão enfatuado é pensar que sou qualificada para escrever. Weil é tão enormemente erudita (ela morreu aos trinta e três anos) e eu tenho tão pouca formação educacional. Tenho algo a dizer, mas como dizê-lo? E quem vai ouvir? E será que tenho coragem de dizer o que vejo ser verdade, sem medo da opinião alheia? Bem, como em qualquer outro empreendimento, é preciso simplesmente fazê-lo".

A honestidade absoluta dos Profetas Menores a atraía. "Pôr-me-ei na minha torre de vigia, colocar-me-ei sobre a fortaleza e vigiarei para ver o que Deus me dirá e que resposta eu terei à minha queixa. O Senhor me respondeu e disse: Escreve a visão, grava-a sobre tábuas, para que a possa ler até quem passa correndo. Porque a visão ainda está para cumprir-se no tempo determinado, mas se apressa para o fim e não falhará; se tardar, espera-o, porque, certamente, virá, não tardará".[3]

"Assim, este é meu papel agora. Tomar minha posição, vigiar, esperar. Então escrever — sem medo — o que vejo".[4]

Mais uma vez, viagens a Nova York alimentaram a fome de Elisabeth por experiências. Sempre que podia, ela passava tempo com seus amigos, o fotógrafo Cornell Capa e sua esposa, Edie, e seus muitos conhecidos na comunidade artística da cidade.

---

3 EE para "Queridíssimos", 14 de fevereiro de 1964.
4 EE para "Queridíssimo povo", 25 de fevereiro de 1964.

Certa noite, Elisabeth e uma das amigas de Cornell, uma judia polonesa chamada Bessie, assistiram a uma apresentação amadora de "J.B.", a versão moderna do livro de Jó escrita por Archibald MacLeish em 1958. Escrita em verso livre, a peça "levanta as questões últimas, em um cenário do século XX, e segue de perto, até o terceiro ato, o tema real do livro", relatou Elisabeth. "O terceiro ato é uma decepção, pois MacLeish tenta dar uma resposta mais satisfatória às perguntas de Jó do que as que obteve de Deus".

Após a peça, Bessie apresentou Elisabeth à atriz principal e a vários outros atores, que convidaram as duas mulheres para ficarem e tomarem uma bebida. Curiosa, Elisabeth perguntou à atriz o quão emocionalmente envolvida ela ficava em um papel como o da esposa de Jó. Aquilo refletia a própria atitude dela em relação a Deus?

"Não", Elisabeth registrou mais tarde em seu diário. "Essencialmente, ela não responde a Deus de forma alguma. Uma escritora que estava lá concordou; ela não considera perguntas sobre a origem da mente humana, ou sobre a existência de Deus, como questões de qualquer relevância. Esses assuntos nem passam pela cabeça delas.

"Fico perplexa mais uma vez — essas pessoas sérias, que conseguem retratar de forma tão convincente os problemas básicos da vida, parecem não estar dispostas a encarar pessoalmente esses mesmos problemas".

Elisabeth e Bessie deixaram o grupo por volta de 1h30 da manhã, e estava nevando lá fora. Elas tiveram dificuldade para encontrar um táxi, mas acabaram dividindo um táxi com uma modelo e seu namorado. No melhor estilo dos anos 1960, todos estavam fumando, exceto Elisabeth. Eles perguntaram por que Elisabeth não fumava cigarros, e ela perguntou à modelo, com bastante seriedade, o que ela ganhava com aquilo.

"Ah, suponho que seja simplesmente uma forma socialmente aceita de cometer suicídio, só isso", respondeu a jovem.

Durante esse período e ao longo de toda a vida de Elisabeth, houve muitas pessoas em seu círculo de relacionamentos que lidaram com tentações sexuais. Alguns missionários no campo tiveram casos e foram física ou emocionalmente infiéis a seus cônjuges. Casais não casados dormiram juntos antes do casamento. Também houve amigos com atração pelo mesmo sexo que lutavam com o que deviam fazer, com seu lugar no reino de Deus e com a condenação categórica que recebiam de tantos cristãos.

Uma carta que Elisabeth escreveu em 1964 mostra suas próprias opiniões, na época, à medida que ela aconselhava sua mãe, a qual estava preocupada com uma amiga em comum que lutava contra a atração pelo mesmo sexo. (Nos ensinamentos, escritos e programas de rádio de Elisabeth mais tarde em sua vida, ela claramente sustentou a posição de que o comportamento homossexual era "claramente proibido na Palavra de Deus" e de que *qualquer* relação sexual fora do casamento entre um homem e uma mulher estava fora do desígnio ordenado por Deus.)[5]

"Mãe", escreveu Elisabeth, "esperar pela vitória sobre um problema dessa natureza é como esperar pela vitória sobre a cegueira ou a paralisia. Eu creio que Deus poderia fazer isso — ele poderia ter dado dois olhos ao papai novamente. [O pai de Elisabeth havia perdido um olho quando adolescente, após um encontro infeliz com um fogo de artifício.] Mas o problema é muito mais complexo do que uma simples questão de pecado. Não é pecado em nenhum sentido da palavra, embora seja um estado de espírito e uma atitude que apresenta seu próprio tipo particular de tentação. O pecado só entra quando a lei do amor é transgredida, se eu entendo a interpretação de Jesus sobre a lei. Davi e Jônatas claramente tinham um amor muito mais profundo do que a amizade usual de homem para homem. Eles se encontraram em segredo, se beijaram e disseram francamente que aquilo ultrapassava o amor das mulheres. Não estou construindo uma doutrina sobre esse fato — só quero encarar honestamente o que nos é dito nas Escrituras, sem ignorar ou menosprezar qualquer faceta delas. Talvez a verdade seja que não existem coisas como linhas traçadas, coincidentes com o sexo. O amor é a grande coisa. Sem amor, onde fica qualquer relacionamento humano? Para a senhora, na aceitação está a paz".[6]

---

5 Para um de muitos exemplos da posição de Elisabeth sobre este tópico, veja https://elisabethelliot.org/resource-library/gateway-to-joy/take-a-stand-for-jesus-on-homosexuality/.

6 EE para "Queridíssima mãe", 10 de março de 1964. [**Nota do Ministério Fiel**: As afirmações de Elizabeth Elliot, quando mais jovem, demonstram concepções problemáticas. A comparação que ela estabelece entre atração homossexual e deficiência carece de fundamentação bíblica. As Escrituras consistentemente abordam o desejo homoafetivo como uma questão moral, não física. Enquanto deficiências são condições corporais involuntárias; desejos e atrações procedem do coração humano (Mc 7.21-23). Quanto à interpretação do relacionamento entre Davi e Jônatas, é fundamental evitarmos projetar concepções modernas sobre o texto sagrado. A narrativa bíblica retrata uma profunda amizade fraternal entre dois homens heterossexuais casados. O termo hebraico usado para descrever o amor entre eles é o mesmo empregado para expressar o amor de Saul (1Sm 16.21-23) e Hirão (1Rs 5.1) por Davi. Davi caracteriza seu relacionamento com Jônatas em termos de irmandade (2Sm 1.26), e o beijo mencionado reflete o costume cultural do ósculo santo (Gn 33.4; Êx 4.27; 2Sm 19.39; Mt 26.49; Rm 16.16). Concordamos com a posição posterior de Elisabeth Elliot quando ela afirma: "Não há dúvida sobre a visão de Deus sobre a homossexualidade. E repito, se é uma questão genética, o que não acho que tenha sido provado, ainda se resume a uma questão de escolha. Ninguém precisa se entregar à atividade homossexual. É um ato de escolha e da vontade, assim como ninguém precisa se entregar à atividade sexual extraconjugal". (https://elisabethelliot.org/resource-library/gateway-to-joy/take-a-stand-for-jesus-on-homosexuality/)]

O CORAÇÃO DA EXPERIÊNCIA HUMANA

Na época, Nova York estava se preparando para sediar a Feira Mundial de 1964. Seu tema, influenciado pela nascente era espacial, era "Paz através do entendimento", dedicado à "Conquista do homem em um globo cada vez menor em um universo em expansão".

Cornell Capa esteve no Peru, fotografando membros dos amahuacas, uma remota tribo da Idade da Pedra. Ele conseguiu entrar na tribo por meio de seu relacionamento com Cameron Townsend, o visionário diretor da Wycliffe Bible Translators [Associação Wycliffe para a Tradução da Bíblia] e do Summer Institute of Linguistics [Instituto de Linguística de Verão], o qual era bem conhecido de Elisabeth desde seus tempos difíceis no Equador. Cornell agora disse a Elisabeth que ouvira de Cameron que a Wycliffe "teria um pavilhão próprio de US$ 175.000 na feira, com um enorme mural representando a 'conversão' do 'chefe' shapra Tariri" — o "cortador de cabeças convertido", de acordo com os comunicados de imprensa da Wycliffe à época — "e eles querem ter um waorani de roupas para demonstrar (exemplo número um, por assim dizer) o que [o ministério] faz para civilizar" grupos populacionais intocados.

Elisabeth ficou fora de si. A noção de fazer "um waorani de roupas" para demonstrar o sucesso civilizador do ministério parecia manipuladora, na melhor das hipóteses. "Porém, Deus está sentado no seu céu", disse ela. Ele "enxerga a verdade e espera [...] Não consigo encontrar palavras para o horror que isso evoca em mim diante do que tem sido feito àquele povo simples e às pessoas simples nos EUA que engolem o relatório e a história inteira se pestanejar".

"E agora, minha escrita. Tenho achado extremamente difícil, depois de mais ou menos vinte anos, superar minha inclinação a negar a vida e, agora, tentar aprender a afirmá-la. Estou aprendendo, pouco a pouco, quem eu sou e o que significa dizer a verdade, e estou feliz, muito <u>feliz</u>, por tudo isso, mas me preocupo porque não consigo escrever o livro, e [o tempo] passa rápido e <u>não consigo</u> ver o que devo fazer a respeito.

"Se Deus apenas me der coragem suficiente para continuar nesta situação, e fé suficiente para confiar nele por isso [...] Não acho que nenhuma das duas coisas seja de fato demasiadamente difícil. Apenas concede, Senhor, se te agradas [...]"

Ela estava faminta para consumir tudo o que havia perdido. Ela escreveu sobre seus anos missionários: "Onze dos melhores anos da minha vida foram gastos negando a mim mesma, negando a existência, escorraçando oportunidades de aprender, zelosamente buscando me limitar à única coisa (nunca adequadamente definida) que Deus exigia de mim. Eu ia para lá e para cá, sem ir aos cafés e museus de Quito, sem jamais ler o que meus contemporâneos escreviam, sem ouvir <u>nenhuma</u> música, ver pinturas, sem nunca dar ouvidos às vozes que gritavam dentro de mim, sem ousar viver a vida ao máximo.

"E agora — estou faminta. Quero <u>aprender</u> tudo isso, fazer tudo, ouvir as vozes, enxergar a vida claramente e por inteiro, e escrever a respeito. Estou tentando compensar tudo isso, estou tentando escrever, apesar dessa grande lacuna no meu desenvolvimento. É uma deficiência constante.

"E o que minha fé diz em resposta a isso?

"Eu creio. Ainda creio que Deus fez comigo uma aliança eterna, segura e ordenada em todas as coisas. Mas eu me sinto como um pássaro solto após um longo aprisionamento, confusa e incapaz de voar de uma vez.

"Isso também deve ser uma parte da aliança. Como se ele tivesse me segurado quieta em sua mão, prendido minhas asas agitadas até que eu me acalmasse e, então, na plenitude do tempo, dissesse: 'Agora'. E me deixasse ir".

CAPÍTULO 8
O TRICICLO FUGITIVO

"E agora estou no limiar de uma nova vida — sentindo profundamente a obrigação de fechar a porta atrás de mim, de prosseguir para a verdade, mesmo que isso signifique um lento e difícil desaprender de tudo o que me guiou."
— Elisabeth Elliot, diário, 1964

Enquanto Elisabeth testava suas novas asas, ela enviava artigos e contos para periódicos tradicionais da época, como *The New Yorker*, *Redbook* e *Ladies Home Journal*. Cada envio a expunha ao desespero. Sua caminhada diária da porta de casa até à sua caixa de correio, uma caixa de metal pregada em seu poste de madeira, era repleta de perigos sombrios. Será que algum cortês e ocupado editor, com seus óculos meio-copo sobre o nariz em algum escritório de Nova York, zumbindo com poder literário, aceitaria ou não o artigo dela?

Na maioria das vezes, as notícias eram ruins.

"Chegou hoje notícia da rejeição pela *Redbook*. Eu tinha me sentido, na verdade, bastante confiante quando enviei meu artigo. Chuva. Prado encharcado. Nenhum pássaro na minha estação de alimentação de pássaros. Nenhuma alegria em minha escrita, nenhuma palavra. Uma manhã perdida — um pouco de Dinesen, um pouco de café, algumas folhas de papel amarelo na máquina de escrever, desespero." Ela combinava esses momentos de concisão estilo haicai em seu diário com imagens igualmente sombrias de seu sono. "Sonhei com uma pia imensa cheia de água morna, cinza e gordurosa, na qual eu tentava desesperadamente lavar uma pilha interminável de pratos. Eles não ficavam limpos, e mais pratos pareciam se materializar do nada, de modo que a tarefa era patentemente sem esperança. Nenhum progresso. Esta é minha vida como escritora agora. É terrível." A essa altura, Elisabeth havia decidido escrever um romance ambientado em um ambiente que ela conhecia bem. Seria uma história sobre uma missionária no Equador. Ela esperava explorar as questões da vida e a falta de respostas fáceis que ela havia experimentado em sua própria experiência missionária. Ela queria pintar personagens que soassem como seres humanos reais, não caricaturas de escola dominical. Ela se comparava com grandes escritores que podiam evocar grandes histórias, como sua heroína Isak Dinesen, e descobria que ficava muito aquém deles.

O livro que Elisabeth deu à luz, com muita dor, foi intitulado *No Graven Image* ["Nenhuma imagem de escultura"]. Seria seu único romance entre seus muitos escritos. Também parecia ser um teste autoimposto, para ver se ela seria capaz de capturar a verdade como a enxergava por meio do gênero de uma história de ficção.

As reações dos leitores foram decididamente mistas quanto a ela ter tido sucesso ou não. Sobre sua capacidade de criar ficção, houve debate quanto à qualidade de sua escrita, sua evocação de personagens reais e sua capacidade de soprar vida sobre os diálogos e à psicologia de sua heroína.

Além disso, Elisabeth ansiava por um público que seu romance simplesmente não conseguia atrair. Como ela havia escrito em seu diário perto do fim de seu tempo no Equador, ela desejava escrever para pessoas de mentalidade secular. Ela pensava nas palavras de Paulo em Romanos 1, onde o apóstolo escreveu que tinha uma obrigação de "pregar o Evangelho" tanto a "gregos como a bárbaros [os cultos e os incultos]" (v. 14). Elisabeth queria alcançar "gregos cultos" — pessoas que liam o *The New Yorker* e iam a peças de teatro, filmes de Ingmar Bergman e exposições inaugurais em museus.

No entanto, o cenário especializado do romance de Elisabeth gerava pouco interesse nessas pessoas. Por que um materialista urbano — ou mesmo um ex-evangélico como sua amiga Mena, de Manhattan — se atrairia por uma história sobre uma *missionária*, uma pessoa cujas motivações não lhe diziam respeito, que espalhava uma mensagem com a qual ele poderia ou não concordar, principalmente porque os missionários falavam em um dialeto evangélico que era ininteligível para a maioria dos seres humanos pela rua?

O autor e conhecido apologeta J. I. Packer, um bom amigo, capturou o problema inerente que o romance de Elisabeth enfrentava: "Os romancistas cristãos de hoje têm um solo duro para arar", escreveu em seu prefácio a *No Graven Image*.

Leitores seculares acham a visão de vida desses romances "pouco convincente"; já os leitores cristãos têm sido condicionados a um certo tipo de enredo construído em torno de uma fórmula facilmente compreensível e edificante, na qual geralmente alguém em apuros terríveis se volta para Deus e, assim, encontra bênçãos e paz. O resultado, tão engraçado quanto triste, é que quando pessoas alimentadas com essa dieta leem um romance genuíno de um romancista cristão (Graham Greene, digamos, ou Charles Williams, George Target, Flannery O'Connor, Fiodor Dostoievski ou Aleksandr Solzhenitsyn), sua apreciação, se houver alguma, é ofuscada por pesar e perplexidade pelo fato de o autor não ter manipulado seus personagens a ponto de produzir uma fábula moral explícita, ilustrando claramente o evangelho. Nenhuma suspeita de que o romance seja algo diferente do conto moral passa pela cabeça deles.[1]

Ainda assim, nossa corajosa Elisabeth resolutamente escreveu sua história, uma palavra agonizante após a outra.

"Eu sei que está ruim demais, uma escrita tão irremediavelmente ruim, um fracasso tão completo em dizer o que eu queria dizer, que fico surpresa comigo mesma por continuar", lamentou Elisabeth em seu diário. "No entanto, de alguma forma, tenho a sensação de que sou impelida a fazê-lo — a continuar pedalando, por assim dizer, já que meus pés estão nos pedais e, como num triciclo, acelero ladeira abaixo e não ouso tirar os pés, embora eu saiba muito bem que o desastre me espera no sopé da colina.

"Será um fracasso retumbante, ou será apenas um ponto no qual se pode ter um novo começo e refazer o trabalho como ele deveria ser feito? Não sei. Não sei o que fazer, ou talvez eu não saiba que outra coisa fazer e, portanto, tenho de fazer isto".

O lado bom de Elisabeth era que os lamentos de seu diário, como os do salmista, sempre se transformavam em oração. "Deus, qual o propósito de tudo isso? Deus me ajude. Tu és meu auxílio e tu sabes, como ninguém mais, o quanto preciso de ajuda." A história dela era sobre uma jovem e idealista missionária americana chamada Margaret Sparhawk. Margaret parte para sua primeira missão no

---

[1] J. I. Packer, prefácio de *No Graven Image* (Wheaton, IL: Crossway Books, 1982), p. ii.

Equador com grandes esperanças. Ela é solteira, desimpedida e não quer nada além de ajudar o povo de uma tribo indígena que vive nos Andes. A língua deles jamais foi escrita; eles não sabem nada do evangelho. Margaret traduzirá o Novo Testamento para a língua deles, para que possam conhecer a Bíblia por si mesmos... assim que aprenderem a ler.

Margaret se instala em uma pequena casa na cidade abaixo do assentamento onde os índios vivem, nas montanhas. Ela é uma pessoa simpática e reflexiva que realmente quer ajudar os índios. Ela só acha um pouco misterioso descobrir como de fato começar seu glorioso trabalho missionário.

"Eu não conseguia começar meu trabalho até que minha rotina de vida estivesse estabelecida e minha casa em ordem. E embora eu acordasse todas as manhãs com o pensamento de ir visitar as casas dos índios, cada noite chegava antes que desse tempo de fazê-lo. Durante o dia, eu me sentia triunfante ao ver o tempo passar de maneiras úteis, consciente de que eu não estava sentada e jogando tempo fora; mas, quando a noite chegava e eu fazia um balanço das realizações do dia, eu me sentia culpada ao ver que nenhum dano havia sido causado ao paganismo. Hudson Taylor causara impacto na China; Mary Slessor, em Calabar; John Paton, nas Ilhas do Pacífico Sul; David Livingstone, nos rincões da África. Como foi exatamente que eles *começaram*?[2]

"Era estranho descobrir que o trabalho missionário diário, na vida real, era tão inespecífico, tão sem direção". Margaret pensava em como o seu esforço missionário era descrito lá nos EUA: "'Margaret Sparhawk está trabalhando entre os quíchuas das montanhas'. Eu não conseguia me afastar da imagem que sabia ter projetado em minha terra natal, mas aqui estava o outro lado da moeda. 'Trabalhando'. O que ela faz? Missionários escreviam sobre 'fazer' visitação, 'alcançar' pessoas, 'testemunhar'. Eu não precisava mais ler livros missionários, cartas de oração ou revistas com relatórios de progresso para aprender a terminologia. Eu precisava descobrir o que era realmente básico na operação, e então voltei à fonte, a Bíblia, e li avidamente as histórias do Antigo Testamento de homens em uma missão".[3]

Algum tempo depois, Margaret viaja para uma reunião de vários dias em Guayaquil, a cidade portuária na costa do Equador. Ela conhece missionários de todo o país. Ela se irrita com a conversa deles. Ela ouve homens falando sobre

---

2 Elliot, *No Graven Image*, p. 58–59.
3 Elliot, *No Graven Image*, p. 59.

"nosso" trabalho, "nossa" missão, "nossos" índios, "nossa" tribo, com um certo paternalismo e uma certa misoginia disfarçada de cordialidade em ação. Os homens "pareciam ver apenas uns aos outros; eles reconheciam a presença das mulheres, mas sem olhar nenhuma delas diretamente nos olhos".[4]

Margaret se sente igualmente desconfortável quando descobre as distinções de classe entre as pessoas em sua nova cidade e os índios que vivem nas montanhas. Os habitantes da cidade não conseguem entender por que Margaret iria querer se envolver com bárbaros de classe baixa. Durante um festival em que os índios bebem, brigam e bebem um pouco mais, um lojista equatoriano diz a Margaret: "Eles são selvagens, animais. Eles deveriam ser trancados na prisão, mas aí não há como fazê-lo. Todos estariam na prisão. O que há para fazer, então? *Caramba!* Os índios não têm alma! [...] Você acha, *señorita*, que os índios são como o resto de nós? [...] Eles são como animais, não é verdade, *señorita*?"[5]

Aos poucos, Margaret começa a conhecer um índio chamado Pedro. Ele não fica particularmente impressionado com ela — nenhum dos índios fica —, mas Margaret persiste, e ele concorda em servir como seu "informante". Ela pagará para que ele lhe ensine a língua não escrita de seu povo. Pedro e sua esposa, Rosa, não entendem o interesse de Margaret por eles, mas começam a tolerá-la, depois a confiar nela, e uma frágil amizade vai crescendo.

Margaret acredita que Pedro é claramente a resposta de Deus às suas orações. Ela vê lampejos de como ele compreende cada vez mais as "palavras de Deus". Talvez, de fato, ele possa ser a porta de entrada para o evangelho se espalhar entre esses milhares de povos montanheses não alcançados! Ela cantarola hinos missionários empolgantes enquanto percorre o caminho até a casa de Pedro várias vezes por semana.

Ao mesmo tempo, Margaret luta com pensamentos menos elevados. Um dia, ela chega em casa louvando a Deus pelo progresso no campo missionário e, então, quebra uma unha ao destrancar a porta da frente.

"Que droga!", ela pensa. Então, seu rosto enrubesce ao perceber que tal reação estava bem ali, espreitando nos recessos de sua mente rasa e superficial. Ela sabe que missionários são apenas seres humanos, é claro... mas não deveria

---

4 Elliot, *No Graven Image*, p. 106.
5 Elliot, *No Graven Image*, p. 136.

ela estar crescendo em uma espiritualidade mais elevada e rica? (À época de sua publicação em 1966, o uso daquela palavra de cinco letras no livro causou uma pequena onda de espanto entre os evangélicos, com mais de um leitor horrorizado pelo fato de uma figura lendária como Elisabeth Elliot poder empregar "blasfêmia" em sua escrita com tanta casualidade.)

Elisabeth Elliot estava preocupada com um tipo mais grave de blasfêmia. Ela deu o tom do seu livro, e uma chave para entendê-lo, ao colocar três versículos bíblicos na primeira página de *No Graven Image*. Todos eram alertas enfáticos sobre adorar *somente* a Deus. O último era Ezequiel 22.28: "Os seus profetas lhes encobrem isto com cal por visões falsas, predizendo mentiras e dizendo: Assim diz o Senhor Deus, sem que o Senhor tenha falado".

Aquilo dava um clima severo à sua história, para dizer o mínimo. Mas, para Elisabeth, até mesmo o mais benigno e sorridente dos representantes missionários poderia ser culpado de encobrir com cal a verdade de Deus. Um de seus personagens, o Sr. Harvey, o animado fotógrafo de um ministério norte-americano fictício chamado Millions Untold, chega aos Andes para documentar o trabalho de Margaret entre os índios. Juntos, eles sobem o caminho estreito até o assentamento indígena. Ele reclama que talvez estrague seus novos sapatos de couro na trilha pedregosa, mas se recupera, dizendo alegremente: "nada é bom demais para o Senhor, hein...? Devo estar feliz em gastar um par de sapatos para ele!"

Enquanto caminham, o Sr. Harvey tenta entregar alguns folhetos evangelísticos em espanhol para um grupo de tímidas mulheres indígenas que estão lavando suas roupas no rio. Elas não falam espanhol, apenas quíchua ou o dialeto de sua tribo, e são de fato analfabetas, mas o fotógrafo presume que está "lançando a semente do evangelho". (*Isso é como plantar bananas no Alasca*, pensa Margaret, que é dada à ironia.)

Mais tarde, ele tira fotos de Margaret curvada sobre uma Bíblia, trabalhando arduamente em uma tradução palavra por palavra ao lado de seu amigo Pedro, a quem o Sr. Harvey repetida e calorosamente chama de "Pablo". Ele tira uma foto do índio em contraluz, com suas sandálias de corda e poncho escuro, contra o céu.

Margaret pensa nas legendas que ele provavelmente dará ao retrato para seu público desavisado nos EUA. "Um índio típico dos Altos Andes, um dos milhões ainda sem Cristo". Ou, se por acaso ele capturasse Pedro sorrindo, então o título seria algo como: "A luz do evangelho brilha sobre um povo que outrora adorava o sol".[6]

De uma forma ou de outra, as fotos do Sr. Harvey e suas poucas horas com Margaret não foram uma missão honesta de apuração de fatos. Serviram apenas para contar uma história já esperada e que deixaria as pessoas nos EUA entusiasmadas com missões.

Ele "não veio para aprender, mas para documentar o que já presumia; seus preconceitos governavam sua seleção de quem sairia nas fotos. Propaganda, pensei, exige simplificação. Escolha as fotos que mostram a pobreza e o primitivismo do índio e os sucessos do missionário".[7]

O Sr. Harvey vai embora. Todos respiram aliviados. Os dias de Margaret se sucedem; ela ajuda os índios com suas limitadas habilidades médicas leigas. Certa noite, uma criança corre montanha abaixo até sua pequena casa na cidade. Uma mulher está morrendo no parto. "Rápido, *señorita*, você deve vir!" Margaret pega seu kit médico e uma lanterna e segue a criança de volta para seu barraco. Ela encontra a mãe em agonia. Margaret de alguma forma consegue virar o bebê de sua posição pélvica e, com sucesso, faz o parto da criança e salva a mãe.

Agora ela tem prestígio entre os outros índios. Um dia, Margaret está visitando Pedro e sua esposa, Rosa. Pedro tem uma infecção grave em um ferimento na perna. Ele não consegue andar. A dor é terrível. Ele pergunta se Margaret trouxe "sua agulha" e se pode espetá-lo com remédio. Margaret tem sua bolsa médica e vários mililitros de penicilina. Rosa atiça o fogo, enche uma panela de água e Margaret ferve uma agulha no fogo para desinfetá-la.

"Por que você a cozinha, *señorita*?", pergunta uma das crianças. "Para matar os bichinhos que causam doenças", diz Margaret.

Ela cuidadosamente mergulha a agulha na perna de Pedro, injeta a penicilina e limpa o sangue e o pus da melhor maneira possível.

Em apenas alguns minutos, Pedro está louco de coceira, gritando como um louco, cheio de náuseas, vomitando. Sua esposa está apavorada; Margaret está frenética. De repente, o pensamento lhe ocorre: *anafilaxia*. Seria isso o que estava acontecendo? Será que Pedro era alérgico a penicilina?

---

6 Elliot, *No Graven Image*, p. 189.
7 Elliot, *No Graven Image*, p. 190.

Pedro deitou quieto, suas mãos moles, sua respiração superficial. Margaret orou como nunca em sua vida. "Sabemos que tu amas Pedro e que, se tu quiseres, podes fazê-lo ficar bem. Não o deixes morrer, Senhor, por favor, não o deixes morrer. [...] Tu sabes como ele tem ajudado com a tradução da tua palavra. Para que ele possa continuar a te servir, faze-o viver".[8]

Por favor, por favor, por favor, por favor, por favor!

Pedro ficou imóvel. O tempo passou. Margaret checou seu pulso. Tão fraco. Sua esposa alternava entre gemer com um lamento de morte e gritar que Margaret havia matado seu marido. Seus filhos espiavam pelas sombras do barraco, aterrorizados. Ocasionalmente, as mãos dele se contraíam. Sua cabeça havia caído para trás em um ângulo grotesco e Margaret tentava reorganizá-la. Tão pesada em suas mãos. As pálpebras de Pedro tremiam, sua mandíbula se movia para frente e para trás e, então, ele deu um suspiro profundo e ficou imóvel.

Morto.

---

8 Elliot, *No Graven Image*, p. 223.

CAPÍTULO 9
SACUDIDAS VIOLENTAS

"Se você fizer do seu sistema o seu deus, logo estará contando mentiras para permanecer consistente".[1]

—Elisabeth Elliot, anotações em Lectures on Job ["Palestras sobre Jó"]

Podemos imaginar a Elisabeth Elliot de 1964, escrevendo a cena terrível da morte do fictício Pedro, lembrando-se vividamente de seus dias angustiados no Equador, entre os índios colorados, em 1953. Ao mesmo tempo que criava a história fictícia de Margaret, Elisabeth revivia sua própria história. Ela via a si mesma — uma missionária jovem, sincera e solteira em um barraco poeirento, com sua pequena maleta médica jogada ao seu lado na terra, incapaz de estancar o fluxo de sangue enquanto uma jovem chamada Maruja morria aterrorizada. "Se Deus tivesse poupado a vida de Maruja", escreveu Elisabeth mais tarde, "toda a tribo poderia ter sido liberta da morte espiritual. No meu coração, eu não conseguia escapar do pensamento de que era Deus quem havia falhado".[2]

Elisabeth também reviveu o horror de quando seu próprio informante linguístico, Macario — o único homem no Equador que poderia ajudá-la a traduzir o Novo Testamento para sua própria língua não escrita — foi baleado, à queima-roupa, na cabeça. "Será que eu vim para cá, deixando tanto para trás, em uma missão de tolo? [...] Como eu poderia conciliar o fato de Deus permitir tal coisa com meu próprio entendimento da tarefa missionária?"[3]

Ao contrário de sua heroína fictícia, Elisabeth não causara diretamente essas mortes, mas o horrível resultado era o mesmo.

---

1 EE, notas, Lectures on Job ["Palestras sobre Jó"].
2 Elisabeth Elliot, *These Strange Ashes: Is God Still in Charge?* (Grand Rapids: Revell, 1998), p. 96.
3 Elliot, *These Strange Ashes*, p. 125.

As perguntas que Elisabeth fizera ao longo de sua própria vida se tornaram as perguntas de sua heroína fictícia. Por que o Deus todo-poderoso permitiria tais perdas? Acaso ele não queria usar seus obreiros — seus zelosos missionários e os que foram convertidos, como Macario e Pedro — para avançar seu reino?

Silêncio.

Em *No Graven Image*, após a morte terrível de Pedro, Margaret lentamente retorna para sua pequena casa na vila. Ela abre a porta e cai no chão.

"Estás zombando de mim? Por que o deixaste morrer? Por que me deixaste matá-lo? Ó Deus! Eu vim para dar a ele a vida — a tua vida — e o destruí em teu nome".[4]

Há uma batida em sua porta rústica. É a filha de Pedro. Rosa, a esposa de Pedro, convidou Margaret para sentar-se com a família no velório de Pedro. Ela volta a subir a montanha para fazê-lo. Entorpecida.

Nos dias e semanas que se seguem, Margaret é aceita como parte da comunidade indígena. O trabalho de tradução terminou; ela não escreve mais cartas de oração missionária para apoiadores.

"Parecia, na noite da morte de Pedro, que *Finis* ["fim"] estava escrito abaixo de tudo o que eu tinha feito. [...] Se Deus era apenas meu cúmplice, ele havia me traído. Por outro lado, se ele era Deus, ele havia me libertado.

"Descobri que não posso mais organizar minha vida em uma sucessão ordenada de projetos com objetivos realizáveis e efeitos demonstráveis. Não posso designar esta atividade como 'útil' e aquela, como 'inútil'; afinal, muitas vezes, as categorias se invertem e, muitas vezes mais, não faço a menor ideia de que rótulo aplicar, pois, no final, tanto o trabalho como a rotulagem pertencem a Deus".[5]

Quando o romance termina, Margaret visita o túmulo rústico de Pedro. Ela pensa em seu amigo, lembrando-se de seu rosto desgastado, nariz forte e olhos escuros e pacientes. Ela se deita no chão frio. Bem acima dela, um condor dá voltas, olhando de cima para o topo dos picos congelados, girando bem alto sobre os lagos e o vale tranquilo.

Após *No Graven Image* ser publicado em 1966, esse final anticlimático e inconclusivo perturbou muitos leitores evangélicos. Onde estava a vitória? Onde estava a afirmação de que o reino de Deus havia triunfado, de que sua Palavra

---

4 Elisabeth Elliot, *No Graven Image* (Wheaton, IL: Crossway Books, 1982), p. 242.
5 Elliot, *No Graven Image*, p. 242–243.

avançaria como um estandarte naquelas montanhas congeladas? Alguns cristãos ficaram ofendidos; outros, apenas perplexos. Que raios havia acontecido com Elisabeth Elliot, viúva de mártir, missionária fiel?

Algumas livrarias cristãs se recusaram a estocar *No Graven Image*. Alguns críticos o avaliaram negativamente. O livro vendeu bem para o público-alvo em geral, enquanto desapontados leitores religiosos escreviam para Elisabeth que Deus *jamais* permitiria que aquilo acontecesse com uma missionária empenhada que com tanta oração havia dedicado sua vida à causa divina. Outros notaram que ela não mencionava o Espírito Santo nenhuma vez em sua história nem mostrava sequer uma conversão reconhecível. (*Reconhecível* presumivelmente significava uma conversão acompanhada pelas palavras-chave certas, ou talvez a "oração do pecador".) Uma adorável mulher chamada Angela fez "fortes objeções" ao livro, escrevendo para Elisabeth que Pedro deveria ter vivido; que a missionária Margaret nunca deveria ter falado palavrões ou bebido chicha, já que "minha concepção dos missionários é que eles são superiores em todos os aspectos, e não gosto de ver essa imagem manchada".[6] Muitos outros leitores concordaram que o livro deveria ter um final mais definitivo, um que mostrasse claramente como "a personagem principal aprendeu, cresceu e amadureceu para ser uma missionário melhor".

Um proeminente líder evangélico da época, perplexo com a mensagem herética de Elisabeth, agendou um almoço com ela. De acordo com Elisabeth, foi mais como um tribunal do júri no qual ela não teve sequer permissão para testemunhar.

"Almoço com o próprio Harold John Ockenga", escreveu ela em seu diário.

Harold Ockenga foi um notável teólogo, pastor e líder evangélico. De 1936 a 1969, ele pastoreou a famosa Park Street Church de Boston, fundada em 1809. Foi cofundador do Gordon-Conwell Theological Seminary [Seminário Teológico Gordon-Conwell], com Billy Graham, e foi componente essencial na fundação do Fuller Theological Seminary [Seminário Teológico Fuller], da National Association of Evangelicals [Associação Nacional de Evangélicos], da organização humanitária World Relief [Alívio Mundial] e da revista *Christianity Today* [Cristianismo Hoje].

"Ele queria me examinar", continuou Elisabeth, "em relação a dúvidas levantadas sobre minha 'mudança' de opinião. Sua atitude não foi de investigação cautelosa.

---

6 EE para "Queridos", 25 de outubro de 1966.

Não havia prontidão para ouvir ou admitir a validade do meu testemunho. Arrogância, superioridade moral, rigidez. Ele levantou a questão do meu romance. Disse-me — de forma um tanto brincalhona e displicente — que foi ele quem fincou o pé para impedir que No Graven Image fosse selecionado pelo Clube do Livro Evangélico. Disse que o livro é negativo, sem esperança, e que a cena na conferência missionária é uma caricatura. Quando perguntei se ele nunca tinha visto algo parecido, ele disse que não, que certamente nunca tinha visto. "Além disso", acrescentou, "Eu coloquei dez milhões de dólares no empreendimento missionário e, se achasse que seu livro fosse verdadeiro, sentiria que precisaríamos repensar seriamente tudo isso". Perguntei se era possível que seu grande interesse pessoal o tivesse cegado. Ele estava disposto a admitir essa possibilidade".

"Ele achava que o livro era sobre a soberania de Deus. Ponto final. Tipicamente cego — uma vez que a doutrina é reconhecida, ela é colocada de lado e não tem mais implicações em termos de nossa fé, nosso entendimento de Deus. Ele continuou me mostrando o quão 'experiente' ele é ('Tenho lidado com pessoas com todos os *tipos* de problemas — já poderia escrever um livro! — por 40 anos!') quão sábio, quão procurado ('Ora, você deveria ver as *cartas* que recebo!').

"Alguns dos adjetivos que ele usou para mim, minha mensagem, meu livro — insignificante, negativo, sem alegria, rebelde, sarcástico.

"Você não se importa que eu pergunte essas coisas, não é?" (Eu me pergunto se ele se importaria se eu tivesse feito algumas perguntas a ele.)

"Observei que as pessoas que mais discordavam de No Graven Image eram não-missionárias. Sem comentários.

"É uma posição difícil de ocupar", Elisabeth refletiu mais tarde. "[E] cada vez que me vejo como alvo de críticas e interpretações errôneas, digo: 'Por que faço isso?'. Mas cada ocasião tem que ser julgada por seus próprios méritos, e eu poderia dizer não a qualquer um a qualquer momento. Creio fortemente que o Senhor tem sido meu pastor até agora — aposto que ele sabe como me mostrar o caminho".

Outro conhecido líder evangélico da época, Harold Lindsell, foi mais positivo do que o Dr. Ockenga em sua análise do livro de Elisabeth. O editor da *Christianity Today* escreveu:

> "Ela pinta um retrato do que muitas vezes é nada bonito da vida evangélica. O retrato só poderia ter vindo da experiência pessoal, e com notável percepção ela capturou o idiossincrático — as verrugas e os inchaços.

'Os evangélicos são realmente assim?', todos perguntarão. Só podemos esperar que o tipo que ela destacou seja uma minoria. No entanto, certamente os evangélicos são maduros o suficiente para encarar suas próprias deficiências e enxergar no que a autora descreve algo de si mesmos, não simplesmente dos outros. [...] Ela é conduzida ao desespero e à análise introspectiva. Como Deus pôde deixar isso lhe acontecer? Como ele pôde permitir a morte desse índio a quem ela veio ministrar? E a resposta surge: os homens não podem dizer a Deus como agir; ele trabalha soberanamente. A nós cabe adorar e servir. Os resultados pertencem a ele, não a nós.

No Graven Image é um dos melhores romances cristãos modernos. Ele diz algumas coisas difíceis, e as diz vigorosamente. Não há rodeios, nem floreios, nem desvio do assunto em questão. As personagens são reais. Até mesmo o pastor visitante, de câmera na mão, fazendo um 'bate-e-volta' de um dia para tirar fotos e despertar sua congregação ao retornar, é um retrato da vida real. [...] É uma peça de ficção sólida e bem escrita".[7]

O então proeminente periódico mensal *Eternity* fez uma crítica igualmente positiva, embora o autor Russell Hitt tenha apontado que "Há uma nota faltando — o elemento da alegria cristã e o senso de vitória divina mesmo quando os eventos humanos estão em desordem".[8]

Elisabeth observou em seu diário que "Stacey Woods [fundadora da InterVarsity Christian Fellowship nos Estados Unidos] escreve: 'É notavelmente deficiente nas respostas que deixa de fornecer. [...] Talvez a maior fraqueza do livro seja sua falha em explicitar uma visão bíblica do mundo e da vida para as missões cristãs'".

"Meu Deus", escreveu Elisabeth, "quem pode exigir isso de qualquer livro, ainda mais de um romance? No que eles estão pensando? Como Hitt e Woods teriam avaliado as Lamentações de Jeremias?"

---

[7] Harold Lindsell, "One Doesn't Tell God", *Christianity Today*, 8 jul. 1966, https://www.christianitytoday.com/ct/1966/july-8/books-in-review.html.
[8] Conforme citado no diário de Elisabeth, 2 de junho de 1966.

Como Elisabeth havia dito ao Dr. Ockenga, muitos missionários de campo balançaram a cabeça, concordando com sua descrição de conferências, atitudes e bordões que frequentemente caracterizavam suas comunidades. Eles reconheciam as lutas espirituais e as duras realidades do trabalho missionário. Muitos leitores leigos também se identificaram com a história e escreveram a Elisabeth para o dizer. Elisabeth visitou o Wheaton College para falar em uma aula de antropologia; os professores ali lhe disseram que *No Graven Image* era o livro mais falado no campus. Billy Graham disse à sua esposa Ruth, que disse à mãe de Elisabeth, Katherine Howard, que disse a Elisabeth, que ele estava "empolgado" com o livro. (Não exatamente um endosso público.)

O respeitado professor da Trinity Divinity School, Walter Liefeld (com quem Olive Fleming havia se casado vários anos depois de seu marido Pete ter morrido com Jim no Equador), tocou o coração de Elisabeth quando ela passava por Wheaton e visitou o casal. Ele lhe disse que não viu nada no livro que contradissesse o Antigo ou o Novo Testamentos, e que ela "usava perguntas e símbolos de forma muito eficaz". Ele viu na cena final do livro uma sensação de liberdade na imagem do condor voando alto acima das montanhas.

Paul Woolley escreveu a Elisabeth agradecendo-lhe "do fundo do coração" por escrever *No Graven Image*. Woolley, junto com Ned Stonehouse e J. Gresham Machen, havia fundado o Westminster Theological Seminary em 1929. Woolley ensinou história da igreja por trinta anos lá, e Elisabeth Elliot o admirava como um maduro líder evangélico. "O mundo imaginário no qual muito do cristianismo vive se tornou uma barreira que o isola quase completamente das realidades da existência presente", Woolley escreveu a Elisabeth. "O cristianismo tem que chegar a um confronto direto com os problemas deste mundo presente, e particularmente com a questão de como entrar em uma discussão inteligível com ele. Você deixou essa necessidade clara e até começou a dar uma resposta à questão de como isso deve ser feito".[9]

O *New York Times* disse que "A narrativa soa verdadeira e a personagem principal é belamente elaborada".[10] O jornal também chamou o livro de uma sátira "sutil e selvagem" sobre "costumes e atitudes missionárias fundamentalistas".[11]

---

9 EE para "Queridos", 10 de outubro de 1966.
10 Conforme citado, contracapa, edição britânica de 1982, *No Graven Image*.
11 Conforme citado por David Swartz, "Elisabeth Elliot, Missionary Rebel", Patheos, Anxious Bench, 28 ago. 2019, https://www.patheos.com/blogs/anxiousbench/2019/08/elisabeth-elliot-missionary-rebel/.

SACUDIDAS VIOLENTAS

Dois influenciadores intelectuais que se identificaram com o romance de Elisabeth, ou pelo menos com essas premissas subjacentes a ele, foram jovens estudantes de seminário chamados Tim e Kathy Keller.

Elisabeth Elliot deu uma palestra no seminário Gordon Conwell depois que *No Graven Image* foi publicado; ela falou especificamente sobre o que Tim Keller chamou de o final "extraordinariamente ousado" de seu romance. Ele lembra:

"Ela passou a nos explicar que a imagem de escultura, o ídolo do título, era um Deus que sempre agia como pensávamos que ele deveria agir. Ou, mais precisamente, era um Deus que apoiava nossos planos, como *nós* pensávamos que o mundo e a história deveriam se desenrolar. Esse é um Deus de nossa própria criação, um deus falsificado. Tal deus é, com efeito, apenas uma projeção de nossa própria sabedoria, de nosso próprio eu. Nessa forma de operar, Deus é nosso "cúmplice", alguém com quem nos relacionamos apenas enquanto ele estiver fazendo o que queremos. Se ele faz algo diferente, queremos "demiti-lo" ou "deixar de ser amigo dele", como faríamos com qualquer secretária pessoal que fosse insubordinada ou incompetente.

"Mas bem no final, Margaret percebe que a derrocada de seus planos havia destruído seu falso deus, e agora ela estava livre pela primeira vez para adorar o Verdadeiro. Ao servir ao deus-dos-meus-planos, ela ficara extraordinariamente ansiosa. Ela nunca tinha certeza se Deus viria ao encontro dela e 'faria do jeito certo'. Ela estava sempre tentando descobrir como fazer Deus fazer o que ela tinha planejado. Mas ela não o estava tratando realmente *como* Deus — como aquele que é infinitamente sábio, bom e poderoso. Agora ela tinha sido liberta para colocar sua esperança não em suas agendas e planos, mas no próprio Deus".[12]

Em suma, disse o Dr. Keller, o sofrimento inexplicável abrirá a porta para um encontro com Deus como ele é, e não um deus que inventamos, o qual é, na verdade, apenas um ídolo: a "imagem de escultura" do título de Elisabeth.

---

12 Timothy Keller, *Walking with God through Pain and Suffering* (Nova York: The Penguin Group, 2013), p. 172.

À medida que o correio diário trazia tanto reações mordazes como congratulatórias ao seu romance, Elisabeth continuou a encontrar prazer em sua vida diária. Um dia, no início de 1967, ela foi esquiar. Com as bochechas vermelhas e contente, ela chegou em casa e preparou uma xícara fumegante de chocolate quente. Ela acendeu a lareira e se sentou perto dela com um livro no colo, seu fiel cachorro ao seu lado. As patas emplumadas de Zippy se contraíam enquanto ele cochilava no chão de madeira aquecido, sonhando com coelhos.

Como frequentemente acontecia, Elisabeth encontrou em C. S. Lewis um espírito semelhante ao seu. "Nada além dessas sacudidas violentas", ele escreveu ao seu amigo Owen Barfield em 1938, "nos curará de nosso mundanismo".[13]

"Era disso, em poucas palavras, que *No Graven Image* tratava", escreveu Elisabeth em seu diário.

"Por que os cristãos acham tão fácil definir o mundanismo apenas em termos de diversões? Deve ser porque essas coisas podem ser curadas por um decreto em vez de uma sacudida fundamental. Aqueles que foram sacudidos violentamente descobriram que o mundanismo é algo fundamental — um estado de espírito, uma maneira de ver o mundo, um conjunto de valores aplicados a toda a vida, algo mais profundo do que essas ninharias que os cristãos discutem, condenam e usam como crítica para julgar outros irmãos em Cristo. Enquanto a consciência de alguém puder se ocupar com questões que nunca chegam a ser mais do que superficiais, ela não será perturbada por questões que são realmente importantes e básicas".

Sacudidas violentas. Elisabeth havia experimentado muitas. Ela as via como terremotos projetados para derrubar os ídolos que tão habitualmente construímos, sejam eles falsos deuses de pedra, substâncias, ego, crenças falsas sobre Deus ou a própria religiosidade coberta de cal. Estes últimos, como Jesus tantas vezes apontou aos fariseus, são os ídolos mais difíceis de derrubar.

Elisabeth contemplava o fogo, tomando seu chocolate quente. Ela olhou através da janela de vidro em direção às copas brancas das árvores e ao vale abaixo, emoldurado pelos picos gelados. Nenhum condor circulava nos céus cinzentos acima de sua casa aconchegante. Mas havia liberdade, do mesmo jeito.

---

13 Conforme citado no diário de Elisabeth, 4 de fevereiro de 1967; a citação é de C. S. Lewis, carta para Owen Barfield, 12 de setembro de 1938.

CAPÍTULO 10
DÚVIDAS ASSOMBROSAS

"O que quer que nos sobrevenha [...] como quer que nos sobrevenha, devemos receber como a vontade de Deus. Se nos acontecer por negligência, animosidade ou ira dos homens, ainda assim o é para nós, mesmo na menor circunstância, a vontade de Deus; pois, se o menor evento pudesse acontecer a <u>nós</u> sem a permissão de Deus, seria algo fora de seu controle. Sua providência ou seu amor não seriam o que são. O próprio Deus Todo-Poderoso não seria o mesmo Deus; não o Deus em quem cremos, adoramos e amamos."

— E. B. Pusey, anotado no caderno de couro de citações favoritas de Elisabeth

Apesar de seu habitual autoquestionamento interior e das críticas de outros cristãos do lado de fora, aquela era uma temporada doce na vida de Elisabeth. Neves maciças e silenciosas cobriam a segurança aconchegante de seu lar pacífico, com Val na escola, Van viajando ou ocupada com sua própria escrita, e Elisabeth administrando seu tempo sem nenhuma expectativa sobre ela. Ela lia, escrevia, caminhava e pensava. "Como eu amo essa vida! Li *Three*, de Flannery O'Connor,[1] comecei *O Hobbit*, de Tolkien; li um livro sobre Nova York, escrevi duas histórias (enviadas para a *Life* a *Eternity*!); comecei a declaração de imposto de renda; li *Hemingway*, de Lillian Ross. Os dias parecem maravilhosamente longos." Elisabeth estava agora com trinta e tantos anos. Ela parecia mais velha. Ela frequentemente usava seu cabelo castanho escuro preso para cima e para trás em um coque francês, o que tinha o efeito de fazê-la parecer ainda mais alta do que era. Seus

---

1 N. T.: *Three* é uma antologia com três das obras-primas de O'Connor; em português, foram publicadas separadamente como *Sangue Sábio* (Campinas: Sétimo Selo, 2022), *Os violentos o arrebatam* (Campinas: Sétimo Selo, 2023) e *Tudo o que sobe deve convergir* (Campinas: Sétimo Selo, 2024).

olhos azuis eram claros, seu nariz, arrebitado; ela tinha covinhas profundas, o seu característico espaço entre os dentes da frente, uma rede de rugas finas ao redor da boca e dos olhos e dois sulcos pronunciados entre as sobrancelhas quando se concentrava, o que acontecia na maior parte do tempo.

Valerie, no entanto, era uma radiante pré-adolescente desabrochando, uma moça esbelta, com covinhas e aparência élfica, com cabelos castanhos claros na altura dos ombros em um corte repicado típico dos anos 1960 e enormes óculos de gatinho azuis claros. Val se deleitava em sua nova vida na Nova Inglaterra. Ela aprendeu a esquiar, tinha amigas que vinham para festas do pijama, vagava pela floresta com Zippy, consumia muffins e chá perto da lareira nas noites de domingo, treinava piano laboriosamente e orava com sua mãe quando Elisabeth, todas as noites, gentilmente colocava sua filha em crescimento em sua cama com dossel lilás.

"A beleza dela é impressionante", Elisabeth refletiu. Ali estava Val, sentada naquela cama fofa em uma camisola azul-celeste com babados no pescoço e nos pulsos. Suas bochechas irradiavam, seu cabelo brilhante resplandecia à luz do abajur. Elisabeth havia encomendado pelo correio um kit sobre crescimento, com um pequeno livro sobre menstruação e mudanças de vida. "Ela estava simplesmente emocionada", escreveu Elisabeth. "'Oh, mamãe, é tão empolgante crescer!'"

"A garotinha se transforma em uma mocinha, depois em uma mulher, e de repente já se foi. Eu temo, antecipo, aceito e abraço tudo isso. Viva. Viva até à última gota".

Val era diferente da jovem obediente que Elisabeth tinha sido. "Tive um momento difícil com Val, lidando com o fato de ela não ter terminado seus exercícios de piano e outras tarefas antes da escola hoje. Proibi-a de patinar no gelo esta tarde. Lágrimas. Mais lágrimas enquanto ela fazia o dever de casa e os exercícios de piano."

"Então, depois de tocar 'Danúbio Azul', ela olhou para cima e disse: 'Mamãe, a senhora me perdoa por ser má? Vou tentar ser mais doce'. Eu assegurei que ela estava perdoada e perguntei o que estava acontecendo em sua [...] querida alma pequenina."O gregário, charmoso e distraído cérebro de borboleta de Val deixava sua mãe perplexa. "Val está tendo grandes dificuldades para aprender a assumir responsabilidades", escreveu Elisabeth sucintamente em seu diário. "Perde tempo, esquece de fazer tarefas, passa horas se vestindo e se despindo, gasta dinheiro de forma irrefletida (comprou refrigerantes para duas amigas com o dinheiro que eu lhe tinha dado para almoçar na escola) e ontem, simplesmente, se <u>esqueceu</u> de me encontrar para uma consulta odontológica e pegou o ônibus escolar para casa. <u>Como</u> incutir nela esse senso de responsabilidade tão necessário?"

DÚVIDAS ASSOMBROSAS

Enquanto isso, tanto Elisabeth como Val desfrutavam os costumes locais, que eram tão exóticos quanto qualquer coisa que os waorani tinham inventado, como o ritual de "açucarar" no início da primavera. Os vizinhos Zeke e Thelma convidavam todos que conheciam para o evento anual. Thelma fervia uma enorme chaleira de xarope de bordo até o ponto de caramelo; a fragrância enchia sua pequena cozinha. Enquanto isso, Zeke enchia duas bacias imensas com neve recém caída e as levava para dentro. Thelma derramava o xarope espesso e escuro na superfície gelada, onde ele endurecia imediatamente. Elisabeth, Val e os outros convidados puxavam e enrolavam o caramelo na neve com garfos, como espaguete. Era pegajoso e divertido; Thelma também oferecia picles de endro, que todos consumiam para cortar a doçura e então poderem comer mais xarope, assim como donuts e café quente.

Para aumentar o entretenimento, Zeke trouxe sua prancha de bongo, uma tábua de cerca de sessenta centímetros de comprimento, que se equilibrava sobre um cilindro de madeira. Zeke demonstrou que a ideia era que os convidados — agora meio bêbados de açúcar e picles — tentassem ficar parados sobre ela sem voarem em uma pilha pegajosa no chão.

Depois do longo, frio e aconchegante inverno de New Hampshire, a primavera era ainda mais milagrosa.

"Oh, beleza", Elisabeth suspirou em seu diário, lembrando-se da paisagem imutável da selva do Equador. "Quem pode apreciá-la como aqueles que viveram em um país de uma única estação?

Calor.

Luz do sol.

Verde.

Matizes suaves e claros de árvores cheias de botões — verde-malva, rosa, verde-amarelo, vermelho-tijolo, amarelo".

No início de maio, Elisabeth, Val e alguns amigos caminharam pela Trilha Basin Cascade no parque estadual Franconia Notch.

"Era um dia absolutamente perfeito, quente e ensolarado, embora nenhuma das folhas ainda tivesse saído, e as flores estivessem apenas começando a brotar. Exploramos o rio que deságua na bacia e chegamos a uma linda cachoeira que se espalha sobre uma enorme laje marrom de granito. A velocidade e a força daquela água cristalina sobre as pedras, borrifando seu frescor em nossos rostos e atacando nossos ouvidos com seu rugido, era como uma catedral para nossas almas invernadas. As crianças tiraram os sapatos e as meias e entraram na água gelada. Zip correu pela floresta, fora de si, em êxtase.""Encontramos violetas silvestres dente-de-cão com as folhas começando a se abrir e arbustos rasteiros de brotos. Paramos no Chalé [o chalé da família Howard, local de tantas memórias felizes da infância de Elisabeth] no caminho para casa e fomos até o Encontro das Águas — encontramos flores emplumadas na fonte, que borbulhava clara como sempre. Há algo de maravilhoso em encontrar na criação de Deus certos objetos físicos que nunca mudam — aquelas duas pedras enormes e a água que flui por entre elas; a pequena praia e sua pedra azul-acinzentada lisa na qual mamãe costumava sentar-se enquanto brincávamos na água — exatamente como sempre foram desde a minha primeira lembrança!"[2]

Em uma dessas caminhadas, Elisabeth e Val encontraram um filhote de marmota abandonado. Ele era uma criatura minúscula, marrom-acinzentada, com um nariz cor de carvão. Elas o alimentaram com leite e cereal amassado em uma mamadeira que parecia de boneca, embalando seu corpo em miniatura com seus pequenos pés de borracha preta.

Ele floresceu. Elas o chamaram de Chuckles. Ele achava que Deus o havia colocado no planeta para torturar o cachorro.

"Chuckles tem o formato exatamente igual ao da Sra. Tiggywinkle,[3] consideravelmente mais largo do que alto ou longo, literalmente uma bola de pelo", escreveu Elisabeth para sua família. "Ele segue Zip, tamborilando pelo corredor até meu quarto. Zip se deita no tapete e Chuckles começa a explorar toda a geografia de Zip, roendo as unhas dos pés, beliscando seu pelo, rastejando em suas orelhas e sobre suas costas, deslizando para o outro lado etc. Zip nunca está totalmente convencido de que gosta disso, e se contorce nervosamente, levantando uma pata para derrubar Chuckles, balançando a cabeça e então lambendo a marmota, às vezes levando sua cabeça inteira à boca e, então, colocando um braço protetor sobre as costas do pequeno sujeito. Quando ele já não aguenta mais, ele se levanta, com Chuckles firme em seus calcanhares, o que faz Zip perceber que ele realmente fica lisonjeado ao receber tanta atenção e, então, ele se deita novamente para mais. Nós simplesmente

---

2 EE, "Carta à família", 4 de maio de 1964.
3 N. T.: Referência ao livro infantil britânico *The Tale of Mrs. Tiggy-Winkle*, da famosa Beatrix Potter. A personagem do título é um ouriço-terrestre que lava, passa e engoma roupas em sua cabana sobre a colina. Em português, seu nome já foi traduzido como "Dona Picotina" ou "Sra. Tiggy Típico". Cf. Beatrix Potter, *A História da D. Picotina*, trad. Isabel Pedrome ([s.l.]: Livros sem Papel, 2014); e *A História da Senhora Tiggy Típico*, trad. Peter O. Sagae ([s.l.]: Edições Barbatana, 2023).

morremos de rir deles."Elisabeth passava mais e mais tempo do lado de fora à medida que a gloriosa primavera continuava. "Na semana passada, eu cheguei a dormir do lado de fora, na rede, à tarde — perfume de pinho e bálsamo, canto de pássaros, balanço suave da brisa nos pinheiros, calor do sol e absoluta bem-aventurança. Graças a Deus por esta casa. Acho que nunca estive tão feliz."Em 30 de maio, ela escreveu em seu diário: "Hoje faz vinte anos que Jim reconheceu seu amor por mim pela primeira vez... café da manhã na lagoa em Wheaton. Agora, sento-me à mesa de sequoias sob os pinheiros atrás da minha casa. Canto de pássaros, cheiro de pinho e flor de macieira, o brilho de uma única e solitária gota de orvalho em uma folha de grama perto dos meus pés".

A terceira pessoa humana da casa, Eleanor Vandervort, ou "Tia Van" para Val, tornava a vida mais fácil para todos. Van agora tinha quarenta e poucos anos, de aparência comum, com um nariz grande, boca pequena, cabelo curto e escuro e óculos pretos severos que a faziam parecer uma engenheira da NASA dos anos 1960. Além de ajudar Val com o dever de casa e ficar com ela quando Elisabeth viajava para seus muitos compromissos de palestras, ela ensinava Val sobre jardinagem e ópera; ria com ela e, segundo Val, ria *dela*, muito. Van se sentava com Elisabeth à noite perto da lareira, lendo em voz alta Simone de Beauvoir, Francoise Sagan, Betty Friedan ou qualquer número de escritores existencialistas e seculares. "A perspectiva que eles fornecem me força a pensar fora do molde do qual fui feita", escreveu Elisabeth.

Ao contrário de alguns membros da família de Elisabeth, Van não limitava seus gostos apenas a romances e escritos "cristãos" ou "religiosos". Ela não apenas se encaixava nas buscas intelectuais de Elisabeth, mas, quase tão importante, em sua necessidade de ordem e seus hábitos de limpeza doméstica. "Van é uma pessoa tão fácil e tranquila de se conviver", escreveu Elisabeth para sua mãe.[4]

Van também trabalhava arduamente em seu livro para a Harper & Row sobre seus doze anos como missionária no Sudão. Mas ela não era uma escritora de coração e, mais cedo ou mais tarde, o sucesso de Elisabeth como autora e seus relacionamentos românticos criariam fissuras na fundação de sua amizade, como Van a percebia.

Por ora, no entanto, era um alívio que Van, de alma semelhante à dela, a acompanhasse quando Elisabeth viajava para palestras cuja estética congelava

---

4   EE "Carta à mamãe", 9 de dezembro de 1964.

sua alma. Elisabeth não poupou detalhes pouco caridosos quando descreveu, em uma carta para sua família, o banquete entre mães e filhas que uma igreja realizou para o Dia das Mães.

"Ai, que horror!", ela gaguejou. "Vocês podem imaginar a coisa toda — o porão da igreja, os homens sem paletó servindo às mesas, cheiro de café, água de lavar louça e cimento fresco, toalhas de mesa de papel, flores artificiais, esposas da zona rural do Maine e suas filhas dentuças e de maria-chiquinha, a tímida esposa do pastor tentando ser brilhante e inteligente como mestra de cerimônias, torta de frango, pãezinhos, salada de gelatina e bolo caseiro — e o programa. Ah, que tristeza.

"Um dueto das irmãs Bumble, de 9 e 11 anos, com a prima Mattie ao piano, um poema para a mãe lido pela mestra de cerimônias, um solo de auto-harpa (quatro números em sequência) pela velha Sra. Harold Hemptweet, a que ganhou o prêmio de mãe mais velha no ano passado."

"Oh, aquela pobre e querida alma. Tenho certeza de que ela praticou fielmente pelos últimos 49 anos em sua sala de estar empoeirada, completa com... retratos de ancestrais góticos americanos e órgão de fole. Ela primeiro leu as palavras de um dos hinos, com uma voz trêmula, e foi bom ela fazê-lo, pois ninguém poderia reconhecer um único compasso sequer. Teve dificuldade em encontrar as notas, mas continuou tentando até que conseguiu, e o diabo que carregasse o ritmo. Van achou que ela só podia ser surda e cega."

"Então tivemos que fazer os cozinheiros se curvarem para fora da cozinha, uma grande salva de palmas para eles, e os 'garçons' com uma grande risada pelo fato de que [os homens] estavam tendo que lavar a louça. Falei no andar de cima, no 'santuário', para talvez 125 pessoas. Então, o mesmo espetáculo se repetiu na terça-feira à noite desta semana, quando dirigi sozinha para [...] Massachusetts. Alguém me lembre de não aceitar nenhum convite para um banquete de mãe e filha no ano que vem, por favor."[5]

Em descrições como essa, Elisabeth sacrificava a gentileza em nome do que considerava como efeito cômico. Ela parecia não perceber que tais descrições afiadas soavam condescendentes. Uma amiga — cuja mãe, uma mulher graciosa e culta, era dos rincões do Sul dos EUA — passou por isso quando morou com Elisabeth por um tempo. Um dia, ela estava fora e sua mãe ligou, procurando-a;

---

5 EE para "Queridíssima mãe e demais", 28 de maio de 1964. Os nomes na carta foram alterados.

Elisabeth atendeu a ligação e depois passou o recado imitando completamente o rico sotaque sulista da mulher mais velha. A filha achou aquela zombaria cruel, e percebeu que Elisabeth não tinha ideia de que estava sendo ofensiva.

Poucos dias depois do terrível banquete mãe e filha, Elisabeth, Val e Van foram a um evento mais de acordo com seu gosto artístico. Foi uma apresentação do Balé de Boston em Dartmouth, incluindo um *pas de deux* por membros do Balé da Cidade de Nova York. "Suponho que, no fim das contas, aquilo era igualzinho aos programas de banquetes", escreveu Elisabeth filosoficamente. "[T]odos estavam dando o seu melhor." Mas ainda assim — "Oh, aqueles saltos altos que os homens dão, e a maneira como as mulheres flutuam e mergulham sem nenhum som de passos. Lindo".

Entrementes, os compromissos contínuos de Elisabeth com palestras lhe renderam algumas avaliações que eram quase tão críticas quanto sua própria reação aos banquetes ruins de Dia das Mães.

Depois de um discurso em Detroit, Elisabeth ouviu através do zumbido contínuo da boataria evangélica que um velho amigo chamado Bob havia escrito para sua mãe que Elisabeth era "'melancólica, de coração pesado, sombria, [e] controversa'".

De alguma forma, Elisabeth conseguiu citações reais da carta dele para incluir em seu diário. "'Era difícil acreditar que ela fosse de fato a autora de livros tão vitoriosos como [*Através dos portais do esplendor*] e [*Shadow of the Almighty*]'", Bob continuou. "'Ela estava bastante retraída e não se juntou às mulheres no chá após o culto; em vez disso, sentou-se sozinha em um banco.'"

"'Francamente, acredito que esta maravilhosa mulher cristã precisa da libertação divina de alguma coisa. Todos nós temos nossos problemas e dificuldades de personalidade, mas Cristo nos chama para uma vida de alegria e otimismo irreprimíveis. [...] Quando pensamos nos triunfos de Amy Carmichael, John, Betty Stam e muitos outros, temos a imagem que reflete o cristianismo apostólico na realidade. Elisabeth disse da plataforma que poucas pessoas a entendem. Ela está tão certa'".

É difícil saber o quanto desta crítica tinha a ver com a natural reserva e retraimento da personalidade de Elisabeth, e o quanto resultava da compreensão do escritor sobre o "cristianismo apostólico" e com que ele realmente se parecia na vida de uma pessoa. Elisabeth poderia ter tornado as coisas muito mais fáceis para si mesma se tivesse, por natureza, uma disposição mais afável e extrovertida. Mas talvez essas qualidades estivessem em desacordo com a natureza intrínseca de alguns de seus dons espirituais particulares.

Por volta da mesma época, Elisabeth estava lendo os profetas do Antigo Testamento. Ela anotou em seu diário as estranhezas, as convicções e a coragem deles. Ela se preocupava em aprender a ver claramente para escrever verdadeiramente. "O real processo de escrita é um contínuo descortinar da verdade com o qual tenho que lidar de alguma forma. É tão difícil despir ou ser despida das camadas de preconceito e preconcepções que têm me inibido, e a exposição do que se é não pode deixar de ser algo doloroso...".

Se, nesse processo de despir-se, ela soasse como uma pessoa com dor em vez de um modelo de vitória espiritual, para ela estava tudo bem. Ela se perguntava se tinha sido chamada por Deus, como os profetas, como seus escritores favoritos, como uma *vidente*. Profetas chamavam as coisas pelo nome e revelavam as situações como elas eram, não como os espectadores gostariam que fossem. Profetas raramente são populares. Certamente, pessoas religiosas nos tempos do Antigo Testamento achavam Amós um sujeito espinhoso e estranho, e poucos teriam convidado Jeremias, aquele homem estranho e empoeirado, para jantar. Ezequiel ficou deitado sobre o lado esquerdo por mais de um ano; Elias comeu comida de passarinho. O pobre Oseias chamou uma de suas filhas de "Não-Amada". Todos esses homens corajosos estavam seguindo instruções específicas de Deus, mas isso não os tornava queridos para seus ouvintes. Eles eram estranhos.

Seu cunhado, o direto e fiel missionário Bert Elliot, disse a Elisabeth durante uma visita a New Hampshire que "ele me considera uma profetisa. Poderia ser esse o caso? Isso explicaria algumas coisas — peculiaridade, isolamento, visão descompassada (incapacidade de ver as coisas como os outros as veem). Eu me pergunto o quão a sério os profetas de antigamente se levavam!"

Elisabeth levou as palavras de Bert a sério, embora sua resposta soasse inconscientemente grandiosa. "Devo aceitar a responsabilidade de uma vidente. <u>Alguém</u> precisa ver e fazer os outros verem".

Certamente havia uma preocupação generalizada sobre o que tinha acontecido com Elisabeth Elliot. Até mesmo a resenha benigna da *Christianity Today* sobre seu romance de 1966 incluía uma pergunta "assombrosa", não sobre o livro, em si, mas sobre a própria Elisabeth.

O editor Harold Lindsell escreveu: "[Elisabeth] Elliott passou pelo fogo da provação — seu marido foi martirizado pelos [waorani]. Ele encontrou libertação na morte, mas ela permaneceu para buscar sua própria libertação em vida. Que isso não veio facilmente se vê neste romance sobre a vida missionária".

DÚVIDAS ASSOMBROSAS

Lindsell concluiu que a personagem principal do romance, Margaret Sparhawk, "finalmente junta as peças e obtém uma resposta, uma resposta crível e adequada, para sua busca espiritual. Este leitor, pelo menos, ficou com a sensação de que a autora colocou a resposta certa na boca da Srta. Sparhawk, *mas ele tem uma dúvida assombrosa sobre se a própria autora se contentou com essa resposta*".[6]

Elisabeth escreveu em seu diário: "A revelação de mim mesma que o processo de escrever implica é difícil de aceitar. Mas aqui, para mim, está agora o significado de entregar minha vida. [...] Que morte diferente da de Jim! No entanto, para mim, igualmente inevitável. Por meio de sua morte, Jim ganhou uma reputação. Pela minha, perco a reputação. Mas esta não é uma perspectiva tão dolorosa quanto minhas palavras podem fazer parecer".

"Nada importa; apenas exponha a verdade; deixe as fichas caírem." Com o passar do tempo, Elisabeth notaria que o mar de convites para falar, os quais ela vinha recebendo das igrejas desde que retornara do Equador, havia se reduzido a uma goteira... bem na época em que *No Graven Image* havia sido lançado. "O fato simples é que não sou mais convidada para falar em igrejas", escreveu em seu diário. "O que isso significa? O que devo aprender com isso? Eu sou quem sou e quem sempre fui. Deus é minha testemunha, minha fortaleza, minha vida, minha salvação. Que eu considere isso o bastante; [...] hoje de manhã estava me lembrando do conselho [de uma amiga] para mim: Nunca se afaste das pessoas só porque elas se opõem a você".

O problema era que Elisabeth Elliot tinha uma personalidade publicamente afastada. Mesmo que ela não estivesse se afastando intencionalmente das pessoas, ela *parecia* distante para os outros, às vezes apesar de seus melhores esforços. Em um retiro de estudantes nessa época, ela se viu hospedada em uma cabana quebrada com seis universitárias e um rato que corria de uma cama desconfortável para a outra. Uma noite, ela bravamente tentou envolver as jovens sentadas ao redor da fogueira. "Tentei ser tagarela, amigável, interessante", escreveu sombriamente em seu diário. "Não deu. Eu simplesmente não tenho isso em mim; queria ter, mas cá estamos." E por ser alta, austera e um tanto formidável, ela era um alvo mais fácil para críticas — tanto de suas opiniões quanto de seu comportamento — do que se ela tivesse sido baixa, calorosa e efervescente no pódio.

---

[6] Harold Lindsell, "One Doesn't Tell God", *Christianity Today*, 8 jul. 1966, ênfase acrescida, https://www.christianitytoday.com/ct/1966/july-8/books-in-review.html.

CAPÍTULO 11
UM RETORNO AO EQUADOR

"Ele destrói para poder construir; pois, quando está prestes a erguer seu templo sagrado em nós, ele primeiro destrói totalmente aquele edifício vão e pomposo, que a arte e o poder humanos ergueram, e de suas ruínas horríveis uma nova estrutura é formada, somente por seu poder."
— Madame Guyon

Quando o clima em New Hampshire esquentava e a última neve caía, a viúva Katharine costumava visitar sua filha e neta para estadias prolongadas. Elisabeth amava sua mãe. Mas era difícil para ela manter seu equilíbrio emocional — e sua criatividade intelectual — durante essas visitas.

"Há quanto tempo você não limpa sua geladeira?", Katharine perguntou em uma manhã ensolarada, disparando sensores de alarme enterrados profundamente na alma de Elisabeth.

A pergunta ficou no ar. Sua mãe foi tomar chá com uma vizinha. Embora Elisabeth tivesse de escrever, a geladeira a assombrava. Não estava particularmente suja, mesmo para os padrões exigentes de Elisabeth. Mas ela a limpou mesmo assim.

Mais tarde, Katharine voltou do passeio, correndo para a cozinha. "Bem, agora eu vou limpar a geladeira se você —'"

"Acabei de limpar", Elisabeth interrompeu.

"O quê? Não pode ser. Ora, não é possível que..."

Isso parece inócuo, mas geralmente é o peso combinado de pequenos aborrecimentos domésticos que podem criar fissuras nos relacionamentos familiares. Como certo dia, quando ela ouviu sua mãe conversando com sua filha Val, enquanto esta comia antes de sair para a escola.

"Val, você terminou seu café da manhã?"

"Não".

"Bem, queria que você se apressasse. Não gosto de passar a manhã inteira com a louça suja".

Não era que Katharine realmente quisesse lavar a louça antes que as pessoas terminassem de comer, mas sua constante e estressante ansiedade se expressava de dezenas maneiras. Talvez também houvesse um pouco de provocação passivo-agressiva na dança entre mãe e filha. Certo dia, no almoço, Katharine disse a Elisabeth que ficaria em outro lugar enquanto Tom e sua esposa, Lovelace, estivessem visitando. "Vocês terão tanto assunto para conversar", disse Katharine, "e eu odiaria perder, mas todos vocês se sentiriam muito menos inibidos se eu não estivesse por perto".

Talvez Katharine esperasse que Elisabeth respondesse: "Oh, não, não, mãe, por favor, fique aqui, sempre queremos você conosco".

Isso não aconteceu.

"Eu não disse nada", relatou Elisabeth em seu diário. "Era a absoluta verdade."A preocupação de Elisabeth com sua mãe não ajudava em sua produtividade profissional. Ela relatou em seu diário: "14h15. Desde as oito da manhã, sinto-me 'prestes' a realmente começar a escrever de novo. Coloquei o papel na máquina de escrever. Revisei minhas anotações novamente".

"Em branco.""Bem, escreva <u>alguma coisa</u>."

"Em branco.""Deus me ajude!"

"A mamãe é um obstáculo para mim, psicologicamente", ela concluiu. "Eu simplesmente não consigo trabalhar bem com ela em casa."E assim foi.

"Você não tem um escorredor de louças como o meu?", irrompeu a mãe de Elisabeth. "Você não QUER NENHUM dos pratos seco? Eu fiz algo errado?"; "Você deveria ensinar Val a terminar uma tarefa — ela não limpou a pia direito!"

Discutir se mostrava infrutífero e só parecia afastá-las ainda mais, refletiu Elisabeth. "Meu relacionamento com mamãe é um novo tipo de experiência e teste de maturidade. Ao que parece, ela fica defensiva e beligerante — fazendo pequenos comentários calculados para provocar, como papai costumava fazer com tanta frequência. Não tenho certeza de qual deve ser a melhor abordagem, mas espero que Deus me guie nesta situação, como ele fez em tantos outros tipos radicalmente diferentes de situações."Elisabeth lidou com a situação lembrando-se do que seu irmão Tom havia dito sobre a mãe deles, que "'o conteúdo racional desapareceu do nosso relacionamento' e é inútil tentar agir como se ele ainda estivesse lá".

Além disso, Elisabeth percebeu: "Mamãe nunca permitiu que seus filhos fossem pessoas. Eles são meras projeções de si mesma e, quando eles param de projetar o que ela visualiza, ela se sente ameaçada, ela não consegue lidar. Ela nunca reconheceu a validade da minha experiência. Em que terreno comum podemos nos encontrar, então?".

Nas margens dessas frustradas anotações do diário dos anos 1960, há adendos escritos em 1986 e 1997, à medida que a Elisabeth mais velha relia periodicamente seus diários de décadas anteriores. "Conflitos com a coitada da mamãe!", observa o registro de 1986. "Perdoe-me!" Mais tarde, com uma letra mais trêmula, a Elisabeth de setenta anos escreveu: "Arrependimento profundo e sincero, 30/9/97".

Qualquer uma de nós que já tenha relido — com rosto vermelho de mortificação e tristeza — alguns de nossos rabiscos mais jovens consegue se identificar.

Enquanto isso, Elisabeth continuou descobrindo escritores que eram novos para ela.

"Tentando escrever a semana toda. Nada. Li O Sol também se levanta e Paris é uma festa de Hemingway. Então ele é mais um. Estou viciada nele. E ele está morto. Todas essas pessoas estavam vivendo e escrevendo e amando o mundo e vivendo suas próprias vidas, enquanto eu não estava vivendo, não escrevendo, não amando o mundo e não sendo eu mesma na selva; e agora que eu os conheço e os amo, eles estão todos mortos — Dinesen, O'Connor, Hemingway, T. S. Eliot... e quem mais?"

Hemingway ganhou o Prêmio Nobel de literatura em 1954. Para a surpresa de Elisabeth, os avós dele estudaram em Wheaton e seu avô era um colaborador próximo do famoso evangelista D. L. Moody. Hemingway não reteve muito dessa perspectiva de fé, exceto em dividendos de ressentimento. Ele viveu sua vida de larga escala nos poeirentos campos de batalha da Itália e da Espanha, caçando nas savanas africanas, torcendo em touradas, bebendo em cafés, bares e festas na Europa, Key West e Cuba. Ele resistiu a concussões, malária, depressão, ferimentos, terapia de eletrochoque, vícios, casos amorosos, quatro casamentos e dois acidentes de avião. Tudo chegou ao fim em um dia de julho de 1961, enquanto Elisabeth ainda vivia no Equador. Suas primitivas raízes de fé secaram; Hemingway decidiu que a única coisa que se pode controlar nesta vida é o tempo e os meios da própria morte. Consequentemente, ele pegou sua espingarda favorita, uma Boss calibre 12, feita sob medida, apoiou-a para poder disparar os gatilhos, colocou o cano frio dentro da boca e estourou seus miolos.

Sim, Elisabeth descobriu Hemingway depois que ele morreu... mas qualquer um familiarizado com ele pode ver a influência de seu estilo de escrita em um dos registros do diário de Elisabeth logo depois que ela começou a ler suas obras.

"Na quarta-feira, pegamos cachorros-quentes, pãezinhos caseiros e uma garrafa de vinho e fomos até um chalé no interior. Neve na floresta. Zippy correu atrás de coelhos reais e imaginários, o sol surgiu através das novas agulhas verdes dos abetos, os riachos correram alto sobre as pedras, e foi adorável."Mais ou menos na mesma época, Elisabeth anotou em seu diário que sua querida amiga e também viúva Marj Saint estava agora "noiva de Abe Van Der Puy". Outra querida amiga também recebeu um anel. Marilou McCully também estava pensando se deveria se casar ou não com um certo pretendente.

Não havia ninguém no horizonte romântico de Elisabeth Elliot.

Na primavera de 1966, Elisabeth recebeu um convite da Latin American Mission [Missão Latino-Americana] para escrever uma biografia de um missionário experiente chamado Robert Kenneth Strachan, que servira como líder da organização por muitos anos. Strachan morrera em fevereiro de 1965, aos 54 anos. Embora não seja um nome afamado hoje em dia, naquela época ele era bem conhecido entre os evangélicos; Elisabeth estava familiarizada com a LAM por ter sido a agência de envio de seu irmão mais novo, Dave Howard, que servira primeiro na Costa Rica e depois na Colômbia, antes de entrar para a equipe da InterVarsity e, por fim, assumir papéis de liderança em várias organizações evangélicas e ações evangelísticas. Ken Strachan trabalhara com a InterVarsity, dirigindo suas conferências trienais em Urbana, Illinois, e depois trabalhando com o Comitê de Lausanne para a Evangelização Mundial, com o ministério Evangelism Explosion [Evangelismo Explosivo], como diretor internacional da World Evangelical Fellowship [Aliança Evangélica Mundial], da Fundação David C. Cook e, por fim, como presidente da Latin American Mission. De alguma forma, ele escreveu nove livros no meio de tudo isso, enquanto também servia como curador no Wheaton College, na LAM, na American Leprosy Mission [Missão Americana contra a Lepra] e em outras organizações cristãs.

Elisabeth não escreveu muito em seu diário sobre o projeto, exceto que estava feliz em ir para a Costa Rica em uma viagem exploratória para examinar os arquivos de Strachan. "Animada com a viagem, desta vez como *escritora*. Que liberdade isso me dá!"

Talvez, depois da angústia excruciante de tentar escrever seu romance, e então dos comentários negativos e exaustivos que *No Graven Image* recebeu, a ideia de escrever uma biografia simples de um missionário fiel tenha parecido um alívio. Era "uma tarefa interessante e comparativamente fácil", escreveu ela em seu diário.

No verão de 1966, Elisabeth estava na Costa Rica. Ela e Val ficaram no então popular Hotel Europa, em San Jose, enquanto Elisabeth pesquisava a correspondência de Kenneth Strachan e entrevistava missionários que haviam trabalhado com ele.

Elisabeth descobriu que missionários e cristãos locais com quem ela conversou ficaram "entusiasmados" com seu romance, *No Graven Image*. Eles lhe disseram em espanhol: "Não tenha medo — vá em frente e escreva a verdade — não pare, não desanime. Nós entendemos e, agora mesmo, há quinhentos pastores da América Latina nos EUA que entendem! Precisamos de líderes, de pessoas que espalhem a verdade".

Até então, seu estudo sobre Ken Strachan e o trabalho dele "só serviu para me confundir mais — o que pode ser outra maneira de dizer: para fortalecer minha fé, pois é o Deus de tal anomalia e contradição que nos promete perfeição e realização no Fim, é com ele que temos que lidar. Senhor — faça-me verdadeira diante da Verdade. Este é o meu encargo".

Após a pesquisa na Costa Rica, Elisabeth e Val foram para o Equador para visitar os lugares que outrora foram seu lar. Em Shell, Elisabeth ficou devastada pela situação da casa outrora impecavelmente hospitaleira de Marge Saint. Elisabeth relatou sobre o casal de missionários que agora residia ali: "Ambos têm a aparência típica de gente de escola bíblica... Crianças (duas) desgrenhadas, dentes tortos, olhar arregalado, roupas manchadas. Calças de borracha, cadeira de penico, cesto de lixo com absorvente usado no banheiro. Sem empregadas, então Mary está lavando pratos. Café da manhã: ovos mexidos frios, biscoitos de fermento em pó que não estavam devidamente dourados, servidos sem manteiga. O café era uma xícara de água quente amarelada oferecida junto com uma lata de café solúvel. Não consigo pensar no que me levou a me sujeitar a isso outra vez — de fato, isso foi pior do que nunca.

"Jantar ontem à noite na [casa de outro casal missionário]. Ela está gorda, nervosa, irrequieta como sempre, desleixada. Refeição ruim. No entanto, gostei da companhia dela, e depois ela tocou piano e ele (tenor) cantou lindamente." O casal disse a Elisabeth que Rachel Saint estava atualmente em Quito, longe do assentamento waorani, e Elisabeth decidiu que seria um bom momento para voltar lá e visitar seus velhos amigos.

"Quão grata estou por ter sido liberta desta 'morte'", escreveu Elisabeth em seu diário. "Parece-me agora algo abominável e degradante, embora, quando eu morava aqui, eu aceitasse isso como os outros. A vida — tão irreal em um lugar como este, tão ignorado, tão desconsiderado, de alguma forma. Será que eles têm a capacidade de ser gratos ao Deus que os criou, pela beleza da terra, pela grandeza do dom da vida? Eu me questiono. Eles são como formigas, cada um correndo com seu pequeno fardo."*Morte* era uma palavra severa para Elisabeth usar em relação aos modos de pensar e hábitos pessoais desses pobres missionários. Mas o tempo em Shandia trouxe à tona algo além dessa "morte" que ela havia um dia aceitado. Reverberava o estresse pós-traumático da morte *física*. Aquele era o lugar onde ela soube da destruição violenta de seu marido e seus amigos.

"Esta casa, com seus sons de chuva e contatos de rádio, traz de volta muito vividamente aqueles dias e noites entre 8 e 15 de janeiro [de 1956], quando [os] versos vinham a mim repetidamente — 'Apodrecendo lá na chuva.'"Aquelas palavras que ecoavam como chuva implacável na mente de Elisabeth eram de um poema sombrio que ela havia lido anos antes. Robert Service era um poeta britânico-canadense que servira como motorista de ambulância durante a Primeira Guerra Mundial. Em seu "The Blood-Red Fourragere", um esquadrão de tropas se depara com um quadro horrível deixado pelos combatentes inimigos que estão perseguindo. Seu líder, um coronel endurecido, chora. Suas lágrimas se misturam à chuva, e ele ordena que seus soldados olhem para a cena para galvanizá-los para a batalha que está por vir.

> Que visão sinistra me foi dada
> Daquela campanha infernal?
> Uma mulher despida, à árvore amarrada,
> Os seios tornados em carne dilacerada,
> Apodrecendo sob o temporal.[1]

O poema ressoava na mente de Elisabeth lá em 1956, quando ela pensava em seu marido e amigos, seus corpos abandonados aos elementos implacáveis da selva. Ela não tinha ilusões sobre a decomposição de seus restos mortais... e

---

1 Robert William Service, "The Blood-Red Fourragere", https://www.poemhunter.com/poem/the-blood-red-fourragere/.

agora, a chuva torrencial lhe trazia de volta aquele estresse pós-traumático como uma inundação.

Mesmo enquanto ela era assombrada por tais imagens horríveis, a compartimentada Elisabeth seguiu em frente para visitar Puyupungu, onde ela e Jim, vibrantes e vivos, viveram como recém-casados.

Atanasio, o cacique com uma dúzia de filhos que acolhera Jim com tanta alegria tanto tempo atrás, agora parecia "exatamente como era em 1953, quando Jim e eu viemos para cá. Sua esposa Holy Water, embora tenha tido vários filhos desde então, parece não ter mais rugas do que [antes]".

Elas então seguiram para Shandia, onde Jim e Elisabeth moravam quando Jim partiu para sua viagem mortal ao território waorani. O antigo colega de Elisabeth e inimigo ocasional, o excêntrico missionário britânico Wilfred Tidmarsh, também estava lá. "Cabelo mais grisalho, pelos saindo das orelhas, falando sua própria variedade particular de quíchua."A casa que Jim construiu e que Elisabeth amou "parecia triste, com ervas daninhas crescidas, inseticida DDT por toda a casa, móveis mais mofados do que antes, sem tapete e mesa de centro etc. O Dr. Tidmarsh nos serviu uma xícara de chá, Antuca conversou comigo sobre os problemas conjugais de várias pessoas e suas próprias esperanças de conseguir um marido. Venancio está tão doce e gracioso como sempre — eu trouxe para ele uma jaqueta com zíper e ele cuidadosamente a colocou de lado, sem desdobrá-la e sem olhar para ela, assim como Antuca fez com o vestido que eu lhe trouxe".

A casa onde o amigo mais próximo de Jim, Ed McCully, e sua esposa, Marilou, moravam ainda estava de pé. Mas Elisabeth não conseguia evitar a sensação de que cada um dos lugares antigos — antes cheios de risos e grandes esperanças, outrora "lugares de contentamento, agora parecem muito tristes e pouco atraentes", e "o sentimento era forte em mim de que eu não pertenço mais aqui".

Um piloto da Mission Aviation Fellowship chamado Bob Lehnhart levou Elisabeth e Val para Tewaeno, a clareira onde elas viveram entre os waorani. "Quase todos os waorani estavam lá. Eles se lembravam de mim (e Valerie) pelo nome. Fiquei tranquilizada ao ver o quão pouco mudou lá — as casas são praticamente as mesmas, Rachel se mudou para a que costumava ser a minha — Akawu (mãe de Dayuma) vestida com uma saia puxada para debaixo dos braços, com um seio saindo pela abertura. Dayuma descreveu em detalhes quem teve diarreia e que tipo de barulho fazia. Todos riam e gritavam com tudo o que eu dissesse."Uma das velhas amigas deu a Val uma rede de pesca, outra presenteou-a com alguns dentes de anta. Elisabeth e Val distribuíram os presentes que trouxeram.

"Os waorani são pessoas doces", escreveu Elisabeth em seu diário com tom afetuoso, mas distante. "Eles falavam ao mesmo tempo e de uma vez só sobre si mesmos, seus filhos e doenças e animais e caça, quem morreu, quem está grávida, quem é casado com quem. Mais uma vez fiquei feliz por estar entre eles, e fiquei feliz por ver os quíchuas em Shandia, mas feliz também por ter outro trabalho a fazer. E então me lembro de todo o caminho e agradeço. É interessante notar como podemos ver que as portas estão fechadas atrás de nós, e o único caminho a seguir é adiante."

CAPÍTULO 12
O CAMINHO ADIANTE?

> "Mas isto já resolvi: correr quando puder correr, caminhar quando não puder correr, e rastejar quando não puder andar. Quanto ao mais [...] graças àquele que me ama, estou curado. Meu caminho está diante de mim; minha mente se concentra naquele lugar além do rio sem ponte, embora, como podem ver, eu seja hesitante por natureza."
>
> —Sr. Hesitante, *A peregrina*[1]

Elisabeth retornou a New Hampshire, grata por sua casa organizada e vida aconchegante. "Fogo na lareira, frio e nublado lá fora, Zippy dormindo no tapete da sala de estar ao lado da cadeira onde eu sento... Val é uma radiante, alegre, entusiasmada menina de onze anos, cheia de *joie de vivre* e ânsia de tornar-se uma moça... tão linda, tão doce. Van é uma amiga querida e verdadeira. Estou *grata*. Hoje, caminhei um pouco pela trilha de Jericho Road e almocei: sanduíches de presunto, pepinos em creme azedo, maçãs, biscoitos, chá quente e café." Ela planejava escrever a biografia de Kenneth Strachan nos próximos meses, esperando terminar em fevereiro para que pudesse ser exibida em uma convenção de livros no final do verão em 1967. Ao mesmo tempo, ela estava considerando outro romance. Ela se perguntava se deveria contratar um agente literário. E o que dizer de um contador para fazer seu imposto de renda? Embora os convites de igrejas tivessem diminuído drasticamente, ela ainda estava recebendo muitos convites de outras entidades. Várias revistas queriam artigos dela. Um grupo no Canadá estava ansioso para que ela fosse dar uma palestra. E havia um convite do Tarkio College, uma pequena, mas distinta escola presbiteriana no Missouri. Ela poderia falar em uma conferência lá no próximo verão?

---

[1] John Bunyan. *A peregrina*, coleção Clássicos MC, trad. Eduardo Pereira e Ferreira (São Paulo: Mundo Cristão, 2013), p. 126, Edição do Kindle.

"Devo aceitar?", ela escreveu em seu diário.

É estranho ler os diários de uma pessoa — que se desenrolam em tempo real no passado — um dia após o outro e, ainda assim, saber informações indisponíveis para quem escreveu. Ao olhar para os registros do diário de Elisabeth de 1966, tantas décadas depois, *eu sei* da extraordinária mudança de vida que acontecerá com ela por causa daquela visita ao Tarkio College. Ela não sabia.

Essa estranha presciência, a dupla mentalidade do então e do agora, é a competência especializada do biógrafo. Elisabeth sentiu isso profundamente enquanto vasculhava os papéis pessoais de Ken Strachan. Em seu diário, ela o chamava de RKS. "Duas semanas para percorrer vinte e cinco anos da vida de um homem. Uma experiência de catarse. Seus medos, esperanças, fracassos, amor, decepção, ambição, dúvida, desejo, solidão, questionamento, sofrimento, avanço e recuo, crença e descrença — não, foram trinta e cinco anos que cobri esta tarde, e estou exausta, perplexa e tocada por tudo isso."

"O que devo fazer com RKS? Homem estranho — ele era real? Ele realmente fez o que lhe foi designado fazer? Consigo entendê-lo? Consigo conhecer e mostrar a verdade?", escreveu.

Enquanto ela considerava as partes intrigantes da vida de Ken Strachan, ela também teve uma oportunidade incomum de tentar articular sua própria história estranha.

Um conhecido editor da revista *Life* chamado Dick Meryman havia contatado Elisabeth. Ele estava interessado em fazer uma longa entrevista que descrevesse sua vida de escritora nos Estados Unidos e a evolução de seus pensamentos sobre a fé.

Dick Meryman foi um pioneiro em entrevistas de formato longo. Ele desenvolveu essa abordagem em 1962, quando entrevistou Marilyn Monroe, uma das atrizes mais famosas — e problemáticas — de sua época. Pouco a pouco, ele conquistou a confiança da nervosa Monroe, e ela permitiu que ele gravasse suas muitas horas de conversa.

A entrevista, Dick disse mais tarde, foi uma torrente tão forte de emoções, risos, defesas e acusações que ele decidiu tecê-la em um monólogo, um que revelasse a insegurança solitária de Monroe em suas próprias palavras.

A *Life* publicou a entrevista de Dick com Monroe na edição de 3 de agosto de 1962 — dois dias antes de sua morte por overdose de barbitúricos.

Ao remover suas perguntas do corte final e focar no fluxo de pensamentos da entrevistada, Dick criou um monólogo íntimo e característico. Ele era modesto, com perguntas perspicazes e palpável empatia. Ele seguiu entrevistando celebridades como Charlie Chaplin, Elizabeth Taylor, Billy Graham, Louis Armstrong, Dustin Hoffman e Paul McCartney. Escreveu uma dúzia de livros. Traçou o perfil de pessoas desconhecidas que passavam por desafios difíceis — uma mãe solteira que decide entregar seu filho para adoção; as dificuldades de mulheres alcoólatras; e sua própria angústia quando perdeu sua primeira esposa para o câncer.

Agora Dick estava interessado em traçar o perfil de Elisabeth Elliot, a mulher mais diferente de Marilyn Monroe no planeta. Ele chegou à casa dela, no início de novembro, com um gravador grande e volumoso, blocos de notas e muitas perguntas para Elisabeth.

Dick pode ter arrancado muitas histórias das celebridades de Hollywood, mas não teria uma vida fácil com Elisabeth.

"Dick Meryman — editor associado da Life — está aqui para entrevistas. Cada palavra que eu disser pode ser usada contra mim. Não diga nada? Mas estou recebendo uma das plataformas mais visíveis do mundo. Fale a verdade e deixe as fichas caírem... a verdade? Mas Jesus disse que ninguém que se concentre em sua própria reputação consegue falar a verdade. Bem, eu não estou livre disso. Estou com medo e... cautelosa e ansiosa para agradar (a todos?)."Dick gravou horas e horas de conversa com Elisabeth... tudo por uma entrevista cujas transcrições incomodariam tanto Elisabeth que nunca seriam publicadas.

Após a partida de Dick, o peripatético Cornell Capa chegou. Ele passaria cinco dias tirando fotos espontâneas de Elisabeth que acompanhariam a história da revista. Ele veio, como sempre, trazendo presentes: um conjunto de tintas a óleo para Val e as inovadoras canetas hidrográficas Flair, que tinham acabado de ser inventadas, para Van e Elisabeth, além de uma grande cesta cheia de vinho. Ele estava "com a sua personalidade gentil, bem-humorada e mansa de sempre, e todas nós gostávamos muito dele".[2]

Cornell desenvolvera uma forte amizade com Elisabeth em 1956, quando a revista Life o enviou ao Equador para tirar fotos para a história mundialmente famosa sobre as mortes de Jim Elliot, Nate Saint, Ed McCully, Pete Fleming e Roger Youderian. Mais tarde, Cornell retornou ao Equador e fez o perfil do trabalho de Elisabeth e Rachel Saint entre os waorani.

---

2 EE para "Queridíssimos", 22 de novembro de 1966.

Um judeu húngaro — nascido Kornél Friedmann —, Cornell estava na faculdade de medicina em Paris na década de 1930 quando começou a revelar filmes para Robert, seu irmão mais velho. Robert se tornaria mundialmente famoso por suas fotos dramáticas tiradas durante a Guerra Civil Espanhola e a invasão da França pelos Aliados no Dia D.

Cornell também se apaixonou por fotografia. Ele abandonou seus estudos médicos. A revista *Life* o contratou após a Segunda Guerra Mundial. Como a carreira de seu irmão como fotógrafo de guerra já estava bem estabelecida, Cornell determinou que ele seria "um fotógrafo pela paz".[3] Seu uso brilhante de luz, sombra e detalhes pungentes resultou em fotos que celebravam o que ele chamou de "sentimento humano genuíno" — as semelhanças que unem as pessoas em diferentes culturas e experiências de vida. Sua expressão "o fotógrafo preocupado", mais tarde o título de um de seus livros, capturava sua conexão empática com os temas de suas obras.

A esposa de Cornell, Edie, com quem ele se casou em 1940, era parte integrante de seu trabalho, fazendo a curadoria e planejando suas exposições de fotos, além de receber um fluxo constante de colegas fotojornalistas e convidados que jantavam em suas mesas e dormiam em seus sofás.

Ele havia fotografado a campanha presidencial de John F. Kennedy e os seus primeiros 100 dias de mandato; bailarinas do Bolshoi; dissidentes políticos na Nicarágua; e padres ortodoxos russos na Rússia Soviética. Agnóstico, ele era curioso, intelectualmente honesto, implacável e dramaticamente diferente dos homens que Elisabeth conhecia em seus círculos de igreja e ministério. Ele usava a lente de sua câmera para capturar realidades humanas fundamentais, sem uma agenda.

Quando Cornell conheceu Elisabeth Elliot e as outras viúvas missionárias pela primeira vez em 1956, ele foi exposto a uma subcultura evangélica que nunca soube que existia. Ele desenvolveu uma grande curiosidade sobre o trabalho dessas pessoas tão compelidas a levar uma mensagem de fé e redenção que estavam dispostas a morrer por isso.

Elisabeth — que crescera em ambientes onde as representações da vida tinham que ser retocadas de quaisquer "mensagens erradas" para serem apresentadas de uma forma religiosamente atraente — amava a franqueza, o bom humor

---

3 Philip Gefter, "Cornell Capa, Photographer, Is Dead at 90," *New York Times*, 24 maio 2008, https://www.nytimes.com/2008/05/24/arts/design/23cnd-capa.html.

e o olhar intransigente de Cornell. Para Elisabeth, era um relacionamento singular. Não havia muitos homens que pudessem lhe ensinar muito, mas Cornell serviu como mentor, amigo, confidente e companheiro explorador. Ele confrontava os padrões habituais de pensamento com os quais ela crescera. Ele a deixava louca. Ele a ensinava pelo exemplo. Elisabeth escreveu para sua família sobre uma mulher que estava ajudando Cornell com o layout de um projeto de livro: "Ela é uma alcoólatra, pobre alma, divorciada, brilhante, escravizada no emprego no museu e fazendo trabalhos como este nas horas vagas. Mas sempre fico impressionada com a maneira como as pessoas do 'mundo' simplesmente se aceitam sem críticas, com abertura, calor e amor humanos. Cornell estava sendo prejudicado pelos problemas dela com o álcool, que a impediram de chegar quando deveria — mas ele aceita isso, e a aceita como pessoa, e aprecia a beleza do trabalho que ela pode fazer".[4]

Cornell desafiou Elisabeth a ver, a realmente *ver*, a beleza nas pessoas comuns e nos cenários ao seu redor. Embora a câmera fosse apenas uma ferramenta, ele amava seu poder de "provocar discussão, despertar consciência, evocar simpatia, lançar luz sobre a miséria e a alegria humanas, as quais de outra forma passariam despercebidas, incompreendidas e desconhecidas".[5]

Obviamente Elisabeth sabia que as imagens fotográficas podiam ser manipuladas em direção à "mensagem" que o fotógrafo pudesse desejar — como seu missionário fictício, Sr. Harvey, em *No Graven Image*, que documentou "o que já presumia; seus preconceitos governavam sua seleção de quem sairia nas fotos. Propaganda".

Elisabeth se debatia. O que era *real*? "Capa vê a Verdade", ela escreveu para seus pais em 1961. "Ele tenta capturá-la. A câmera é a extensão de seu olho. O que ele congela naquele momento é uma declaração sobre a vida".[6]

Elisabeth também se identificava com Cornell porque ele havia suportado o sofrimento. Seu irmão mais velho, Laszlo, morrera aos vinte e poucos anos de doença cardíaca reumática. Seu segundo irmão, o extraordinário Robert Capa, explodiu em pedaços por causa de uma mina terrestre no Sudeste Asiático. E um

---

4 EE para "Queridíssimos pais", 25 de fevereiro de 1961.
5 http://artdaily.com/news/24409/Cornell-Capa—Founder-of-International-Center-of-Photography—Died-at-90#.XXZ3zF2JI_4.
6 EE para "Queridíssimos pais", 15 de maio de 1961.

de seus mentores e amigos mais próximos, o fotógrafo David "Chim" Seymour, foi morto a tiros cobrindo instabilidades no Suez.

Agora, no final do outono de 1966, Cornell e Elisabeth ficavam acordados até tarde, sem dúvida bebendo do conteúdo de sua cesta cheia de vinho, discutindo suas questões com a entrevista para a revista *Life*. "Como ele me conhece... consegue fazer perguntas ainda mais penetrantes [do que os outros] e exigir muito mais agilidade mental em resposta. (Uma "severa corrida mental...!)", escreveu Elisabeth para sua família.

Sendo uma linguista com gigantesca memória quando se tratava de informações orais, Elisabeth tinha um talento especial para recriar conversas em seu diário. Ela fez isso com seus papos com Cornell ao redor da lareira, embora muitos de seus comentários, conforme registrados, sejam desconcertantes.[7]

"Doce como sempre, gentil, generoso, atencioso. Conversamos até uma da manhã", escreveu Elisabeth em seu diário.

"Você escalou a montanha", Cornell disse a ela. "O que viu? Você não pode fugir de nos contar. Davi e Golias. Você pode ser fraca e sozinha, mas chegou a este lugar e deve matar o gigante."

"Você tentou dizer de uma forma [em *No Graven Image*], e vai tentar dizer de outra, mas não vai funcionar. Eles não entendem. Dizem que há algo errado com você, porque é você ou eles, e eles não podem estar errados." "Ou", Elisabeth acrescentou, "eles dizem: 'Pobre Elisabeth. Ela parece tão infeliz. Vamos orar por ela!'"

"Você fala para o exterior", continuou Cornell, aludindo aos não cristãos que veriam a entrevista da revista *Life* quando ela fosse concluída — "para 10 milhões de leitores — e eles têm que ouvir. Dick está dizendo: 'Conte-nos o que você viu' — e você terá que correr o risco".

"Mas", disse Elisabeth, "eu não quero ser uma cruzada ou uma militante".

"Bem, você é." "Então devo escrever ficção ou não-ficção?", ela perguntou.

"Não-ficção", disse Cornell. "Ficção é muito indireta. Eles simplesmente não entendem. Diga-lhes sem rodeios".

A conversa continuou, com Elisabeth perguntando a Cornell sobre sua própria fé, ou a falta dela.

EE: "Você acha que a fé é contrária à razão, ou pode ser complementar?"

---

[7] Este relato mistura os registros do diário de Elisabeth, rabiscados logo após a conversa, e sua carta para "Queridíssimos", 22 de novembro de 1966, na qual ela compartilhou algumas "citações de Cornell" com sua família.

O CAMINHO ADIANTE?

CC: "É contrária. Fé é desistir. O cientista que percebe que há coisas que ele não consegue explicar recorre, na morte, ao padre."EE: "Por que se recusar a desistir é mais racional?"

CC: "O universo é grande, eu sou pequeno. Aqui estou eu pronto para morrer. Séculos se passaram, os homens tentaram explicar sem sucesso. Tudo bem, então existe algo lá em cima. 'Ó Senhor, eu caio de joelhos'. A essa altura, não posso fazer o mesmo. É compreensível que as pessoas o façam. Nós paramos de nos colocar contra ele."EE: "Está dizendo que fará isso um dia?" CC: "Não.""Há muitas pessoas", continuou Cornell, que "sabem o que é bom para mim. Eu lhes digo: 'Bem, crianças, vocês têm muitas evidências a seu favor. Mas se a questão é fazer o que vocês querem que eu faça... não, eu vou arriscar'".

Ele sabia, é claro, que a fé de Elisabeth era profunda. "Então há você, e um milhão de outras pessoas, que não estão satisfeitas com os enfeites na superfície. Você está no âmago. Você sabe que ele está lá porque você sabe que ele está lá. Você sabe que aparentemente Deus NÃO ESTAVA LÁ quando você queria que ele estivesse, mas você diz que sabe que ele estava lá."

"De onde veio o universo?", ele continuou. "Eu não sei. Devo aceitar alguma força original que criou a vida. Mas... Não vou adentrar filosoficamente nas origens do homem. As regras da Igreja afetam minha vida — mas eu não quero isso, eu quero viver uma vida razoavelmente em dia com a lei.""Quando eu morrer, [eu] admitirei o que eu sabia o tempo todo: 'Tu és grande e eu sou pequeno, e espero não ter te insultado demais'. Então ele vai ou não me aceitar."

"'Sim, eu sei que não sou nada. Aceita-me, por teu favor'. Mas eu não estarei de joelhos, estarei na minha cama. Não tenho nenhuma luta em mim.'"

"Mas vamos falar de você. Você vive em Deus. Você é guiada diariamente [...] Você tem uma situação totalmente diferente. Então você sente que está mais perto dele porque o conhece, e vice-versa. Mas você chega repetidamente ao fim da sua linha. Ele a conduziu até lá. Que explicação existe? Nenhuma, exceto que ele sabe. Repita isso dez vezes."

"Você é confrontada. Eu não aleguei estar sendo guiado. Eu cometi meus próprios erros. Não posso culpar Deus por me deixar na mão porque eu não o invoquei, para começo de conversa. Eu não tenho conflito. Mas você tem. [...]"

"É bem possível que haja uma elite que se casou com Deus e que receberá um assento à sua destra. Eu não posso reclamar. Você pode ser recompensada. Deus a tem torturado para ver o quão profundamente você o ama. Você emergirá disso como um autêntico exemplar desse grupo." As notas rabiscadas de Elisabeth sobre essa interação, escritas rapidamente com sua nova caneta preta Flair, concluem com as palavras de Cornell: "Se você não quebrou até aqui, não quebrará. O que quer que ele lhe dê, você aceitará".

Algumas semanas após essa conversa estranha, e muitas outras como essa, Elisabeth passou três dias na cidade de Nova York.

"15 de dezembro de 1966, 1h35. Três dias em NY se passaram. Eu estava esperançosa. Não aconteceu. Estou sozinha."

"Hoje, Cornell me mostrou as fotos que ele tirou de mim em Francônia. Fiquei arrasada com elas. Tiradas com uma enorme lente teleobjetiva de retratos que mostra claramente cada linha, ruga e poro. Agora sei, se já não soubesse, que sou uma velha sisuda e de aparência triste. Eu [...] poderia muito bem ter 59 anos, a julgar por elas." Para adicionar mais dor à sua consciência do envelhecimento, ela e seu irmão Tom foram ver *Um homem, uma mulher*, um filme "sobre uma viúva que se apaixona, sua esperança, sua tristeza, sua solidão, seu amor...

"Ah, se ao menos eu conseguisse chorar..."

CAPÍTULO 13
O FARDO DO BIÓGRAFO

"Eu não tenho conhecimento, sabedoria, discernimento, pensamento
Ou entendimento apto para justificar-te em tua obra,
Ó Perfeito, tu me trouxeste até aqui e eis,
o que tu tens feito, não posso chamar de bom. Mas eu
posso clamar: ó Inimigo, o Criador não terminou!
Um dia tu contemplarás, e da visão tu fugirás.
— George MacDonald, poema que confortou Elizabeth Strachan na morte de seu marido

Quatro dias depois de Elisabeth anotar sua solidão crua em seu diário, ela datilografou uma otimista carta familiar para seus irmãos e mãe. Mencionou a movimentada viagem a Manhattan, o filme com Tom, como ela ficou acordada até tarde na noite fria. Mas não houve angústia, apenas um relato alegre dos eventos. Sim, ela estava prestes a fazer quarenta anos. Houve uma enxurrada de reuniões sobre artigos de revistas, livros e entrevistas. Ela havia contratado um agente, Bob Lescher, para ajudá-la a maximizar suas oportunidades de publicação. Voltando para casa, ela, Val e Van montaram a árvore de Natal, limparam a casa, embrulharam presentes e Elisabeth fez sua famosa casca de toranja cristalizada.

Tudo parecia bem, e o ano novo começou com uma nova página no diário vermelho de Elisabeth. "1967. 'Mas tu, ó SENHOR, estás em nosso meio, e somos chamados pelo teu nome; não nos desampares'. Jeremias 14.9."

"Agora mesmo, esta oração me parece dizer tudo. Nenhuma solução, nenhuma resposta, nenhuma saída — ainda assim, conhecemos sua presença em nosso meio, sabemos de quem somos, pedimos apenas que ele fique conosco." Elisabeth passou esses dias de janeiro em seu tipo favorito de rotina ordenada. Ela se levantava às seis da manhã, acordava Val, e elas tomavam café da manhã juntas em dois bancos altos em sua cozinha, com vista para o vale nevado abaixo. Às 6h30, a obediente Val praticava piano enquanto Elisabeth escrevia cartas. O ônibus escolar partia com Val a bordo às 7h30, e Elisabeth trabalhava em sua biografia de Kenneth Strachan por duas horas até o intervalo para tomar café e ler a correspondência da manhã. Depois, ela trabalhava novamente até o almoço às 11h30. Depois do almoço, Elisabeth e Van saíam para uma caminhada na neve, se o tempo estivesse bom, ou Elisabeth fazia leituras em sua cadeira perto da janela por uma hora ou mais. Mais trabalho, depois compras de supermercado, banco ou outras pequenas tarefas. Elisabeth preparava o jantar todas as noites, "espicaçava" Val para que fizesse sua lição de casa e praticasse mais piano; depois passava mais tempo em sua escrivaninha, mais leitura, e então ia para a cama.

"Um tipo de vida adorável!", Elisabeth concluiu, após listar meticulosamente essa programação em seu diário.

Às vezes, nos fins de semana, havia filmes também. Ela viu *Khartoum*, com Charlton Heston e Sir Laurence Olivier. "Uma história estranha e emocionante de dois homens adorando seu Deus e se sentindo obrigados por dever a destruir um ao outro." Elizabeth Taylor e Richard Burton estrelaram a versão cinematográfica de *Quem tem medo de Virginia Wolf?* "Grandes atuações, uma grande tragédia", disse Elisabeth. "Ódio, embriaguez, violência retratados em toda a sua feiura. Uma visão cristã." E houve ainda Michael Caine em *Alfie*. "Outra tragédia de um homem totalmente egoísta, um playboy que fere gravemente muitas mulheres e acaba sozinho e vazio, sem paz de espírito", imaginando qual é realmente o sentido da vida.

Ela trabalhava firmemente na biografia de Strachan. Sua viúva, Elizabeth, visitou Elisabeth antes do Natal, e as duas compartilharam lições profundas sobre seus maridos falecidos. Elas também embrulharam presentes de Natal, fizeram compras e riscaram itens de suas listas de tarefas. Em seguida, Elisabeth viajou para a Califórnia para conhecer e entrevistar as crianças Strachan, que idolatravam seu pai, mas haviam sido criadas, dia após dia, pela sua heroica mãe. Elas eram "as crianças mais charmosas, articuladas, amáveis e educadas que já vi em muito tempo", disse Elisabeth. "Desfrutei cada minuto com elas."[1]

Enquanto escrevia a história de Ken Strachan, Elisabeth coletava tudo o que podia — aquelas entrevistas com a família de Ken, suas resmas de correspondência, anotações de diário e registros do ministério. Elisabeth sabia *sobre* Ken, é

---

1 EE para "Queridos", 19 de dezembro de 1966.

claro, já que seu irmão Dave havia trabalhado de perto com ele por anos. Mas ela estava tentando chegar ao âmago do homem.

Como Elisabeth, ele crescera em um lar intransigentemente cristão. Ele conhecia o evangelho desde que conseguia se lembrar. Como Elisabeth, ele fora educado em um internato e no Wheaton College. Como Elisabeth, ele havia passado a maior parte de seu cortejo com sua eventual esposa por meio de cartas. Como Elisabeth, ele tinha uma tendência a duvidar de si mesmo; também tinha um senso de humor autodepreciativo.

"É terrível o fardo que o biógrafo tem de carregar", escreveu Elisabeth na introdução da história dele.

"Comecei — tentando *descobrir*, não construir, a verdade sobre este homem... Repetidamente me vi tentada a perguntar o que meus leitores gostariam que este homem fosse, ou o que eu queria que ele fosse, ou o que ele próprio pensava que era — e tive que ignorar todas essas perguntas em favor da única consideração relevante: Isso é verdade? [...] E, claro, essa é a pergunta que qualquer escritor, de qualquer tipo de literatura, tem que fazer o tempo todo."[2]

A maneira como Elisabeth escreveu sobre Ken revela a nós alguns insights importantes sobre a própria Elisabeth.

Filho de pais missionários, Ken Strachan nasceu na Argentina em 1910. Em 1918, Harry e Susan Strachan mudaram seus três filhos para a Costa Rica, onde lideraram um movimento evangelístico então chamado de Latin American Evangelism Campaign [Campanha Latino-Americana de Evangelismo]. Harry viajava muito; em casa, ele geralmente estava um pouco preocupado, sua mesa inundada por pilhas de papéis.

Sua esposa era uma força a ser reconhecida. Ela e seu marido se complementavam bem. Ela era eficiente, visionária e comprometida. Ela dizia ao pequeno Kenneth que preferia vê-lo tornar-se "o mais humilde obreiro de Deus do que o Presidente dos Estados Unidos, pela vontade e serviço de Deus. De que valerá o mundo e toda a sua glória quando Jesus vier para os seus?"[3]

Ken foi para o Wheaton College, onde desenvolveu um vitalício desgosto pela superficialidade em questões espirituais. Ele escreveu para sua mãe sobre um

---

2 Elisabeth Elliot, *Who Shall Ascend: The Life of R. Kenneth Strachan of Costa Rica* (Nova York: Harper & Row, 1968), p. xi–xii.
3 Elliot, *Who Shall Ascend*, p. 11.

culto numa igreja em que um pastor havia manipulado um aluno para conseguir o que o homem então apregoou como uma "conversão maravilhosa".

"Mãe, estou convencido de que é por causa desses tolos acéfalos e hipócritas que as igrejas de hoje estão cheias de cristãos que não agarraram a vida eterna. Aquele garoto não conheceu a salvação mais do que o próprio diabo."[4]

Depois de Wheaton, Ken foi para o seminário no Evangelical Theological College no Texas. Após um longo cortejo por correspondência, ele se casou com uma amiga de sua irmã, Elisabeth Walker.

Ken recebeu seu título de Mestre em Teologia pelo Seminário de Princeton em 1943; seu pai morreu em 1945, quando Ken e sua mãe, Susan, se tornaram co-diretores do ministério, que agora havia mudado seu nome para Latin American Mission (LAM). Ken estabeleceu sua família na Costa Rica e tinha um estilo de vida instável de viagens quase constantes, um padrão que atormentaria sua esposa por décadas e diminuiria muito seu tempo com seus seis filhos.

Ken se tornou o Diretor Geral da LAM após a morte de sua mãe, em 1950. Como Elisabeth notaria, Ken enxergou que qualquer trabalho evangelístico e de discipulado deve ser feito por meio do treinamento de líderes *da própria nação*. "Seu entendimento sobre a necessidade dos princípios de uma igreja nativa estava pelo menos dez anos à frente do pensamento evangélico médio." Ele falava repetidamente sobre a necessidade de estabelecer igrejas nativas, com líderes locais, sustentados pelas próprias congregações. Nisso, ele foi atrapalhado pela atitude de muitos cristãos nos Estados Unidos. "O clamor tem sido por mais missionários e mais apoio aos missionários. Em termos promocionais, nenhum outro apelo tem sido tão eficaz em apresentar a causa das missões ao público de nosso país. [...] Mas talvez não estejamos totalmente certos na dedução que inconscientemente fazemos de que o principal meio de evangelismo mundial é o missionário americano."[5]

Ken cunhou a frase "evangelismo em profundidade" (EEP), percebendo que o evangelismo deve ser feito por cada crente nativo em nível local, e projetou um massivo plano de discipulado de treinamento para tornar isso possível. Ele ansiava que o ministério se tornasse uma agência a serviço da (e para a) igreja latino-americana em geral, não uma organização "missionária" tradicional liderada a

---

4 Elliot, *Who Shall Ascend*, p. 27.
5 Elliot, *Who Shall Ascend*, p. 99.

partir dos EUA.⁶ Ele começou um arquivo rotulado *"Latinoamericanização"*, cujo longo título nem mesmo cabia na aba da pasta.

Naquele arquivo, Elisabeth Elliot encontrou esta história.

Após a Segunda Guerra Mundial, um distinto cavalheiro chamado Coronel Lawrence Van der Post, romancista e soldado, foi questionado sobre o motivo pelo qual a Indonésia havia pedido aos holandeses que saíssem de seu país. Seu questionador era um holandês, que balbuciou: "Nós construímos o país deles, trouxemos indústria, elevamos o povo a um nível mais alto de [...] padrões de vida e aumentamos sua expectativa de vida". Por que raios os indonésios queriam que os holandeses saíssem?

"Ah", disse o Coronel. "Foi por causa do olhar de vocês. Vocês não olharam para os indonésios com compaixão, mas com condescendência, não com simpatia, mas com superioridade, não com admiração, mas com arrogância, não com piedade, mas com presunção, não com gentileza, mas com ganância, não para entregar, mas para extrair, e sua verdadeira atitude interior surgiu através do seu olhar." Elisabeth se identificou com o foco na "verdadeira atitude interior" dos missionários. Ela escreveu que "Strachan era um homem de visão". Ele também era um homem com compaixão. Mas, como muitos desses líderes, ele podia ser "inexplicavelmente cego às necessidades muito mais próximas de casa". Ele estava ocupado, ocupado, ocupado com a obra do Senhor. Ele amava profundamente sua família e ocasionalmente se dava conta da dor que sua esposa e filhos sentiam. "As pessoas são sempre mais importantes do que coisas ou realizações", ele escreveu ao filho, "e o próprio Senhor é mais importante do que qualquer coisa. Este é o fim do sermão, filho. Eu te amo, e não teremos ofertório".

A certa altura, Elizabeth Strachan escreveu ao marido: "Querido Ken, o que você prefere — nenhuma carta, ou uma carta triste? [...] Estou simples e completamente farta de ser uma viúva e ter um marido viajante. Não vou entrar em detalhes, mas, ontem à noite, sonhei que você tinha voltado para casa, estava simplesmente em êxtase, quando, assim que se abaixou para me beijar, você

---

6 Em 1971, comprometidos com a crença de que o futuro do evangelho na América Latina deveria ser conferido à Igreja Latina, com missionários servindo sob liderança latina, o controle de todos os ministérios da LAM foi legalmente transferido para parceiros latinos. Em 2014, a LAM tornou-se parte da United World Mission [Missão Mundial Unida], a qual, de acordo com seu site, apresentava uma sinergia de oportunidades para o avanço do trabalho global do reino por meio de parcerias para desenvolvimento de liderança, plantação de igrejas e ministério holístico, ajudando mais de noventa nações, buscando ajudar os líderes a estabelecer e edificar o corpo de Cristo nativamente.

desapareceu novamente, e eu acordei com o mais vazio dos sentimentos". Ela prosseguiu explicando metodicamente a Ken o ministério factível que ele poderia estar exercendo em casa, na Costa Rica, em vez de capitular à sua implacável vontade de voar por todo o continente.

Ken era um homem em conflito. "Ele enxergava a mão de Deus trabalhando de mil maneiras", escreveu Elisabeth. "[A] provisão de suas próprias necessidades temporais, o conforto das Escrituras em tempos de depressão, a dádiva de uma esposa e filhos adoráveis, a direção divina nos assuntos diários, os relacionamentos harmoniosos entre missionários, as almas salvas por meio das várias vias de trabalho, uma influência cada vez maior da LAM na América Latina — ele alegremente reconhecia tudo isso como dádivas de Deus."Mas Ken ainda lutava com a profundidade de sua própria fé. Ele acreditava que deveria experimentar pessoalmente a paz, a alegria, o descanso e a confiança do "verdadeiro cristão". Ele se questionava se deveria renunciar a liderança do ministério. "Seria honesto da parte dele conservar tal posição, quando aquilo não 'parecia real' para ele?" Não havia indicação em nenhum lugar nos escritos de Ken, continuou Elisabeth, de que ele tivesse encontrado uma resposta satisfatória para esse dilema. Ela se perguntava: "Talvez não fosse necessário ou mesmo possível para Ken Strachan 'sentir-se real'".[7]

Depois de visitar os Estados Unidos para participar da cruzada de Billy Graham no Madison Square Garden, Nova York, em 1957, Ken voltou para casa exausto de anos de viagens, reuniões, iniciativas, divulgação, publicidade e planos. Ele enfrentou o que Elisabeth chamou de "a escolha mais crítica de sua vida". Será que ele faria o que desejava fazer — parar de viajar, aprender a ficar quieto, dar tempo à família, viver saudável e feliz na fazenda e tentar ser um pastor com suas ovelhas, buscando o processo lento e pessoal de ganhar indivíduos por uma vida de amor e santidade — ou será que ele se comprometeria a partir de então com um programa, com a imensa engrenagem que é um movimento, o que exigiria mais daquilo que ele realmente não gostava: viagens, responsabilidade, divulgação, publicidade, pessoas?

Para tristeza de Elisabeth, ele escolheu "a máquina".

Logo depois, Ken fez uma afirmação pública assombrosa; se ele conseguisse obter os recursos financeiros, e, é claro, com a ajuda de Deus, "eu viraria a América

---

7 Elliot, *Who Shall Ascend*, p. 93.

Latina de cabeça para baixo e executaria um movimento evangelístico que transformaria e revitalizaria a igreja evangélica e seu testemunho em todos os países, produziria uma nova safra de líderes latino-americanos, causaria um impacto na consciência dos latino-americanos, desenvolveria um movimento leigo — como nunca aconteceu na história da América Latina ou de qualquer outra parte do mundo".[8]

Elisabeth observou que a carta da família Strachan de fevereiro de 1961, escrita por Elizabeth Strachan, incluía um parágrafo revelador. "Parece que muitos de nós sofremos ao menos de cegueira parcial — cegueira para tudo aquilo que poderíamos estar aproveitando da presença e da bondade do Senhor, bem como cegueira quanto às necessidades e oportunidades que nos cercam. Será que deixamos a correria, as atividades e as coisas materiais nos afastarem daquilo para o que fomos feitos — conhecer e amar a Deus? Será que as opiniões de outras pessoas nos fazem esquecer que será diante do próprio Deus que um dia precisaremos prestar contas?"[9]

"Ninguém enxerga a verdade toda de uma vez", concluiu Elisabeth. Ela relatou a consciência de Ken de que ele estava em uma "corrida de ratos" e de que estava sendo impulsionado pelo que ele chamava de "pseudoabsolutos", prioridades e imperativos artificiais que, na verdade, não eram de modo algum inegociáveis. Ela o chamou de "um visionário medroso, duvidoso, ambicioso, esperançoso e exigente" em uma carta para sua família.[10]

Em abril de 1961, algo estalou. Ken estava em uma conferência de pastores na Colômbia e começou a se comportar de forma estranha. Ele estava confuso, atipicamente áspero, indeciso e desligado. Ele ficava tonto e tinha dores de cabeça terríveis. Ele voou para os Estados Unidos e passou por todos os tipos de testes médicos e neurológicos. O diagnóstico? Ele estava sofrendo de tensão.

Em 1964, ele e sua família já haviam passado a morar em Pasadena, Califórnia, e Ken dava aulas no Seminário Teológico Fuller. Ele estava doente e logo seria diagnosticado com linfoma. No período de Natal, ele foi hospitalizado, quase morrendo, incapaz de respirar. Ele se recuperou milagrosamente e conseguiu voltar para casa. Ele pesava 52 quilos. Pessoas em todo o mundo oravam por ele.

---

8 Elliot, *Who Shall Ascend*, p. 117.
9 Elliot, *Who Shall Ascend*, p. 118.
10 EE para "Queridos", 25 de outubro de 1966.

Billy Graham veio visitá-lo, dizendo a Ken que ele "invejava minha experiência e sabia que o Senhor precisava ensiná-lo ou trazê-lo para uma comunhão mais íntima por meio do sofrimento".[11]

No ano novo, Ken ganhou alguns quilos. Sua aparência e seu vigor melhoraram. Ele começou a falar sobre uma viagem à Costa Rica.

E então, começou tudo de novo. Ele passou a engasgar. Foi hospitalizado, mal conseguia respirar e sofria de coceira, inchaço e dor. Sua esposa disse que ele parecia um "animal enjaulado". Ela sofria por não poder fazer nada para ajudá-lo. Em um momento, Elizabeth parou no corredor. "Oh, Senhor!", ela gemeu. "O homem mais malvado de Pasadena poria um fim a tudo isso, se pudesse!"

Mas Deus não pôs um fim àquilo. Em uma manhã escura, Ken pediu a um amigo para ler a Bíblia. Ele ouviu... e começou a desvanecer. As últimas palavras que alguém o ouviu sussurrar foram: "Eu me sinto enjaulado".

Sua heroica esposa sentou-se com ele enquanto ele sufocava, se engasgava, lutava para respirar e entrava em coma. Ele morreu um pouco depois naquela tarde, em 23 de fevereiro de 1965.

Crentes por todo o mundo lamentaram. Em seu funeral na Costa Rica, milhares de pessoas lotaram o *Templo Bíblico*, que a mãe de Ken havia construído trinta e cinco anos antes. A congregação cantou "Cara a Cara (Face a face com Cristo)", a plenos pulmões, muitos em lágrimas. O caixão foi carregado por dois quilômetros e meio nos ombros de um grupo de homens em constante rotação. A multidão o seguiu, suas vozes aumentando em um crescendo glorioso no cemitério. Então os carregadores cuidadosamente deslizaram o caixão para dentro de um túmulo de pedra. Ele foi fechado e selado.

Depois de pintar aquela cena, a escrita de Elisabeth nas últimas páginas da biografia de Ken ressoa com suas próprias esperanças, convicções e sua recusa em encerrar a história com algum tipo de episódio final glorioso.

"Ken sempre orou para que a vida de Jesus fosse vista claramente em sua própria vida, mas ele não tinha certeza da resposta. Outros acreditavam que a viam nele. Quem pode dizê-lo com qualquer certeza? Será que conseguimos, por um instante que seja, contemplar uma vida como Deus a vê, sem sentimentalismo? Ou será que, no instante em que enxergarmos claramente, vamos nos dilacerar, seja por olhar

---

11 Elliot, *Who Shall Ascend*, p. 152–153.

através de lentes cor-de-rosa, seja por julgar sem caridade? Sentimentalismo não é compaixão, pois é cego e ignorante. A compaixão enxerga a verdade, reconhece-a e a aceita, e talvez somente Deus seja totalmente compassivo'.

E somente Deus pode responder à pergunta: 'Quem era ele?'"

"Há muito mais que não sabemos — parte foi esquecida, parte escondida, parte perdida —, mas olhamos para o que sabemos. Admitimos que não é uma imagem imaculada e satisfatória — há ironias, contradições, inconsistências, coisas imponderáveis. Somente as próprias circunstâncias de sua morte, longe de coroarem com glória uma vida de esforço sincero para ser um servo fiel, pareciam o grito de zombaria final."Os crentes tendem a esperar um fim glorioso para a vida dos santos de Deus. Aqueles que testemunharam a morte de Ken não viram isso. Elisabeth escreveu que vários observadores tentaram dar "explicações" esperançosas, mas "[e]las eram meros paliativos".[12]

Se Elisabeth estava comprometida em dizer a verdade, sem sentimentalismo, sem paliativos, isso significava que seu livro não teria um final embelezado.

"Aqui, então, está o máximo de verdade que um biógrafo poderia descobrir sobre um homem. Que o leitor encontre o máximo de seu significado que puder."Então, ela continua. "Será legítimo perguntar se a obra pela qual esse homem é especialmente lembrado é significativa como a 'verdadeira' obra de Deus nele e por meio dele? [...] Terá Kenneth Strachan sido recebido no lar com um 'Muito bem, servo bom e fiel', ou terá ele simplesmente sido recebido no lar? O filho que dá prazer ao pai não é primeiro elogiado pelo que fez. Ele é amado, e disso Kenneth Strachan tinha certeza."O hino favorito de Ken era o clássico das cruzadas de Billy Graham: "Tal como estou, sem me esquivar / Me entrego a quem me quis salvar / Pois padeceste em meu lugar [...] Tal como estou me acolherás / Pureza e alívio me darás! / Tu prometeste e cumprirás [...]".[13]

"Tal era a sua fé", concluiu Elisabeth. "[N]ão que ele tivesse adquirido méritos ou posição, construído templos ou conquistado grandes vitórias, mas que Deus o havia aceitado, porque ele mesmo outrora se fez homem, viveu as torturas de ser homem, morreu a morte de um homem, a fim de trazer a solitária raça dos homens, de todas as suas mortes de todas as sortes, para o Lar."[14]

---

12 Elliot, *Who Shall Ascend*, p. 160.
13 Elliot, *Who Shall Ascend*, p. 161.
14 Elliot, *Who Shall Ascend*, p. 161.

Em particular, Elisabeth escreveu em seu diário:

"O primeiro rascunho de RKS está quase pronto. Procurei em vão pelo 'segredo do poder', ou seja lá o que supostamente inspire leitores de biografias. Simplesmente não está lá. Um homem fraco, vacilante, ambicioso e de mente secular que queria sinceramente 'servir ao Senhor', que tinha a inteligência para ver 'a tirania dos pseudoabsolutos' na vida dos outros e perdeu completamente de vista sua própria escravidão a um programa. 'Que é o que o Senhor pede de ti?' De alguma forma, Ken não viu que era praticar justiça, amar a misericórdia e andar humildemente com Deus. Será que algum de nós enxerga isso? Será que algum de nós pratica isso?"

Da parte dela, ao terminar o primeiro rascunho do livro, Elisabeth anotou em seu diário: "Tendo estudado e — necessariamente — julgado a vida dele, será que enxerguei algo que deveria me mudar? Neste momento, não tenho certeza se vi. Sinto que deveria pelo menos orar — mas não sei o que pedir. Acho que não há nada mais central do que 'Guia-me pelas veredas da justiça por amor do teu nome'".

CAPÍTULO 14
A IRREDIMÍVEL ELISABETH ELLIOT

"Esses <u>homens</u> que são líderes em missões simplesmente não vão (ou não conseguem, já que o preço é exorbitante) <u>encarar os fatos</u>. As mulheres, estranhamente, muitas vezes enxergam através de coisas que são opacas para os homens."
— Elisabeth Elliot, 1967

Por volta da mesma época em que terminou o rascunho inicial do manuscrito de Ken Strachan, Elisabeth falou no Wheaton College em um evento do Christian Writers' Institute [Instituto de Escritores Cristãos]. Ela intitulou sua palestra: "O verdadeiro país do escritor cristão", referindo-se ao mundo real, visto pelos olhos de um cristão.

"Depois, um tal Sr. Yff, de [uma organização missionária], interrompeu outras pessoas para me falar: 'Quero dizer que você me deixa <u>consternado</u>'. (Olhos frios como aço, rosto lívido de raiva.) 'Você não fez nada além de confundir as pessoas. Você se considera uma <u>cristã</u>? Você é uma escritora <u>cristã</u>? Quero dizer que você NÃO É! Nem sequer uma palavra sobre Jesus, pecado, nossa gloriosa salvação, nada disso. Você pergunta quem pensamos que somos. Eu pergunto a você — quem você pensa que é? Hein? Confundindo as pessoas assim! Você não teve um marido cristão? Ele não morreu por Cristo? Você conhece Cristo como seu Salvador? Você foi lavada no sangue do Cordeiro? Não, você não foi. Quero dizer que você está <u>totalmente PERDIDA</u>!"

Atordoada, Elisabeth respondeu: "'Você acha que eu sou redimível?'

'Não! Não, a menos que você seja uma das chamadas, e eu não acho que você seja. Você vai ter que responder a Deus pelo que fez aqui esta noite — e talvez ao seu marido! Eu te aviso em NOME DE DEUS!!!'"

"Fiquei arrasada com isso", escreveu Elisabeth em seu diário. "Não consigo deixar isso passar por mim sem me afetar. Tenho certeza de que aqueles com quem falei em seguida se perguntaram por que eu estava tremendo."Uma senhora mais velha se aproximou dela. "Não consigo lhe dizer como todo o cenário da literatura cristã tem sido iluminado e elevado pelo que você disse esta manhã! Quero lhe dizer: obrigada."Claro, é muito mais fácil dar uma palestra sobre escrita do que escrever. Em abril, Elisabeth teve uma sessão difícil com Cornell Capa enquanto ele revisava seu manuscrito sobre Ken Strachan. "[Umas] poucas horas perturbadoras, com tanta reviravolta em minha mente. Para ele, o livro é uma crônica impessoal de uma vida ferrada. 'Minha vida numa fábrica de salsichas'. Eu não trouxe à tona nenhuma avaliação relevante nem um significado para o todo. Por que o livro deveria ser escrito? O motivo não fica aparente. Então — 'tudo deve ser refeito'".

Ela fugia das críticas de Cornell lendo mais Hemingway, escrevendo poesia e se aventurando na ideia de um conto sobre os discípulos adormecendo sobre Jesus. A primavera subiu as montanhas; ela começou a passar mais tempo ao ar livre. "Deitada ao sol no campo aberto, trilhas de coelhos na floresta, brotos começando a ficar vermelhos, pequenos riachos correndo em todos os buracos, velhos muros de pedra com gelo entre as rochas, silêncio total."Ela se levantou da floresta para falar na "última conferência missionária estudantil de que participarei (eu acho)" na Park Street Church em Boston. Ela observou que foi mal organizada, que recebeu "instruções vagas e ambíguas sobre os tópicos", e que não foi informada de quando iria falar senão no dia anterior. "Fui parar em um painel com Robert Brown da Bible Medical Missionary Fellowship (Índia) [Comunhão Médica Missionária da Bíblia] como moderador, junto com Howard Dowdell da SIM, Philip Grossman da SIL e Virgil Newbrander da FEGC. Tópico: a eficácia do trabalho missionário. Ninguém disposto a definir 'eficácia' ou 'trabalho missionário', ou a admitir que isso não pode ser medido.""Virgil Newbrander... foi o único homem lá na conferência que me pareceu aberto, cortês, humilde, <u>sinceramente</u> pronto para ouvir", escreveu Elisabeth mais tarde.

"É uma posição difícil de ocupar, e cada vez que me vejo como alvo de críticas e interpretações errôneas, digo: 'Por que faço isso?'. Mas cada ocasião tem que ser julgada por seus próprios méritos, e eu poderia dizer não a qualquer um a qualquer momento. Creio fortemente que o Senhor tem sido meu pastor até agora — aposto que ele sabe como me mostrar o caminho."Apesar de muitas críticas, não faltavam a Elisabeth convites para falar. Um dia, o correio trouxe um convite para ela falar em um cruzeiro pelo Caribe, patrocinado por uma das revistas cristãs populares da época e no qual falariam também vários líderes proeminentes. No mesmo dia, Van, esperando uma carta de seu editor, não recebeu nada.

"O contraste foi muito doloroso para nós duas, e eu a encontrei chorando", escreveu Elisabeth. "Como alguém lida graciosamente com o sucesso? Isso levanta a questão profunda do mérito, genuíno e superficial; da justiça — por que deveria ser eu; de aceitar aclamação de qualquer tipo — o que alguém, no mais íntimo de sua alma, faz com isso? E, claro, imaginar por um instante que Van me inveja, ou tem ciúmes de mim, ou não pode se alegrar com aqueles que se alegram, é muito difícil para mim.

"Ultimamente, Van tem estado no fundo do poço do desespero, por causa de seu livro, pela incerteza de seu futuro, por minha falta de consideração. Tenho passado horas intermináveis (ao que parece) tentando ajudar." Elisabeth passou um dia inteiro lendo o rascunho do manuscrito de Van. Ela o cortou e reorganizou completamente; "dei a ela um esboço de como eu achava que deveria ser. Ela simplesmente não consegue vê-lo e lhe dar forma. Agora, hoje de manhã, ela pergunta o que deve fazer agora".

Elisabeth sempre havia respeitado Van profundamente. Quando Van chegou ao Equador da primeira vez, sua sabedoria, percepções e compreensão foram uma incrível onda de alívio para a solitária Elisabeth. Na época, ao refletir sobre isso, Elisabeth percebeu que tinha uma profunda necessidade de "admirar sinceramente" qualquer um que deixasse entrar em seu círculo mais íntimo. Desde Jim, havia "muito poucos que eu estimo profundamente". Mas Van era uma dentre eles.

Agora, embora Elisabeth amasse sua querida amiga, talvez ela estivesse perdendo um pouco dessa admiração. Por que Van não conseguia ver ela mesma como reestruturar seu livro?

Ao mesmo tempo, Elisabeth estava reformulando a biografia de Ken Strachan, agora intitulada *Who Shall Ascend?* ["Quem subirá?"]. Além da contribuição de Cornell, ela recebeu críticas de sua editora, uma parte normal do processo de escrita de um livro. Parte da dificuldade, disse ela, tinha a ver com "descobrir e expor os paradoxos" do seu biografado. Ela antecipava a resistência dos leitores. "Provavelmente, grande parte da resistência a se encontrar virá daqueles que insistem em que os paradoxos não são paradoxos, que tais não existem. Haverá muitos, é claro, que simplesmente não os perceberão, não importa quão claramente sejam expostos."Como qualquer biógrafo, ela havia encontrado aspectos do seu biografado que eram "perturbadores", e ela precisava capturar esses elementos de alguma forma, com elegância, além de seus aspectos mais agradáveis. Mas dois dos primeiros leitores do manuscrito a encorajaram muito. Um editor escreveu que o livro era "tremendo", uma "biografia existencial que será épica". Outra leitora escreveu para Elisabeth que a achava uma "gênia (!)" e que "a biografia talvez seja o meu livro mais vendido de todos até agora!" Esta leitora era Elizabeth, a viúva de Ken Strachan.

Em meados de maio, Elisabeth, que ficaria pasma com a transferência eletrônica quase instantânea de dados que desfrutamos hoje, havia laboriosamente redigitado pela última vez suas centenas de páginas com espaço duplo. Levou o pacote pesado até o correio e o remeteu para seu editor. Em seguida, voltou sua atenção para uma série de palestras que deveria dar em julho, as quais se concentrariam em um dos livros mais intrigantes da Bíblia.

"Estudando o Livro de Jó em preparação para minhas palestras no Tarkio [College] em julho. Descobri que ele considerava Deus como sua única testemunha verdadeira e seu defensor. Isso é fé. Seu único inimigo e adversário implacável era aquele que via tudo, que conhecia tudo, o único que julgava imparcialmente. Aqui, então, estava o refúgio de Jó."

"Os amigos de Jó ficaram do lado de Deus. Talvez tenha sido isso que estava errado. Talvez nunca seja necessário ser parcial em relação a Deus. Se há uma coisa de que ele não precisa, é de apoio. Somos nós que precisamos disso desesperadamente. Talvez seja por isso que geralmente não chegamos a lugar nenhum em nosso 'testemunho' — estamos sempre defendendo Deus contra suas criaturas."

CAPÍTULO 15
"ESTOU IRREMEDIAVELMENTE VULNERÁVEL"

> "As forças são as forças de Deus, esta criatura é criatura de Deus, as promessas são promessas de Deus; e, em obediência, no reconhecimento de sua condição de criatura, este homem tem destino e filiação."
> —Addison Leitch, *Interpreting Basic Theology* ["Interpretando Teologia Básica"]

O verão de 1967 traria um momento inesperado e decisivo na vida de Elisabeth Elliot.

Elisabeth e Van dirigiram até à Flórida para visitar a mãe de Elisabeth. Elas tomaram sol e nadaram na praia e, no caminho de volta para New Hampshire, pararam em St. Simon's Island, Geórgia.

Depois de fazerem o check-in num hotel na estrada, elas foram explorar e decidiram visitar a aclamada autora Eugenia Price, a moradora mais famosa de St. Simon's Island.

Eugenia Price era dez anos mais velha que Elisabeth, nascida na Virgínia Ocidental em 1916. Quando jovem, ela se declarava ateia. Depois da faculdade, tornou-se uma escritora de sucesso de dramas de rádio e, depois, chefe de sua própria produtora em 1945. Em 1949, ela se converteu para se tornar uma seguidora de Jesus Cristo e começou a escrever, dirigir e produzir "Unshackled", uma popular série de rádio que retratava vidas dramaticamente transformadas pela fé. Ela publicou vários livros inspiradores e, mais tarde, voltou suas vastas energias e escrever ficção histórica meticulosamente pesquisada, principalmente ambientada na Geórgia do século XIX. Como o *New York Times* disse a respeito dela, "suas heroínas de saias armadas tendiam a ser implacavelmente belas demais; seus belos heróis, um pouco galanteadores demais; e os problemas deles, resolvidos de modo um pouco fácil demais para que a Sra. Price ganhasse séria aclamação literária. Mas, novamente, quantos autores aclamados vendem mais de 40 milhões de livros em 18 idiomas?"[1]

Encantada por St. Simon ao visitá-la pela primeira vez em 1961, Eugenia acabou comprando uma propriedade lá. Ela construiu uma mansão rosa chamada "Dodge", em homenagem à inspiração da vida real para um de seus heróis — um clérigo enterrado no cemitério local.

Eugenia escrevera para Elisabeth Elliot convidando-a a "passar por lá" a qualquer momento. Talvez essa mensagem não tenha sido transmitida à sua amiga e companheira com quem vivia há décadas, a colega escritora Joyce Blackburn.

Elisabeth não tinha o número de telefone de Eugenia, então ela e Van foram procurar a famosa casa. Lá estava ela, um terreno isolado de cinco acres situado em uma península no pântano, cercado por árvores cobertas de musgo espanhol, fechado por pesados portões duplos cobertos com correntes brilhantes e marcados com placas de "Propriedade privada; não entre". Havia um interfone no portão da frente. Elisabeth chamou. Ninguém atendeu.

A essa altura, invadir o castelo rosa havia se tornado um desafio. Elisabeth e Van trocaram um olhar, passaram pelos portões e seguiram pela longa entrada de veículos... e ali vem uma "mulher frígida com um olhar glacial. Joyce Blackburn. Perfeitamente <u>furiosa</u> conosco por desconsiderarmos as barreiras, nunca perguntou quem éramos, disse que Genie não veria ninguém e simplesmente nos esfolou vivas por 'pular' portões".

Elisabeth e Van se desculparam profusamente, recuaram, então Van gritou para a indignada Joyce: "Diga a ela que Elisabeth Elliot a procurou".

Joyce não demonstrou nenhuma reação positiva a isso, mas consentiu que talvez pudesse voltar para a casa e verificar se Genie a veria. Não "as veria", como se incluindo Van, mas apenas Elisabeth.

"Não, não", Elisabeth gritou pela pista de veículos, ainda dando marcha a ré. "É melhor irmos."

"Bem", disse Joyce. "Talvez Genie possa ligar para você?"

"Não", disse Elisabeth. "Estamos hospedadas em um hotel sem telefone nos quartos. Está tudo bem!"

"Bem, talvez Genie possa receber você." "Não, não, precisamos ir."

---

[1] Robert Mcg. Thomas Jr., "Eugenia Price, 79, Romance Novelist, Dies," *New York Times*, 30 maio 1996, https://www.nytimes.com/1996/05/30/arts/eugenia-price-79-romance-novelist-dies.html.

"Ah, mas ela vai ficar tão decepcionada em não ver você!"

Depois dessa troca confusa, Elisabeth e Van se viram subindo a longa pista de veículos atrás de sua guia relutante e entrando na enorme casa. Joyce gritou em direção ao andar de cima — "Genie! É Elisabeth Elliot aqui para ver você!" Logo, Eugenia Price apareceu, vestindo uma blusa "desleixada", jeans azul e tênis, toda sorrisos, cheia de "Queridas" e "Amigas", aparentemente sem saber da recepção fria que as duas haviam recebido.

Como se por um sinal combinado de antemão, Joyce levou Van para conhecer a casa. Elisabeth e Genie se sentaram em duas cadeiras ricamente estofadas. Eugenia acendeu um cigarro.

"Ah, essa é uma oração antiga, agora respondida!", disse Genie. "Eu queria tanto falar com você!"

"Ela se sentava com as pernas abertas, cotovelos nos joelhos, fumando um cigarro em uma piteira. [...] Ela usa um corte de cabelo pixie, está acima do peso e não estava usando maquiagem."

Elas conversaram, como escritores fazem, sobre suas rotinas diárias, como produziam manuscritos, o que acontecia quando tinham bloqueios criativos, e suas experiências com editoras. Conversaram sobre o surpreendente novo livro de Tom Howard, *Christ the Tiger* ["Cristo, o Tigre"], que Eugenia tinha lido em forma de manuscrito. Conversaram sobre o quão grande Deus é. Eugenia queria saber como, de verdade, Elisabeth tinha "se conformado" com a ânsia do marido de alcançar os waorani e o que tinha acontecido desde então. "Seguiu-se um tour pela casa", relatou Elisabeth. "Tínhamos copos de vodca e tônica em nossas mãos enquanto ela me mostrava o quarto de hóspedes, decorado em dourado profundo com um caro papel de parede de fibra de grama coreano (toda vez que entro aqui, eu oro pelas queridas pessoas que teceram isso e, de alguma forma, isso redime a coisa toda)."

Bem mais tarde naquela noite, Elisabeth e Van finalmente voltaram para seu modesto quarto. E quando finalmente chegaram em casa, uma efusiva carta de desculpas de Eugenia Price estava esperando na caixa de correio de Elisabeth, incluindo um convite, junto com duas passagens aéreas, para que Van e Elisabeth fossem para uma visita de uma semana, por favor.

A próxima viagem de Elisabeth foi para visitar por alguns dias uma amiga chamada Margaret, uma colega escritora que tinha uma "pequena cabana em um ponto rochoso" em um rio.

"[Nós] conversamos sobre muitas coisas", escreveu Elisabeth em seu diário. "Sobre a igreja de Margaret, a Igreja Presbiteriana Knox em Toronto; seus talentos de escrita, saúde [...] Genie Price e Harold Ockenga." Elas saíam para caminhadas e oravam juntas. "Esta manhã, nadamos antes do café da manhã, comemos, lemos a Bíblia... tomamos banho de sol nuas (ela faz isso o tempo todo, com todas as convidadas mulheres que têm coragem), almoçamos nuas, e agora estou na varanda coberta com vista para o rio. Um dia lindo, pelo qual agradeço a Deus..."

Elisabeth finalmente vestiu suas roupas e voou para o Missouri, para o chalé de madeira que era o refúgio de amigos que ela respeitava muito, David e Dorothy Redding. Dave era um pastor presbiteriano e prolífico escritor que a revista *Life* nomeara como um dos dez principais ministros religiosos da época no país, "uma das vozes mais jovens eloquentes dos EUA".[2] Ele tinha acabado de assumir o papel de Escritor Residente, Conselheiro e Pregador no Tarkio College. Tarkio era uma pequena escola de artes liberais no Missouri que havia sido fundada em 1883.

Elisabeth havia aceitado um convite para falar no Institute for Basic Theology [Instituto para a Teologia Básica] de Tarkio, uma conferência anual que atraía pessoas leigas seriamente interessadas para vários dias de palestras e discussões intensivas. Ela havia se hospedado com os Reddings anteriormente, durante outro compromisso de palestra, e tinha profundo respeito por Dave e Dorothy. Sua visita à cabana dos Reddings lhe deu alguns dias de descanso, preparação e pelo menos uma conversa provocativa antes do início da conferência no campus da faculdade.

Certa manhã, Elisabeth acordou e encontrou Mark Redding, de sete anos, parado na porta.

"Quer ver meu hamster?", ele perguntou.

Elisabeth se apoiou em um cotovelo, desejando um café. "Claro", ela respondeu.

"Ela não se importa se você a segurar", disse Mark. "Não faz barulho nem nada. Vou buscá-la."

Ele voltou acariciando uma bola de pelos de mamífero. "Qual é o nome dela?", perguntou Elisabeth.

"Phyllis."

---

2 https://www.legacy.com/us/obituaries/dispatch/name/david-redding-obituary?id=18565495.

"ESTOU IRREMEDIAVELMENTE VULNERÁVEL"

"De onde você tirou esse nome?"

"Ah, eu escolhi. Ela é minha e eu achei que era um bom nome."

"Em que cores os hamsters vêm?" "Só marrom e branco, eu acho". "Nenhum preto?"

"Nenhum preto... Mas acho que há azuis e amarelos na África".

Depois de dividir seu hamster, o pequeno Mark observava atentamente enquanto Elisabeth se levantava, penteava e ajeitava seu longo cabelo para prendê-lo em um coque francês.

"Sabe o que eu acho?", ele perguntou, sem esperar por uma resposta. "Acho que você precisa cortar o cabelo!"

Sem se deixar abater, Elisabeth se preparou para seu discurso.

"Percebi que, quando aceito um convite para falar, penso pouco sobre isso no começo", ela rabiscou em seu diário. "Então, conforme a hora se aproxima, começo a ficar apavorada (mais por este instituto do que nunca, por causa da formidável erudição do público) e me pergunto o que me levou a aceitar. Então, quando chega a hora... fico muito exultante e tensa, muito ansiosa para chegar à plataforma."

Um dos membros daquele distinto público era um professor de filosofia e religião de Tarkio, de cinquenta e oito anos, chamado Addison Hardie Leitch. Ele era um homem alto e robusto, com uma risada rápida, feições fortes e um clássico par de óculos pretos dos anos 60. Ele tinha três títulos honorários e quatro títulos conquistados, incluindo um PhD pela Universidade de Cambridge. Ele havia servido como reitor dos homens e capelão universitário no Grove City College, na Pensilvânia. Foi professor e, mais tarde, presidente do Pittsburgh-Xenia Theological Seminary e receberia ofertas para presidir oito instituições acadêmicas diferentes. Ele era um ex-atleta que havia sido considerado pelo Pittsburgh Pirates, mas em vez disso escolheu ir para o seminário; era um pensador, um professor muito querido, autor de cinco livros teológicos e editor, colunista e ocasional autor de artigos humorísticos para a *Christianity Today*.

Addison e sua esposa, Margaret, estavam casados desde setembro de 1936. Eles tiveram quatro filhas, embora uma, nascida em 1943, tenha morrido com dois meses de idade. E agora, em julho de 1967, Margaret Leitch estava corajosamente doente, com câncer terminal.

Elisabeth Elliot conhecera Addison Leitch (Add para seus amigos) em dezembro do ano anterior, em uma reunião na casa de Dave e Dorothy Redding.

Ela não escreveu sobre o encontro em seu diário naquela época, mas depois observou, enigmaticamente, que sentira uma tremenda atração magnética pelo professor. Era mútua. E agora aqui estava ela, vendo-o repetidamente enquanto falava todas as manhãs na conferência anual de teologia da faculdade dele.

Ela anotou impressões e reações em seu diário.

"Grande experiência — presbiterianos de mente aberta, bem-vestidos, inteligentes e, ao que tudo indica, muito <u>famintos</u>, que se sentam na ponta de suas cadeiras, tomam notas como loucos, folheiam suas Bíblias e fazem perguntas."

"Howard Jamiesen, professor do Pittsburgh-Xenia Seminary, veio me dizer o quão encantado ele estava com minha avaliação da situação waorani. 'Quem foram os seus mantenedores no campo? Como você pode ser tão honesta? Consigo ver que você é muito difícil de lidar do ponto de vista publicitário. Você simplesmente não se encaixa na imagem.'"

Uma "senhora idosa de olhos selvagens que tinha feito uma visita ao Equador: 'Sua desenvoltura é simplesmente incomparável! Oh, sua lógica e raciocínio são excelentes. E você é tão bonita de olhar!'"

"Add Leitch: 'Warwick Deeping [o romancista britânico] disse: 'A coisa mais bonita sobre uma mulher bonita é a coragem'. Isso se aplica a você'".

"Add Leitch me perguntou se poderíamos nos reunir para discutir um artigo dele sobre evolução para um periódico filosófico. Será amanhã às 9h30, e ele acrescentou: 'Se eu me sentir do jeito que me sinto agora, estarei lá fora esperando por você'.

"Certamente dá uma sensação boa ser <u>procurada</u>. Sem dúvida, uma necessidade humana básica."

Ela se encontrou com Addison para discutir seu texto sobre evolução, como ele havia sugerido (o que certamente soa como um pretexto).

"É bom saber que você existe", ele disse a ela. "Você é a descoberta de 1967."

"Não quero envergonhá-la, mas gostaria de dizer isto: Jim Elliot deve ter sido um grande homem para ter tido uma mulher como você. Porém, tenho certeza de que você é agora uma pessoa ainda maior do que quando ele estava vivo."

"Se você pudesse achar o lugar, eu lhe daria um beijo de despedida. E não seria um ósculo santo."

As palavras de Addison podem soar assustadoras para um ouvido moderno. Mas por alguma razão, de volta às brumas de 1967, Elisabeth estava se sentindo envolvida em um nível muito mais profundo.

"ESTOU IRREMEDIAVELMENTE VULNERÁVEL"

Ela rabiscou um verso parafraseado de um poema do escritor austríaco Rainer Maria Rilke.

"Como devo proteger minha alma para que ela não seja / Tocada pela tua?"

"Estou irremediavelmente vulnerável", ela continuou. "Ontem à noite, em uma recepção, uma senhora perguntou se eu queria um pouco mais de ponche. 'O Dr. Leitch sugeriu que eu oferecesse — ele achou que ficaria melhor do que se ele o fizesse'. Oh, meu Deus. E sua esposa Margaret morrendo de câncer — ainda de pé e por aí, magra, alegre e cheia de energia. Eu a vi <u>correndo</u> na chuva. Add me disse ontem que ele simplesmente <u>não sabia o que</u> fazer para animá-la. Como poderia?"

Na tarde de 28 de julho, Elisabeth escreveu: "Add acabou de sair da minha suíte. Veio para uma visita das 14h às 15h30. Conversamos principalmente sobre os waorani. Ele perguntou como eu tive coragem, se eu já me senti solitária etc.

Beijou-me levemente duas ou três vezes ao sair.

'Eu <u>gosto</u> de você. Você é a melhor coisa que me aconteceu em muito tempo. Existe alguma maneira de eu mostrar minha afeição por você?'"

"Eu lhe disse que ele acabara de mostrar. Que experiência adorável. Que experiência estranha. Mas a beleza e a estranheza são ambas bem-vindas às vezes."

CAPÍTULO 16
A CONFERÊNCIA DE ESCRITA

"Se nossas vidas estão verdadeiramente 'ocultas com Cristo em Deus', o mais surpreendente é que essa ocultação se revela em tudo o que fazemos, dizemos e escrevemos. O que somos será visível em nossa arte, não importa quão secular (na superfície) o assunto possa ser."
— Madeleine l'Engle

Após o período emocionalmente complexo de Elisabeth no Tarkio College, ela se recompôs. Elisabeth voou para Chicago, onde se viu em meio a uma multidão de viajantes com destino ao Bedford Center for Creative Study [Centro Bedford para Estudos Criativos] em Green Lake, Wisconsin. Elisabeth havia sido convidada para ensinar e mentorear um grupo de homens e mulheres que haviam se inscrito para um seminário especial de escritores em meio ao grupo mais amplo de participantes daquele retiro cristão.

Uma reunião religiosa tão alegre não era exatamente a praia de Elisabeth. Os registros de seu diário durante a semana em Wisconsin oscilam entre reflexões cruas sobre o estado de seu coração e observações ácidas de seus alunos e outros que ela conheceu na conferência.

Ela passou a escrever: "Dormi, ontem à noite, pela primeira vez em uma semana... adormeci pensando na experiência de Tarkio".

Ela acordou e foi tomar café da manhã em uma imensa sala de jantar rosa (paredes rosas, mesas de fórmica rosa, garçonetes rosas). Houve uma longa oração de agradecimento feita pelo professor rosa de uma faculdade cristã e, em seguida, "os anúncios cafonas de sempre em um alto-falante. ('Adolescen-tividades serão [lideradas por] Dick Fulano de Tal')".

Havia uma galeria de arte no campus. Embora a maior parte das obras parecesse a Elisabeth "espalhafatosa e superficial", ela encontrou algumas gravuras em bloco das quais gostou muito. Então ela foi abordada por "um jovem pintor barbudo, cujas coisas de óleo e gesso estavam em exposição. Iniciamos uma conversa e o achei um idiota pomposo. Ele nos contou tudo sobre o quão sério ele é, o quão incompreendidos os artistas são, o quanto ele experimentou e sofreu. Bem, pode ser tudo perfeitamente verdade, mas não se conta às pessoas nos primeiros cinco minutos de apresentação".

Uma pessoa que a impressionou muito mais foi uma "senhora [negra] robusta de meia-idade, envolta em vestes brancas e diáfanas, chamada Reverenda Sheila Earnestine Alguma-Coisa. Gostaria de ouvi-la pregar!"

Na maior parte, os alunos de Elisabeth a deixaram embasbacada. Ela conversou com uma mulher chamada Amy sobre seus escritos para uma importante editora evangélica. "Ela admitiu que não tem muito tempo para observar ou pensar", observou Elisabeth. "Ela diz que tem uma mente de uma mão só, e que [ao enfeitar suas histórias] está apenas tentando tornar as coisas 'interessantes'. Ela não lê."

"Você já leu um grande clássico?" Elisabeth lhe perguntou.

"Ah, não", respondeu a mulher. "Eles são muito prolixos."

Sem se deixar intimidar, em seguida Elisabeth se reuniu com Bonnie, tentando trabalhar com ela na falta de clareza de seu artigo sobre problemas emocionais em seu casamento. Ela observou que, nos debates em grupo, Bonnie era uma das mais falantes e dogmáticas, mas talvez, pensou Elisabeth, isso fosse simplesmente por causa de "sua própria psicose". Bonnie compartilhou o que Elisabeth chamou de "uma oração imprecatória" — como uma maldição ou uma súplica pelo juízo de Deus — que ela havia escrito contra seu marido por seu fracasso em assumir a liderança espiritual. Bonnie estava canalizando sua ira ardente, sentimentos de futilidade e tristeza sobre seu marido em sua escrita. Isso não ajudava sua prosa. Elisabeth relatou: "Ela parece paranoica, quase chorando (de raiva, talvez) quando critico seu texto".

Mel, o organizador do evento, leu para o grupo o início do famoso conto de Flannery O'Connor, *Um homem bom é difícil de encontrar*. Ele se concentrou na brilhante descrição que a grande escritora faz da personagem da avó, a qual, infelizmente, inadvertidamente causa a morte do resto de sua família na sombria história. "Ah", fungou um dos participantes; "sim, a escrita é boa, mas você <u>certamente</u> não encontraria uma escrita assim em uma de nossas publicações da igreja!"

Em seguida, houve uma discussão crítica do conto de um dos membros sobre um bombeiro de Chicago. Era "terrivelmente ruim", pensou Elisabeth.

A CONFERÊNCIA DE ESCRITA

Um membro do grupo se voluntariou para dizer que o bombeiro não era realista, que ele parecia testemunhar sobre Jesus com tanta facilidade e confiança, e que não fazia sentido, que bombeiros geralmente são "do tipo durão".

"Ah", respondeu a autora, não querendo ajustar sua história para torná-la psicologicamente crível. "Mas <u>esse</u> bombeiro não é durão dessa forma, ele é um sujeito notável... altamente incomum."

"A pobre senhora não faz ideia de nada", Elisabeth concluiu.

Em seguida, o grupo discutiu a "história" de alguém sobre como conhecer a vontade de Deus. "Um sermão", concluiu Elisabeth. "Nada mais."

Em seguida, veio uma história de Dan, o jogador de basquete universitário. Alívio. "Eis aí, creio eu, um verdadeiro escritor a caminho." A história foi escrita de forma simples. Parecia real, focando na experiência de redenção de um garoto ao se doar para ajudar um homem velho. Bonnie, uma das participantes que não ficava satisfeita a menos que cada texto soasse como um folheto evangelístico, sugeriu que Dan mostrasse em sua história que o garoto era um cristão — afinal, se os leitores pudessem ver claramente que o garoto ajudou o homem por causa de seu relacionamento com Jesus, então Dan "seria realmente um escritor <u>'cristão'</u>".

"Ah, mas você está limitando o que constitui a escrita cristã", arriscou outro membro do grupo.

"Sim", disse Bonnie, com os olhos faiscando. "E acho que já <u>passou</u> da hora de limitarmos isso!"

"Bem", outra pessoa disse ao autor. "Sabe, você poderia simplesmente fazer o menino olhar para uma imagem de Cristo na parede e <u>então</u> deixar o velho ganhar o jogo de damas. <u>Então</u> seria uma história cristã."

Mesmo quando Elisabeth lamentava o que ela considerava ser o estado superficial de muitos que se imaginavam "escritores cristãos", seus julgamentos azedos no diário não significavam que ela não se importasse com os participantes. Ela era tão dura consigo mesma quanto com os outros, e certamente teria sido a primeira a provocar a si mesma com algumas linhas perversas e bem escritas, se tivesse pensado em fazer isso. Ela se importava com os homens e mulheres que a conferência de escrita colocara em seu caminho. No final do seminário, depois de muitas conversas, ela escreveu:

"Creio que aconteceu algo aqui esta semana. A pobre Amy, pentecostal, inexpressiva e de alma aprisionada, caminhou pela floresta por horas após sua primeira conversa comigo, por eu ter questionado se ela realmente acreditava no que escrevera.

"Hoje ela disse que eu a ajudei muito e não a desencorajei em nada. Ela disse ter percebido que sua escrita era superficial e suas personagens, como bonecas de papel. Quem sabe se Deus não pode alcançá-la e fazê-la dar o salto em direção à verdade?"

Depois de uma longa caminhada na floresta, Amy encontrou Elisabeth no refeitório, puxou-a de lado e lhe deu um presente: uma folha verde brilhante, cheia de tenras framboesas silvestres, cada uma como uma joia macia, que ela havia escolhido cuidadosamente para sua mentora. Elisabeth ficou tão tocada que não sabia o que dizer.

Outra participante irritadiça, a sempre combativa Bonnie, fez uma longa caminhada com Elisabeth pelo lago. Sim, disse ela a Elisabeth, talvez ela tivesse sido condicionada a sempre dizer a coisa cristã "certa". Talvez ela não conseguisse pensar fora de suas caixas religiosas.

E havia também a Melanie. Um dia, ela e Elisabeth se sentaram no cais ensolarado, das dez horas ao meio-dia, conversando sobre o conto de Melanie e, depois, sobre o quão grande Deus é. Ela teve um vislumbre, disse a Elisabeth, do que significava escrever a verdade. Não um sermão, mas a realidade do mundo de Deus e dos seres humanos que ele colocou nesse mundo. Ela disse a Elisabeth que a semana havia expandido seu pensamento; ela nunca mais seria a mesma.

Elisabeth sentiu o mesmo. Algo naquela pequena comunidade de escritores, disfuncional como era, a havia tocado. Em seguida, ela se viu em uma troca de confidências com Ted, um dos participantes mais velhos do sexo masculino. Foi uma longa conversa, escreveu ela em seu diário, "sobre homossexualidade (não uma [questão] ativa com ele) e a possibilidade de ele se casar. Parecia que a ideia dificilmente lhe teria ocorrido. Falei muito sobre a maravilha de ter um outro ser no universo para quem você significa tudo, o relacionamento Eu/Tu, a sua própria validade sendo atestada por outro etc. Mais tarde, quando lhe perguntei o que havia escrito naquele dia, ele disse: "Não escrevi nada, mas graças a Elisabeth Elliot comecei um novo capítulo na minha vida".

Elisabeth estava chocada. "É emocionante pensar que esse pobre solteirão gordinho, de quarenta anos, pode de repente perceber o mundo cantando ao seu redor", ela escreveu.

Por quê? Porque nos últimos dez dias Elisabeth havia percebido o mundo cantando ao seu redor. "Tenho certeza de que meu próprio — devo chamar isso de amor? — por Addison me permitiu falar com Ted do modo como falei.

A CONFERÊNCIA DE ESCRITA

"Eu não ia escrever isso", ela escreveu, "mas não há uma boa razão para não o fazer. É a verdade."

"É impossível para mim não pensar em como seria se eu me casasse com Add. Gostaria de conseguir <u>deixar</u> de pensar nisso, pois viola algo em mim — tenho uma grande admiração e respeito (talvez isso na verdade equivalha a amor, no sentido de 1 Coríntios 13 por Margaret. Uma mulher nobre e altruísta, morrendo de câncer centímetro por centímetro. O conflito surge em minha mente quando penso: 'E se ela conhecesse meus pensamentos?' Deus me livre."

"Mas, enfim, ela é uma mulher muito inteligente — muito provavelmente ela <u>conhece</u> meus pensamentos, não porque eu lhe dei razão para adivinhar, mas simplesmente porque ela também é uma mulher."

"Há uma grande afinidade de espírito entre mim e Add. Isso é inescapável. Eu soube em dezembro passado, em Tarkio, que uma faísca tinha sido acesa. Enquanto conversávamos na sala de estar de Reddings, algo ganhou vida. [...] Cada palavra e olhar dava testemunho disso na semana passada. Como se pode negar?"

"Ele tem sofrido. Eu não poderia me casar com um homem que não o tenha. O câncer de Margaret, sua filha, sua experiência no seminário, e Deus sabe o que mais, o colocaram de joelhos."

"Ele conhece Deus. Não há pompa nele, mas uma honestidade e humildade simples e direta."

"Ele pensa <u>com clareza</u>. Que alívio falar com alguém que <u>vê</u> e <u>entende</u> o que ele vê e articula isso claramente."

"Ele tem um ótimo senso de humor. Descobri que ele lê <u>The New Yorker</u>, ama George Price e Charles Addams."

"Ele sabe ser gentil, é sensível, perspicaz, cavalheiro e tem savoir-faire. Ele trata Margaret com ternura e consideração."

"Eu poderia me casar com ele, eu acho, se ele me pedisse. Ele seria um ótimo pai para Val — um <u>homem de verdade</u> que conseguiria dominar nossa casa. Ele próprio tem três filhas."

"Ele cuidaria de nós — e como eu anseio por isso! Alguém que tome as decisões, faça as reservas de avião e, como disse K. Mansfield, "que vá para a cama onde você se deita"."

"Ele tem um PhD de Cambridge."

"Ele também é mais gordo do que eu gostaria, mas é <u>alto</u> e poderoso. Ele é velho (57 ou 58) e provavelmente me deixaria viúva novamente. Ele não consegue escalar montanhas, eu acho. Eu abriria mão da minha identidade separada, parte da minha 'imagem', minha independência (que aprendi a valorizar), minha liberdade de trabalhar sem cuidar de ninguém, meu status de viúva (e não posso negar que agora tenho um certo apego a essa ideia) e o nome de Jim (isso seria doloroso)."

"É absurdo fazer isso, colocar a carroça na frente dos bois, por assim dizer. Mas fico acordada à noite como se a decisão tivesse que ser tomada imediatamente! Simplesmente não consigo evitar. Como eu poderia evitar? E se a coisa no final provar estar certa, será que vou olhar para trás e dizer: 'Que tolice minha ter pensado nisso naquela época!'?"

"E quanto a Van?"

Sim, e quanto a Van? Cada vez mais dependente de Elisabeth, ela era, claro, uma amiga querida — mas talvez alguém que quisesse manter a casa de Elisabeth Elliot do jeito que estava.

E isso não aconteceria.

CAPÍTULO 17
A GUERRA DOS SEIS DIAS

"Este é o ponto no planeta Terra para o qual o Senhor Deus olhou e disse:
'Eu irei para lá'. E, em carne e osso, como um judeu comum, ele veio."
— Elisabeth Elliot, Jerusalém, 5 de outubro de 1967

Se o coração de Elisabeth Elliot estava estranhamente aquecido em relação a Addison Leitch naquele crucial verão de 1967, você não descobriria isso com base em seus diários depois de ela voltar para casa em New Hampshire. Surpreendentemente, ela não escreveu sobre os novos desenvolvimentos em seu coração. Em vez disso, ela se concentrou no drama impressionante de eventos internacionais que começaram com a Guerra dos Seis Dias no Oriente Médio.

É difícil para os leitores do século XXI sentirem a significância dessa guerra, não apenas na história de Israel, mas também seu em impacto sobre os cristãos conservadores na América. Muitos pastores vincularam a guerra diretamente a profecias do Antigo Testamento sobre o fim dos tempos; muitos evangélicos creditaram a vitória de Israel ao favor divino e à sua direta intervenção.

Desde seu estabelecimento como nação em 1948, Israel foi ameaçado por todos os lados por seus vizinhos árabes. Sua Guerra pela Independência concluiu com um cessar-fogo que deixou Jerusalém dividida em duas. Toda a Cidade Velha, incluindo o Monte do Templo, o Muro das Lamentações e outros locais sagrados, ficou sob o controle da Jordânia; os judeus não tinham permissão para entrar nos muros de Jerusalém ou orar dentro da cidade.

No final da década de 1940 e início da década de 1950, o Egito bloqueou o Canal de Suez e o Estreito de Tiran para navios destinados a Israel. Em 1956, uma força de emergência das Nações Unidas foi enviada para a Península do Sinai, e os estreitos foram reabertos. Porém, no final da primavera de 1967, o presidente egípcio Nasser fechou novamente as hidrovias para embarcações israelenses, expulsou as forças de paz da ONU e mobilizou tropas ao longo de sua fronteira com Israel.

Egito e Síria ativaram um pacto de defesa mútua, e a Síria reuniu tropas nos 64km de sua fronteira com Israel. Os sírios ocuparam o território elevado, incluindo as Colinas de Golã, as quais vinham fortificando há dezoito anos. Enquanto isso, a nação da Jordânia havia destacado dez de suas onze brigadas para defender seu densamente povoado território na Cisjordânia, bem como a Cidade Velha de Jerusalém, com o Monte do Templo e outros lugares sagrados que há muito haviam sido negados aos judeus.

Na manhã de 5 de junho de 1967, pequenas frotas de jatos israelenses decolaram de bases em sua terra natal. Sua Força Aérea havia acumulado amplo reconhecimento de todas as bases aéreas no Egito, Jordânia e Síria. Os pilotos deixaram o espaço aéreo de seu país e voaram a quinze metros sobre o Mar Mediterrâneo. Eles sabiam que seus oponentes egípcios estavam em alerta ao amanhecer, mas agora, às 7h45 da manhã, a maioria dos líderes militares e políticos do alto escalão egípcio estaria presa nos notórios engarrafamentos do Cairo e, portanto, estariam fora de contato.

Ainda assim, oficiais egípcios posicionados na estação de radar no norte da Jordânia captaram a agitação das aeronaves israelenses. Eles enviaram uma mensagem de alerta vermelho para o Cairo. O oficial na sala de decodificação do comando supremo tentou decifrar a mensagem usando o código usual, mas falhou. Os jordanianos evidentemente haviam mudado suas frequências de codificação no dia anterior e haviam negligenciado informá-lo aos egípcios.

Pilotos israelenses bombardearam mais de 300 aviões de caça egípcios e tornaram as pistas do país inutilizáveis. Em ataques separados, seus irmãos pilotos eliminaram dois terços do poder aéreo sírio e a maior parte da Força Aérea Real da Jordânia. Tropas terrestres israelenses enfrentaram as forças do exército egípcio no deserto do Sinai, os sírios nas Colinas de Golã e os jordanianos na Cisjordânia e na Jerusalém Oriental.

Em 11 de junho, um cessar-fogo foi assinado. Israelenses perderam menos de 1.000 combatentes, enquanto as forças árabes perderam 20.000 soldados. Os israelenses consideraram isso um milagre de proporções bíblicas; sua nação havia esmagado seus inimigos ao norte, leste e sul, triplicando seu território.

Agora, pela primeira vez em dezenove anos, os judeus podiam acessar o Muro das Lamentações — feito de calcário, o antigo segmento de um muro de contenção para o segundo Templo Judaico, que foi construído por Herodes, o Grande, cerca de duas décadas antes do nascimento de Cristo.

Acima dele estava o Monte do Templo, uma enorme praça retangular construída para o templo, suas dependências e suas multidões de adoradores. Este é o templo que Jesus e seus discípulos conheceram. Ele foi destruído pelos romanos em 70 d.C., restando apenas a seção do Muro das Lamentações. O Muro é considerado sagrado para judeus e muçulmanos por causa de sua proximidade com a Pedra Fundamental, reverenciada como o lugar onde Deus criou o primeiro homem, Adão, e onde o patriarca Abraão se preparou para sacrificar seu filho, Isaque, antes que Deus o impedisse. Após o surgimento da nova religião do Islã no século VII, a Mesquita de Al-Aqsa foi construída no local do antigo Templo Judaico, enquanto o Domo da Rocha, cuja famosa cúpula de ouro maciço ainda define o horizonte da Jerusalém moderna, foi construído em 691 para comemorar o local de onde o profeta Maomé ascendeu ao Paraíso.

Para os judeus, o segmento do Muro Ocidental era o lugar mais próximo do antigo Santo dos Santos do seu templo destruído. Era seu local sagrado de orações, lágrimas e devoção a Deus. Mas eles não conseguiam acessá-lo, e sua tristeza pela perda designou o lugar como um lugar de choro, ou o Muro das Lamentações.

Agora, com Jerusalém novamente sob a soberania israelense, os judeus proclamaram que o Muro Ocidental deveria ser um lugar de celebração geral em vez de luto. Três dias após sua vitória, o exército judeu deu um rápido alerta e então arrasou a Quadra Marroquina, um bairro muçulmano de 770 anos com 135 casas frágeis e um labirinto de becos escuros que bloqueavam o acesso ao seu Muro. Isso criou uma praça aberta onde os judeus agora podiam se reunir.

A Guerra dos Seis Dias não foi, de forma nenhuma, a última palavra na complicada história de Israel e nos angustiantes problemas que circundam suas fronteiras para israelenses, palestinos, judeus, muçulmanos e cristãos. Porém, em 1967, muitos cristãos americanos viram a conclusão da guerra como um cumprimento dramático da profecia bíblica. A nação de Israel enfrentar — e esmagar — os exércitos muito maiores do mundo árabe era uma versão moderna da história de Davi e Golias e um sinal de que a história humana estava chegando ao fim. Recapturar Jerusalém pela primeira vez em 2.000 anos parecia ser um cumprimento direto de Lucas 21.24: *"Até que os tempos dos gentios se completem, Jerusalém será pisada por eles"* (ênfase acrescida).

Muitos pastores apontavam para complexas profecias do Antigo Testamento que acreditavam terem sido cumpridas pelos eventos de 1967. Eles exortavam seus rebanhos com renovada urgência: a Bíblia era verdadeira, sua interpretação da história humana era real e relevante, Jesus retornaria em breve e, nestes "últimos dias", a evangelização era mais imperativa do que nunca.

Elisabeth Elliot não observou nada sobre os judeus em seu diário. Mas então seu velho amigo Cornell Capa teve uma ideia maluca... e se ele e Elisabeth fizessem uma matéria para a revista *Life* e um livro para a Harper & Row sobre o primeiro período sagrado de Jerusalém desde que seus locais sagrados haviam sido libertos pela Guerra dos Seis Dias?

O agente de Elisabeth, Bob Lescher, aconselhou-a dizendo que um livro sobre Jerusalém poderia ser um ótimo pano de fundo para escrever sobre sua própria fé, embora ele tivesse suas dúvidas sobre ela fazer isso em um livro cujo conteúdo seria ditado pela fotografia.

Entrementes, Elisabeth duvidava que uma oportunidade tão histórica realmente se concretizaria. Ela continuou com sua vida, procurando um apartamento em Manhattan. Ela sempre amou visitar Nova York: por que não morar lá? Na sua casa, houve resistência. "Van não parece capaz de se alegrar comigo. Quando as coisas parecem estar indo bem para mim, ela sente mais do que nunca sua própria insegurança e incerteza." Porém, pensou Elisabeth, "quero mais do que tudo viver nesta cidade empolgante, e preciso encontrar algum lugar". (Ela estava procurando um apartamento de dois quartos no Upper East Side por um aluguel mensal de 125 dólares.)

Um amigo que estava servindo como missionário na Itália visitou Elisabeth. "[Seu] casamento está naufragando, com uma colega missionária (uma garota) de 23 envolvida. Ele tem sete filhos. O divórcio é permitido por Deus? O que ele deve fazer? De todo modo, a garota agora está noiva, de outra pessoa. Irônico que eu, neste momento específico, seja a pessoa procurada para aconselhar. Mas foi um exercício salutar para mim, lidar com a questão por outra pessoa."

Elisabeth não encontrou seu apartamento em Nova York. O que ela encontrou foi um telegrama de um Cornell Capa exuberante, o qual estava em Tel Aviv. "JERUSALÉM MARAVILHOSA, SITUAÇÃO DE MORADIA E ESCOLA FAVORÁVEL, CONSIDERE LIVRO SEM IMAGENS, LIGUE PARA [MEL] ARNOLD."

Mel Arnold, o fiel editor de Elisabeth, estava a favor da ideia. Ele estava disposto a financiar a viagem de Elisabeth e lhe dar um adiantamento em troca de um livro sobre Jerusalém. "É um risco muito bom para a Harper e para você", disse ele a Elisabeth.

Mais tarde, Elisabeth falou com Cornell. "Se você for a Jerusalém, estará me fazendo um favor", ele lhe disse. "Acho que será um favor para você também. Isso tem sido o que tenho chamado de meu 'plano secreto para Elisabeth Elliot' — sei que você ficará terrivelmente estimulada pela experiência. Sei que você fará um bom livro, mas precisa de tempo para reflexão silenciosa e absorção; quero que você se liberte do padrão de livros do passado, para aprender sua própria flexibilidade como escritora."

A ideia de se libertar de padrões criativos do passado atraiu Elisabeth. Talvez ela também considerasse a proposta uma bem-vinda distração de suas preocupações com o ainda inatingível Addison Leitch. Em poucos dias, a Harper & Row preparou um contrato para o livro sobre Jerusalém, provisoriamente intitulado *Furnace of the Lord* ["Fornalha do Senhor"]. (Baseava-se em um trecho de Isaías 31.9: "O SENHOR, cujo fogo está em Sião e cuja fornalha, em Jerusalém". Em vez de levar Val consigo para frequentar a escola em Israel temporariamente, como havia pensado a princípio, Elisabeth decidiu que Val ficaria mais confortável se permanecesse com Van em sua própria casa e entre seus próprios amigos da escola. Antes de partir para Jerusalém, Elisabeth foi à inauguração de uma exposição de fotos em Nova York que Cornell havia organizado. Suas observações dão um esboço resumido da moda dos anos 60. "Que espetáculo!", ela escreveu. "Não apenas as fotografias (ótimas), mas as pessoas. Os exibicionistas, os moderninhos [...] e as grandes damas, os sofisticados, os ambiciosos, os esperançosos e os desiludidos. Mulher em traje rosa pseudo-russo, meia-calça e botas rosa, chapéu preto de pele. Garota em saia justa de trinta centímetros de comprimento com zíper largo na frente. Outra com cabelo cortado estilo joãozinho, aplicação de renda preta no vestido, aparentemente sem nada por baixo. Homem em calças listradas de azul e vermelho e corte de cabelo à la Christopher Robin. Outra com cachos longos, abaixo dos ombros. Garota com o que parecia ser uma bata de maternidade e sem saia nenhuma. Mulher em pijama preto folgado e pantufas prateadas."

Para a decepção de Elisabeth, Cornell a informou de que não iria a Jerusalém com ela.

Na manhã de sua partida para o Oriente Médio, ela acordou às quatro da manhã "imaginando que raios eu <u>farei</u> em Jerusalém. Que missão absurda eu aceitei, quando se para pra pensar".

"2 de outubro de 1967. A bordo do Al Italia n. 633, 22h, rumo a Londres, Roma, Tel Aviv. Tudo parece estranhamente irreal, apesar das crianças italianas e das vovós, gritando e gesticulando, tudo em italiano."

A viagem de dezenove horas teve três escalas. Primeiro, em Londres, Elisabeth deu uma volta rápida pela cidade em um ônibus britânico com um "motorista que parecia um Beatle". Em Roma, ela conheceu o máximo que pôde ser visto em quatro horas. Em Atenas, ela simplesmente se sentou exausta no aeroporto, ouvindo um grande grupo de idosos "se divertindo e discutindo o melhor tipo de graxa de sapato para viajar". Finalmente, após a sexta refeição de sua viagem, ela pousou em Tel Aviv, "tão morta, tão solitária por um rosto familiar, aterrorizada diante da tarefa que me espera".

Em tais condições, ela chegou ao American Colony Hotel em Jerusalém. Ele foi construído originalmente no final do século XIX por um *paxá* otomano que lá vivia com seu harém de quatro esposas. Cada uma tinha sua própria ala. Contudo, talvez a quarta esposa tenha sido demais; logo após o casamento, ele morreu. A propriedade foi então vendida em 1895 para um grupo de cristãos messiânicos liderados por um certo Horatio Spafford, o cristão que escreveu o comovente e pungente hino "It Is Well with My Soul"[1] depois que quatro de seus filhos se afogaram no mar. O prédio foi finalmente vendido para o avô do famoso ator britânico Peter Ustinov no início do século XX e transformado em um hotel. Fiel à sua história, ele tendia a atrair todos os tipos de hóspedes pitorescos.

Elisabeth se sentiu ligeiramente mais esperançosa na manhã seguinte. Enquanto bebia uma xícara de café forte no café da manhã, ela ouviu um distinto cavalheiro britânico, também hóspede do hotel, conversando com um turista americano que visitaria o Muro das Lamentações naquele dia. "Por favor, faça um pequeno lamento por mim, certo?", ele pediu. Elisabeth descobriu mais tarde que aquele era Malcolm Muggeridge.

Talvez extraindo algum tipo de energia do distinto escritor, Elisabeth Elliot fez malabarismos com seus cadernos, sua câmera e sua mente, e voltou seu rosto para Jerusalém.

Ela ficou lá por dez semanas, em uma cidade antiga repleta de peregrinos, coroada com profecias, cheia de mistério. "Este é o ponto no planeta Terra para o qual o Senhor Deus olhou e disse: 'Eu irei para lá'. E, em carne e osso, como um judeu comum, ele veio."

---

1 N. T.: Em português, "Sou feliz com Jesus, meu Senhor" (Hinário para o Culto Cristão n. 329).

CAPÍTULO 18
A DOURADA JERUSALÉM

"Cada acontecimento, grande ou pequeno, é uma parábola pela qual Deus fala conosco; e a arte da vida é entender a mensagem."
— Malcolm Muggeridge

Nas dez semanas seguintes, Elisabeth tomou inúmeras xícaras de chá ou café adoçado com todos, desde a abadessa da Igreja Ortodoxa Russa no Getsêmani até judeus sefarditas que emigraram da Espanha para Israel. Ela visitou o bispo episcopal do Líbano, Síria e Jordânia, o presidente da União das Mulheres Árabes e o prefeito de Jerusalém. Ela teve uma longa e íntima discussão com uma freira escocesa-irlandesa da Congregação das Irmãs de Nossa Senhora de Sion, em seu convento no extremo leste da Via Dolorosa. Sua ordem era dedicada ao povo judeu, disse ela a Elisabeth; "Mas, oh! Meu coração sangra pelos árabes!"

Um homem árabe se agarrou a Elisabeth no mercado. Ele sorriu, praticou seu inglês, e disse a ela que tinha olhos azuis por ser descendente dos cruzados. Gostaria de um tour pelos lugares sagrados? "Não", ela disse. Ele continuou. "Você gosta de uma massagem? Eu sou massagista. Especializado em mulheres." Ela disse a ele para deixá-la em paz, ele informou que ela lhe devia dinheiro pelo seu tempo, e ambos levaram o problema a um policial confuso, que os encorajou a seguirem caminhos separados. Mais tarde, Elisabeth viu o "massagista" acompanhando uma mulher americana mais velha e abastada ao redor de seu hotel.

Elisabeth foi ao Yad Veshem, o museu que homenageia os que morreram no Holocausto. Ela contemplou horrorizada os restos mortais de vidas perdidas nas cinzas dos campos de concentração. Parou diante do recém-liberado Muro das Lamentações, no lugar designado para ela com as mulheres, e observou multidões de homens balançando, chorando e se curvando em oração. Visitou a sombria Igreja do Santo Sepulcro, empurrada para um lado e para o outro pelas multidões de peregrinos frenéticos. Retirou-se para a tranquilidade pacífica da Tumba do Jardim. Foi para a Galileia com representantes da Visão Mundial. Falou em um retiro de mulheres batistas do Sul, que se reunia, improvavelmente, em um convento católico. Foi a um bar mitzvah com amigos judeus, depois ao teatro e a um coquetel. Foi a Jericó, Massada, Túmulo de Absalão, Belém, Nazaré e Ramallah. Com uma multidão de cem mil pessoas lotando as ruas da Cidade Velha, acompanhou o primeiro "Desfile dos Pergaminhos" desde que os judeus assumiram o controle de Jerusalém. Foi a uma recepção das Nações Unidas. Foi até o Monte do Templo, visitou a Mesquita de El Aqsa e o Museu Islâmico. Visitou pequenas aldeias árabes que haviam sido bombardeadas e tomou chá com líderes judeus. Foi recebida em quartos pobres e escuros sem água encanada nas passagens sinuosas da Cidade Velha, bem como em casas bem equipadas tanto de judeus como de árabes.

Foi um período colorido, complicado, empolgante, confuso e solitário para Elisabeth. Ela cresceu pensando em uma Jerusalém brilhante e dourada, a peça central do plano final de Deus. Cantou hinos sobre uma "Jerusalém dourada, agraciada com leite e mel".[1] Pensava na cidade como o local do julgamento, crucificação e ressurreição de Jesus, e o lugar que em última instância se faria novo, em sua plenitude, no livro do Apocalipse. Ela sabia de seus conflitos, de sua importância para a tradição muçulmana, bem como para a história judaica. Agora, porém, estavam lhe dizendo que já era uma nova Jerusalém. "A profecia está se cumprindo!", diziam-lhe amigos cristãos. "Jerusalém está redimida. É algo maravilhoso o que está acontecendo lá."

Jamais sendo o tipo de pessoa que surfa uma onda dramática, Elisabeth escreveu: "As profecias bíblicas sobre o novo céu e a nova terra me eram obscuras, mas intrigantes; e, se de fato os acontecimentos [...] em Jerusalém sinalizavam o começo do fim — se o retorno de Cristo estivesse próximo — eu talvez devesse vê-los".[2]

Elisabeth foi primeiro ao Muro das Lamentações com o guia que Cornell Capa lhe havia arranjado, um israelense chamado Moshe. Eles seguiram uma multidão de pessoas em direção à praça aberta, que estava inundada por uma luz solar ofuscante.

---

[1] N. T.: Referência ao primeiro verso da versão inglesa do hino de Bernardo de Cluny, monge beneditino francês do século XII. Uma versão em português se encontra no Hinário para o Culto Cristão (n. 579), cujo primeiro verso é: "Jerusalém excelsa, gloriamo-nos em ti".
[2] As citações de Elisabeth sobre Jerusalém neste capítulo são de seu livro, *Furnace of the Lord: Reflections on the Redemption of the Holy City*, Hodder and Stoughton, reproduzidas da edição americana mediante acordo com a Doubleday and Company, Nova York, 1969.

A DOURADA JERUSALÉM

Ao pé do enorme Muro, ela viu uma massa de homens vestidos de preto e branco, balançando suas cabeças para frente e para trás, apoiando suas cabeças nas pedras, chacoalhando e parando em reverência. "Da multidão surgiu uma cacofonia de vozes — um grito, um lamento, um rugido, uma canção — era tudo isso ao mesmo tempo, talvez não fosse nada disso, pois os homens estavam [...] orando. O chamado do muezim, vindo de uma mesquita com vista para a praça, não os perturbou em nada."

A educação bíblica de Elisabeth lhe trouxe à mente as palavras de Deus a Salomão. Salomão construiu seu templo neste local no século X antes de Cristo. Deus lhe apareceu à noite e disse: "Estarão abertos os meus olhos e atentos os meus ouvidos à oração que se fizer neste lugar. Porque escolhi e santifiquei esta casa, para que nela esteja o meu nome perpetuamente; nela, estarão fixos os meus olhos e o meu coração todos os dias" (2Cr 7.15–16).

Ela refletiu sobre o profundo amor dos judeus por aquele lugar, a indignação deles por terem sido privados dele por tanto tempo. Pensou nos árabes cujas pequenas casas haviam sido destruídas para limpar aquela praça.

Moshe a deixou para outro compromisso, e Elisabeth voltou sozinha para seu hotel. Ela ponderou sobre o que tinha visto. Ela tinha lido a Bíblia a vida toda; sabia que Israel havia sido escolhido por Deus para ser um povo para si... "Para mim, não havia surpresa nas vitórias de Israel. Estava tudo nas cartas, isto é, no Livro. Tudo o que eu sabia sobre o que tinha acontecido em junho se encaixava perfeitamente na minha crença em milagres."

"Para o árabe cuja casa agora é um espaço vazio, parece que Deus está do lado de Israel... Eu queria saber se Israel estava do lado de Deus." Ela pensava nas exigências de justiça do Antigo Testamento. Tudo tão complexo; quais eram as respostas para os problemas neste pedaço de terra? Isaías escreveu: "O fogo [do Senhor] está em Sião e [sua] fornalha, em Jerusalém" Sim, escreveu Elisabeth; e "se todos os fogos acesos ali foram ou não de Deus, só ele sabe, mas foram muitos. Egípcios, jebuseus, hebreus, babilônios, romanos, árabes, turcos, bretões e israelenses já chamaram a cidade de sua".

Poucos dias depois, Elisabeth foi à Catedral de São Jorge. O primeiro hino que a congregação cantou foi "Jerusalem the Golden", e a Escritura para o dia vinha do Evangelho de Lucas: "Bendito seja o Senhor, Deus de Israel, porque visitou e redimiu o seu povo [...] para nos libertar dos nossos inimigos [...]".

O bispo que leu essas palavras era árabe. A congregação era composta por árabes e pessoas de outros países.

Depois, Elisabeth não conseguia se lembrar do que se tratava o sermão. Ela estava pensando sobre "o povo do Senhor" e seus "inimigos", perguntando-se quem era quem.

Ela pensou sobre como, durante a maior parte de sua vida, ela tinha feito suposições sobre tais coisas, sem realmente investigar.

Um bispo árabe se solidarizou com Elisabeth — como ela discerniria a "verdade" sobre Jerusalém e escreveria seu livro? "Eu sou um árabe e um refugiado. Eu falo o que acredito ser 100% verdade. Se você falar com um rabino judeu, ele falará o que ele acredita ser 100% verdade. Se eu fosse você, eu me colocaria de joelhos pedindo por uma revelação."

Isso não foi particularmente encorajador, pois Elisabeth já estava perplexa sobre como escreveria seu livro.

Ela encontrou um velho que balançava alegremente uma cesta azul. Ele se sentou na grama, na sombra, estendeu um grande lenço no chão e começou a cantar para si mesmo. Colocou sobre ele um pouco de pão e água. Sua canção era uma melodia árabe aguda e trêmula que fez Elisabeth concluir que ele era um Mizrahi, ou judeu oriental. Ele sorriu e acenou para ela se juntar a ele na grama. Ela sorriu de volta e balançou a cabeça. Ele seguiu cantando.

"Paz e guerra — e paz novamente. Tristeza e alegria — e tristeza. Esta era Jerusalém."

Uma noite, Elisabeth foi ao Muro das Lamentações para Simhat Torá, o mais feliz dos dias santos judaicos. Havia grupos de homens gritando loucamente enquanto desfilavam enormes pergaminhos da Torá. Eles dançavam em círculo, os braços em volta dos ombros uns dos outros, gritando e cantando louvores do Livro. Bem próximo, mulheres judias orientais se lamentavam na penetrante ululação árabe de alegria ou tristeza, ocasionalmente gritando "aleluyah" enquanto lágrimas escorriam por suas bochechas escuras. Crianças cavalgavam nos ombros de seus pais, rindo com a empolgação de tudo aquilo.

Elisabeth pensou em sua própria infância. Certamente não havia muita ênfase na pura felicidade humana. "Nossas reuniões eram cuidadosas, silenciosas e controladas. A 'alegria do Senhor' era para nós algo profundo e sério, não relacionado a nenhuma celebração, muito menos dança."

A celebração continuou rugindo. Um belo jovem judeu tinha um tambor árabe em forma de ampulheta que começou a bater com as pontas dos dedos. Os jovens começaram a girar em uma nova dança, "rodando e balançando no ar frio da noite, as estrelas acima deles [...] e nenhum som, exceto o ritmo forte e duro do tambor e o suave bater de seus pés na terra compactada".

"Senti que uma porta enorme havia sido aberta de repente, onde eu nem sabia que uma porta existia. Ali estava uma revolução de alegria. E era alegria judaica, as selvagens e sinceras boas-vindas de um povo à Palavra escrita. Esta Palavra — caracteres hebraicos em pergaminho, amorosamente copiados, cuidadosamente preservados, lindamente exibidos — tinha sido o centro de sua dança, o tema de suas canções."

Mais tarde, ela tomou chá com uma mulher árabe que queria viver em coexistência pacífica com os judeus. Mas durante o bombardeio e a artilharia israelense da Guerra dos Seis Dias, no meio do terror, da poeira e da fome, ela se deitou no chão com seus filhos, cobrindo suas cabeças de terror. Ela disse a Elisabeth: "Minha vizinha libanesa, também cristã, levantou a cabeça do chão uma vez e me disse: 'Deus não existe. Se existir, ele é judeu'".

Um dia, Elisabeth contratou um garotinho para lhe mostrar o caminho para o Domo da Rocha. Ela se encantou com a "maravilhosa simetria da Mesquita encimada por seu domo dourado suavemente brilhante... espaço, luz, silêncio, beleza e paz". Ela cruzou até a entrada principal, que era guardada por dois soldados israelenses. Deixou seus sapatos perto da porta e entrou. Ela estava sozinha no vasto domo, exceto por um homem árabe. Elisabeth observou enquanto ele silenciosamente se curvava ao chão, se levantava e se ajoelhava em oração silenciosa: "'Não há Deus senão Deus, e Maomé é seu profeta', ele poderia estar dizendo. 'Abaixo do céu não existe nenhum outro nome, dado entre os homens, pelo qual importa que sejamos salvos', eu estava pensando; e para mim esse nome não era Maomé, mas Jesus Cristo".

Ali estava ela, uma cristã, em um templo muçulmano. "Mas era um templo erguido para a glória de Deus — o único Deus — e, enquanto eu observava o adorador a sós com ele, eu sabia que era melhor não me exercitar em questões grandes demais para mim."

Agora, a imagem que ela levava embora daquela "cidade dourada" de suas suposições de infância era infinitamente mais complexa. Mas ainda era dourada.

Certa manhã, Elisabeth caminhava no Monte das Oliveiras enquanto os galos começavam a cantar. As oliveiras nas encostas em socalcos suavemente se tingiam de ouro verde, os sinos de uma dúzia de igrejas badalavam as seis horas. Elisabeth pensou em Pedro negando a Cristo antes que os galos de sua época cantassem na manhã da morte de Jesus. Ele disse que não o conhecia. E então Jesus, amarrado, virou-se e olhou para ele.

Elisabeth conhecera um padre holandês na vizinha Igreja de São Pedro em Gallicantu, originalmente estabelecida em 457 d.C. para comemorar a miserável negação de Pedro e seu vivificante arrependimento. O padre dissera a Elisabeth o quanto aquele momento nas Escrituras comovia sua alma. "Somos humanos, como Pedro, e propensos a cometer erros. Mas há aquele olhar, aquela esperança. Será que você poderia levar de Jerusalém alguma lembrança melhor do que saber que, aqui, Jesus se virou e olhou para você?"

Elisabeth pensava agora nas palavras simples do padre e como elas a atingiam profundamente. "Somos julgados pelo fenômeno de Jerusalém. Em cada ponto encontramos a nós mesmos. Achamos um espelho em cada esquina. Julgamos os outros e nos vemos julgados." O juízo do Senhor será como um fogo que refina, mas "[q]uem pode dizer que transformações sairão do fogo?" Pois no final, a misericórdia de Deus está disponível para todos.

Elisabeth olhou para o vale. "À medida que o sol subia alto o suficiente para lançar seus raios através do topo da montanha sobre a cidade de Jerusalém, vi primeiro um ponto de rosa profundo na prata do domo de El Aqsa; em seguida, as janelas do Bairro Armênio flamejaram todas de uma vez; e, depois disso, todas as torres, minaretes, domos e cubos da cidade foram varridos de dourado."

Após suas dez semanas na "fornalha" de Jerusalém, Elisabeth voltou para casa. Ela mal podia esperar para ver Val, dormir em sua própria cama, ler, pensar e tentar processar tudo o que tinha visto no Oriente Médio.

Talvez suas experiências em Israel tenham aumentado sua gratidão e seu desejo de construir e cultivar relacionamentos. Quando Elisabeth voltou para casa em New Hampshire, ela escreveu em seu diário: "Não tenho palavras para agradecer por tudo o que tenho agora em termos de abundante conforto físico, excelente saúde, paz neste país e, acima de tudo, o amor e uma nova compreensão e apreciação dele. Não tenho apreciado nem cultivado o bastante a amizade, mas parece que, de certa forma, a vida realmente começa aos 40, e estou cheia de alegria".

CAPÍTULO 19
1968

"Antes que os líderes de massa tomem o poder de ajustar a realidade às suas mentiras, sua propaganda é marcada por seu extremo desprezo pelos fatos enquanto tais, pois, na opinião deles, os fatos dependem inteiramente do poder do homem que pode fabricá-los."
— Hannah Arendt

A maioria das histórias do século XX chama 1968 de um "ponto de virada" para os Estados Unidos. Foi certamente um ponto de virada na vida de Elisabeth Elliot, mas não por causa dos horrores da guerra, assassinatos, agitação social e mudança cultural que abalaram a América.

No início de 1968, havia mais de meio milhão de militares dos EUA em serviço no Vietnã. O recrutamento convocava 40.000 jovens para o serviço militar a cada mês, lançando-os em um conflito que começara como um esforço para conter a disseminação do comunismo no sudeste da Ásia.

Em janeiro, a Ofensiva do Tet iniciada pelo Vietnã do Norte — uma das campanhas mais famosas e horrendas da história militar moderna — explodiu por todo o Vietnã do Sul com massacres, emboscadas, assassinatos e milhares de baixas civis.

Sete missionários americanos que trabalhavam em um leprosário em Ban Me Thuot, nas Terras Altas do Centro do Vietnã, foram mortos pelos vietcongues naquela ofensiva. Vários deles haviam sido encorajados a trabalhar em meio a tribos indígenas pela influência de Jim Elliot e dos outros missionários martirizados no Equador em 1956. Agora, eles deram suas próprias vidas pelo bem do evangelho e pelo cuidado da tribo montanhosa a qual serviam.

Embora os comunistas tenham sofrido enormes perdas, a Ofensiva do Tet foi um ponto de virada em uma guerra terrível. Pela primeira vez, muitos que apoiaram o envolvimento dos EUA no Vietnã agora viam que esta era uma guerra que a América não venceria. Veteranos americanos feridos jogaram fora suas medalhas de guerra. Manifestantes estudantis invadiram prédios acadêmicos em seus campi.

Entrementes, já haviam se passado quase cinco anos desde que o Dr. Martin Luther King proferira seu visionário discurso "Eu tenho um sonho" para um quarto de milhão de pessoas em Washington, no qual ele pedia o fim absoluto do racismo e direitos civis e econômicos para afro-americanos.

No início de abril, o Dr. King foi assassinado, para o horror, desespero e revolta da nação. Houve tumultos nos centros das cidades por toda a América. Tanques rolaram pelas ruas dos EUA. O presidente Johnson assinou a Lei dos Direitos Civis, que ampliou as regras antidiscriminatórias anteriores.

Os americanos se aventuraram no espaço mais do que nunca, com a *Apollo 8* orbitando a lua.

Um fenômeno cultural conhecido como "Jesus Movement" ["Movimento de Jesus"] cresceu na Costa Oeste e se espalhou para o leste, à medida que multidões de hippies que não encontraram paz e verdade nas drogas, sexo, rock and roll ou nas religiões orientais agora abraçavam Jesus como seu Salvador.

Elisabeth Elliot observou algumas dessas marés culturais em seu diário e em suas cartas. Ela comentava sobre modas como minissaias e jeans azul — as quais lhe davam arrepios — enquanto continuava a usar o que usava há anos. Ela às vezes mencionava o que considerava a inanidade das repetitivas canções de louvor contemporâneas cantadas no grupo de jovens cristãos de Val, mas os Beatles, Rolling Stones e rock and roll não estavam em seu radar. Ela preferia música clássica e atemporal, e quem não concordava com seu gosto era simplesmente vulgar.

Elisabeth era mais afetada pelo que estava *lendo* do que pelo que estava *acontecendo* no mundo ao seu redor. Então, nos anos 1960, quando ela se referia à Guerra do Vietnã, por exemplo, era no contexto da leitura do livro de Mary McCarthy sobre o assunto.

Elisabeth escreveu para sua família: "Se algum de vocês não tem certeza do que pensar sobre o Vietnã, leia Vietnam, de Mary McCarthy".

Uma talentosa escritora e comentarista social, McCarthy era mais conhecida por *O grupo*, seu best-seller do *New York Times*, a história de oito afluentes mulheres graduadas na década de 1930 na Universidade de Vassar, suas aventuras sexuais, lutas contra a misoginia no local de trabalho, criação de filhos e seu lugar numa América dominada por homens em meados do século XX.

No início de 1967, Mary McCarthy foi ao Vietnã. Ela talvez não fosse a mais objetiva das observadoras. Como escreveu em seu livro, "Confesso que quando fui ao Vietnã [...] eu estava em busca de conteúdo prejudicial aos interesses americanos, e o encontrei, embora muitas vezes por acidente ou por meio de informações mencionadas por algum oficial".[1]

A princípio, Elisabeth concluiu e escreveu para sua família que o livro de McCarthy era "Um relatório lúcido, por uma profetisa moderna, que expõe as coisas à clara luz — algo que você nunca obterá de jornalistas ou políticos, nem em um milhão de anos. Como sei que ela está dizendo a verdade? Soa verdadeiro, e quase todas as palavras que ela diz se aplicam igualmente ao programa missionário cristão, que é inquestionavelmente um produto do americanismo do século XX. Mas 'quem creu em nossa mensagem?'"[2]

A julgar por seus registros de diário, Elisabeth teria sido considerada uma pacifista se quiséssemos categorizá-la. Porém, para ela, o Vietnã era um estudo de caso sobre a necessidade de rejeitar, em vez de aceitar inquestionavelmente, a versão da Verdade do Establishment.

Assim, as opiniões e conclusões de McCarthy sobre o Vietnã reforçaram a desconfiança de Elisabeth, agora bem arraigada, na Máquina Evangélica. Se os críticos sociais acusavam o governo dos EUA de deflacionar os números de tropas americanas mortas no Vietnã, Elisabeth relacionava isso à sua própria experiência de agências missionárias dos EUA inflando os números de convertidos no campo missionário. O establishment manipulava os fatos para seus próprios fins. Isso precisava ser denunciado.

Na mesma época, Elisabeth estava lendo *Eichmann em Jerusalém: Um relato sobre a banalidade do mal*, da escritora Hannah Arendt, amiga íntima de Mary McCarthy. O livro se concentrava em Adolf Eichmann, um dos vilões mais notórios da Segunda Guerra Mundial por sua administração da "Solução Final".

Ao ler o livro de Arendt, Elisabeth se questionava, como milhões têm feito, como o povo alemão não viu o que estava acontecendo em sua nação sob a agenda nazista. Por que os judeus não resistiram? Por que o resto do mundo ficou em

---

1 http://www.nybooks.com/articles/1967/04/20/report-from-vietnam-i-the-home-program/.
2 EE, "Carta à família", janeiro de 1968.

silêncio? Como um mal tal grosseiro poderia parecer tão comum, tão banal? Elisabeth associou a questão da indiferença social de Arendt com o livro de William F. Buckley, *The Unmaking of a Mayor* ["A desconstrução de um prefeito"] — um retrato da atmosfera política dos Estados Unidos em meados da década de 1960. Para Elisabeth, ambos ilustravam "a absoluta impossibilidade de persuadir as pessoas da verdade. A verdade simplesmente não interessa ao público em geral".[3]

Por volta da mesma época, Elisabeth exaltou a escrita da romancista e crítica cultural Susan Sontag. "Estou lendo *Contra a interpretação*, de Susan Sontag, e encontrar tamanho poder de lógica e expressão impecável me faz perguntar o que, em nome do céu, estou fazendo tentando ser escritora! Por que não fazer as malas e deixar o campo para os especialistas? Então, é claro, eu dou uma olhada no campo evangélico e estremeço. Deixá-los assim? Sem uma voz ou uma visão?"

"Não quero ficar calada diante deles, então continuarei tentando aprender o máximo que puder com pessoas como Sontag e [Mary] McCarthy... e escrever o que vejo. Então, Deus me ajude!"

Além de suas raízes nas Escrituras, Elisabeth foi profundamente afetada por esses escritores seculares que ela admirava. Ao ficar mais velha, ela não necessariamente concordaria com suas conclusões progressistas. Porém, no final dos anos 1960, ela sentia que escritores "mundanos", aqueles que ela crescera considerando enviesados e perigosos, frequentemente observavam as coisas com mais honestidade do que escritores cristãos que não conseguiam produzir uma obra que não promovesse uma agenda preconcebida, uma que embelezasse a aparência de Deus.

Com esse combustível, Elisabeth procurou "falar a verdade" ao escrever seu livro sobre o que tinha visto em Jerusalém no outono de 1967.

Isso lhe traria problemas.

A temperatura na Francônia não lembrava particularmente a do Oriente Médio. Lá fora fazia 34 graus negativos, com 60 centímetros de neve cobrindo a propriedade de Elisabeth. Ela atiçou o fogo na lareira e voltou sua mente para Jerusalém. Ela rolou dezenas de fichas 3 x 5 em sua máquina de escrever manual, com vários títulos de tópicos como: "história", "religião", "mística", "atitudes

---

3 EE para "Queridíssima mãe e demais", 26 de fevereiro de 1968.

israelenses", "atitudes árabes", "definições" e "problemas do novo estado". Sua meta era escrever cinco páginas por dia. Seu manuscrito deveria ser entregue à Harper, sua editora, no final de abril.

Elisabeth sentiu a constipação mental que geralmente acompanhava sua escrita. O que piorava esse bloqueio criativo era o fato de que o material não lhe parecia atraente. Ela sabia o que tinha visto em Israel; era simplesmente uma questão de colocar suas palavras no papel. Mas, como ela escreveu em seu diário, "o livro sobre Jerusalém nem sempre me <u>interessa</u>, muito menos me inspira".

Ela foi muito mais loquaz em relação às suas observações sobre a adolescente em desenvolvimento Valerie Elliot, que fizera treze anos em fevereiro.

"Val atingiu um novo pico de absurdo em seus esforços para se enturmar. Eu havia colocado em sua lancheira um pequeno recipiente Tupperware com um pêssego enlatado dentro, com uma colher... Ao chegar em casa, ela explicou que não tinha conseguido comer sua sobremesa, porque ninguém — jamais — era visto trazendo um recipiente de plástico com frutas para sobremesa. Oh, alguém podia trazer uma maçã, uma laranja ou um pedaço de bolo, tudo bem, mas um pêssego? Em calda? Com uma <u>colher</u>? <u>Mamãe</u>!!"

"Querida Val! Ela me disse [...] que vai mudar sua vida — ou seja, estudar mais, praticar piano com mais constância, ser pontual, ser mais cuidadosa etc.'.

"Val passa uma hora prendendo o cabelo à noite e de manhã enxágua a boca com Listerine... Ontem à noite, ela anunciou que não gosta mais de Ronnie e que 'muita gente gostou dos meus novos mocassins.'"

Ainda assim, "Ela está na idade em que a coisa mais importante na vida é enturmar-se com seus colegas. O cabelo deve ser usado da maneira mais feia possível, ou 'todo mundo vai dizer: 'Oh, Val Elliot se acha a melhor'. As roupas devem ter <u>exatamente</u> o mesmo corte, caimento, estilo, cor etc. que as de todos os demais. Livros só podem ser carregados nos braços, o almoço deve ser levado em sacos de papel, nunca em uma lancheira, os capuzes dos casacos nunca devem ser usados, mesmo que faça -50° C, as luvas só podem ser com dedos individuais... É reconfortante lembrar que esta é apenas uma <u>fase</u> (Deus nos ajude se não for!) e que, quanto menos for dito, melhor".

"'Essas calças de esqui são muito largas, mamãe'. (Largas? Parece que ela nem consegue sentar-se com elas, de tão apertadas.) 'Sim, <u>largas</u>. <u>Olhe</u> para elas. A senhora não consegue VER que elas são LARGAS?' Bem. Tudo isso me faz lembrar [...] como era crescer. Oh, meu Deus, que agonia. As mães NUNCA entendem! Mas cada geração deve sofrer sozinha, e há um fim para isso".[4]

"Ah, mamãe!" Val explodiu com sua mãe. "A senhora controla minha vida inteira, e eu não gosto disso!"

Mesmo com seus desentendimentos, Elisabeth e Val eram próximas. Val amava o senso de ordem, beleza, apreciação pela música, arte e literatura que sua mãe incutiu nela. Ela era estimulada pelo senso de aventura de Elisabeth — afinal, mãe e filha viveram em condições exóticas de selva sobre as quais os colegas de classe de Val só conseguiam ler em livros — e amava o profundo amor de sua mãe pela natureza.

Quando a primavera avançou, Elisabeth e Val escalaram até às Cataratas Bridal Veil, uma trilha popular para caminhadas não muito longe de sua casa em Francônia. Em um abrigo, elas cozinharam o jantar: carne e feijão congelados, pão e manteiga, chá e frutas secas. Escovaram os dentes no riacho gelado e agitado. Entraram em seus sacos de dormir e "dormimos com o perfume do abeto em nossas narinas e o rugido do riacho em nossos ouvidos. Choveu um pouco à noite, mas preparamos o café da manhã bem abaixo da beirada do telhado — panquecas, café, açúcar mascavo e manteiga". Então, elas fizeram as malas, caminharam até onde Elisabeth havia deixado o carro e chegaram em casa às nove, "a tempo de fazer nossa faxina de sábado".[5] Óbvio.

Afazeres domésticos à parte, Elisabeth era profundamente afetada pela beleza, quer na natureza, nas artes plásticas, na dança ou na música.

"Suponho que o efeito da beleza na alma de alguém seja tão importante e imperceptível quanto o efeito da luz do sol; e quão privados seríamos se não tivéssemos nenhum dos dois", escreveu ela em seu diário. "Ontem, deitei-me no sofá por quinze minutos sob o sol da tarde que inunda a sala de estar e ouvi aquela linda execução de Adieu Madraz, por Don Shirley, no piano. Não consigo descrever o que isso faz comigo."

"Ontem à noite havia uma enorme lua cheia, iluminando todo o exterior coberto de neve. As sombras das sempre-vivas em frente à casa deitaram puras e transparentes sobre a neve brilhante."

Em um dia frio e claro, com gelo e neve ainda remendando a floresta verde, Elisabeth caminhou sozinha até o abrigo Eliza Brook, um alpendre de madeira

---

4 EE, "Carta à família", janeiro de 1968.
5 EE, "Carta à família", maio de 1968.

bem próximo à Trilha dos Apalaches, nos arredores de Francônia. Alguém havia rabiscado na parede de madeira: "Deus esteve aqui". Estavam certos sobre isso, pensou Elisabeth. Ela comeu seu almoço ao sol, sentada na beirada do chão do abrigo. Acendeu uma fogueira para secar seus sapatos e ficou sentada por duas horas, saboreando o silêncio. Seu fiel cachorro Zippy "vasculhava a floresta, checando mais ou menos a cada dez minutos se eu estava onde deveria estar. Ele é um companheiro tão legal — ele adora fazer essas viagens e parece se deleitar com os cheiros enquanto empurra seu nariz de aspirador de pó por cada centímetro do chão".[6]

O que falta, tanto no rico diário de Elisabeth quanto em suas cartas familiares no primeiro semestre de 1968, são quaisquer reflexões, grandes ou pequenas, sobre Addison Leitch. É como se Elisabeth tivesse decidido omitir rigorosamente o Dr. Leitch de sua escrita até que eles pudessem explorar livremente a atração que sentiam um pelo outro — se é que isso aconteceria um dia.

---

6 EE, "Carta à família", maio de 1968.

CAPÍTULO 20
AS COISAS COMO SÃO

"Porém, jamais pintaremos quadros coloridos para tentar seduzir alguém, quando os fatos são em preto e branco. E se o preto e o branco nunca atraírem como as cores? Não nos importamos com isso; nosso negócio é dizer a verdade. A obra não é algo bonito, para ser olhar e admirar. É uma luta. E campos de batalha não são bonitos."

— Amy Carmichael

Uma noite, o telefone tocou e, quando Elisabeth atendeu, "uma voz masculina pediu para falar com Val". Era um garoto da escola de ensino médio local, mas aquilo fez Elisabeth perceber, com um choque, que sua filha estava crescendo.

"Eu me pego desejando apaixonadamente o cheiro, a sensação, a aparência e a força de um homem. Quero ser abraçada, protegida, querida, amada. "Bem, quem não quer. Mas às vezes pedimos por tudo isso, muito embora o céu seja tudo o que é prometido."

Além da promessa do céu, Elisabeth se consolava com livros e escrita. Ela escreveu para sua família: "Estava relendo hoje a biografia de Amy Carmichael, e fiquei interessada ao descobrir que ela teve dificuldades com seus editores por falar muito diretamente. Será que ela não podia suavizar um pouco? Será que ela entendia o que poderia fazer pela causa? Não lhe ocorreu perguntar o que o público queria. Ela simplesmente queria dizer a verdade. Ela foi acusada de pintar 'apenas o lado negro'. Em vez de mudar *Things as They Are* ["As coisas como são"], ela deixou o [manuscrito] em uma gaveta até que alguns visitantes perguntaram se podiam levá-lo a uma editora na Inglaterra que estaria disposta a publicá-lo sem revisão".[1]

---

1 EE para "Queridíssima mãe e demais", 1º de outubro de 1968.

Poucas semanas após a publicação de seu livro em 1903, Amy Carmichael recebeu cartas de missionários de toda a Índia, confirmando as verdades mostradas em *Things as They Are*. Mas alguns leitores na Inglaterra, acostumados a histórias de vitória e triunfo, duvidaram de sua veracidade. Então, na quarta edição do livro foi incluído um prefácio com endossos de respeitados missionários *homens*. O número de leitores de Amy se multiplicou.

Amy não pintou o trabalho missionário como gloriosamente vitorioso. "Chamamos o trabalho de monótono, e ele é monótono, [...] caros amigos, não [...] esperem ouvir histórias sobre nós fazendo grandes coisas como algo corriqueiro. Nosso objetivo é grande — a Índia para Cristo! — [mas] não esperem que toda história verídica [...] termine com alguma coincidência maravilhosa ou conversão milagrosa. A maioria dos dias na vida real termina exatamente como começou, no que diz respeito a resultados visíveis. [...] Outro dia, li uma história missionária 'baseada em fatos' e, nesse sentido, o que aconteceu naquela história foi muito notável. O mesmo não acontece aqui. A vida missionária prática é algo sem graça. Não reluz por toda parte com incidentes. É prosaica demais, às vezes."[2]

Elisabeth se sentia da mesma forma na selva entre os waorani.

E agora, em sua vocação como escritora, Elisabeth havia assumido a mesma tarefa que sua heroína... simplesmente contar o que tinha visto e ouvido em Jerusalém, contar "as coisas como elas eram" de sua própria perspectiva. "Devo dar testemunho do que sei, e este é um encargo tão sagrado no caso de minhas observações sobre Jerusalém quanto entre os [waorani] (para eles e para o público interessado neles)." Ela não queria que noções preconcebidas ou emoções obscurecessem as questões.

Elisabeth escreveu que, sempre que o sentimentalismo entra em cena, "torna-se quase impossível chegar a questões reais. Lemos livros, assistimos a filmes e visitamos memoriais que nos informam sobre os sofrimentos dos judeus". As evidências horríveis do Holocausto "nos incapacitam", continuou. Levantar qualquer questão séria sobre a ética do sionismo é despertar gritos de "antissemita!" ou acusações de total falta de simpatia ou sensibilidade humana. Poucos de nós conseguem enfrentar tais acusações.

---

2 Citação do diário de Elisabeth: Amy Carmichael, *Things as They Are: Mission Work in Southern India* (1903; reimpressão, Pantianos Classics, 2016), p. 30.

"Mas a verdade simples", continuou Elisabeth, "é que ter passado por um holocausto... não [transforma] indivíduos ou nações em santos. Eles ainda são humanos e devem receber a responsabilidade de humanos". Elisabeth prosseguiu, apontando que o encargo dado por Deus aos hebreus era uma responsabilidade de privilégio — zelar pelo bem-estar do estrangeiro dentro de seus portões, fazer justiça ao peregrino —, e um alerta de que suas promessas dependiam de sua obediência.

Sobre a pergunta mais básica de todas, "Quem é judeu?", Elisabeth não conseguiu encontrar respostas sólidas. Muitos de seus entrevistados simplesmente deram de ombros: "Pergunte a três judeus, obtenha cinco opiniões".

Em um artigo posterior na *Christianity Today*, Elisabeth resumiu sua busca por respostas.

"Israel proclama oficialmente que não é uma questão *racial*. Existem judeus de todas as 'raças' antropologicamente definidas — do negro etíope ao judeu ortodoxo chinês."

"Não é uma questão *religiosa*. Provavelmente menos de dez por cento dos israelenses são judeus ortodoxos, e muitos não só não são religiosos, mas são militantemente antideus."

"Ser judeu não é uma questão *linguística*. Mais de setenta línguas são faladas em Israel, embora o hebraico seja a língua oficial e grandes esforços sejam feitos para encorajar todos a aprendê-lo."

"Não é uma questão *cultural*. Alguns judeus, procurando desesperadamente uma definição que me satisfizesse, disseram que o judaísmo é uma 'consciência cultural'. Mas que cultura?" Elisabeth tinha visto estridentes mulheres judias orientais em trajes árabes, judeus do East Side de Nova York, judeus russos e nativos israelenses nascidos em kibutzim. Não havia claros denominadores comuns em termos de rituais, discurso, vestimenta ou aparência.

"O judaísmo é então uma categoria *política*?", Elisabeth continuou. "Israel é um estado político, mas há milhões de judeus que não são israelenses. Há milhares de "israelenses" que não são judeus — todo árabe agora "assimilado" à nação de Israel pela conquista é oficialmente um israelense..." Na época, o governo israelense definia os judeus geneticamente, o que para Elisabeth parecia uma estranha contradição quando eles negavam tão veementemente que ser judeu tivesse algo a ver com raça. Mas a questão determinante é: "'Quem é sua mãe?' Qualquer pessoa nascida de mãe judia é judia. A questão sobre o que torna a mãe judia não tem resposta. Se seu pai for judeu, até mesmo se ele for um rabino, isso não o ajuda em nada".[3]

"Cheguei à conclusão de que cabe a Israel apenas executar a justiça em favor daqueles que são de sua responsabilidade. Se suas rodovias hão de cortar o deserto dos árabes, se reivindica 'domínio eminente' deve compensar justamente aqueles que foram deslocados, aqueles cujas casas e terras vazias Israel está agora determinado a preencher com seus próprios imigrantes."

"Totalmente à parte de o povo do Israel moderno poder ou não reivindicar o título de 'escolhido', ou de a terra prometida aos antigos israelitas pertencer justamente a eles, é difícil ver como se pode falar de 'redenção' sem levar em total consideração a retidão e a justiça."

Ela citou o profeta Jeremias do Antigo Testamento: "Assim diz o SENHOR dos Exércitos, o Deus de Israel: Emendai os vossos caminhos [...] se deveras praticardes a justiça, cada um com o seu próximo; se não oprimirdes o estrangeiro, e o órfão, e a viúva, nem derramardes sangue inocente neste lugar, nem andardes após outros deuses para vosso próprio mal, eu vos farei habitar neste lugar, na terra que dei a vossos pais, desde os tempos antigos e para sempre" (Jr 7.3–7). Elisabeth não estava alheia às imensas complexidades da situação geopolítica e cultural. Ela sabia que sua visão era estreita, na melhor das hipóteses. Sabia que somente o próprio Deus podia ver claramente e julgar completamente. Para mudar a metáfora, Elisabeth escreveu que Jerusalém e seu povo "são uma caixa na qual as peças de cem quebra-cabeças foram misturadas, e a tarefa de separá-las e colocá-las em seus relacionamentos adequados umas com as outras é algo que somente Deus teria coragem de executar, pois é uma tarefa que requer sabedoria perfeita e amor perfeito".

Ela terminou de escrever *Furnace of the Lord* em 20 de abril de 1968, à meia-noite.

Enviou uma cópia do manuscrito para seu querido e velho amigo, Cornell Capa.

Ele ligou de volta em apenas alguns dias. Estava lívido. Era "um livro muito injusto. Muito pesado contra Israel. Confuso, tendencioso e impreciso".

Cornell disse ainda a Elisabeth que o livro precisava de uma grande revisão, uma entrevista com o embaixador israelense em Washington e uma viagem a Nova

---

[3] Elisabeth Elliot, "Furnace of the Lord: In Support of the Arabs", *Christianity Today*, 6 out. 1978, https://www.christianitytoday.com/ct/1978/october-6/furnace-of-lord-in-support-of-arabs.html.

York. Ele estava disposto a ir à Francônia para conversas profundas com ela. No entanto, não estava interessado em nada que Elisabeth tivesse a dizer ao telefone.

"Deixei-o falar (não que eu tivesse muita escolha — e, estranhamente, para começo de conversa, nunca pedi sua opinião), agradeci e enviei o [manuscrito] ontem com apenas pequenas alterações."

"Continuo ponderando sobre o fenômeno de Cornell. Ele tem sido de uma ajuda inestimável na escrita dos meus outros livros. Ele sempre (até onde me lembro) venceu toda discussão comigo, exceto quando queria dormir comigo."

"Levo suas críticas a sério, e não ter conseguido agradá-lo me incomoda muito. Suponho que a verdade é que o amo, de uma maneira tranquila, saudável e bastante resignada. Aprecio o que ele é, e jamais posso desconsiderar o que ele fez por mim."

"Porém, neste caso, não é de surpreender que ele esteja chateado com meu livro. O que alguém é determina o que ele vê. Ele me acusou de 'pré-selecionar' meus dados. Nada poderia estar mais longe da verdade. E, por favor, o que quase todos os outros escritores sobre Israel fizeram? Se o livro é 'injusto', na opinião dele, é a opinião de um homem. Eu escrevi o que enxerguei."

Cornell escreveu para Elisabeth, "Sinto-me muito mal porque o prazo fatal chegou sem uma chance de conversarmos. Como sempre, desejo me orgulhar de ter participado de alguma forma em suas ações. Esta se tornou uma exceção".[4]

No final de maio de 1968, Elisabeth compareceu à conferência evangélica THINK, que provocou suas reações habituais a eventos desse tipo. Ela escreveu para sua família na lista de líderes masculinos do ministério e da igreja que se dignaram a agraciar o ofensivo lugar com sua presença. Discutiram tópicos como crescimento de igreja, financiamento de missões, publicidade, recrutamento, financiamento, glossolalia, adaptação cultural, em termos do que fazer a respeito de "poligamia, bater tambores, beber cerveja, usar roupas [...]". Elisabeth observou: "Fiquei de boca fechada a maior parte do tempo, mas fiz algumas perguntas e ofereci algumas ilustrações".[5]

Em seu diário, ela resmungou: "Há tantos momentos em que quero gritar: 'Espere aí! Pense no que você está dizendo!' Tantas verdades que acho que vejo claramente, que não aparecem de forma alguma para esses homens. E eles ficam perturbados com a minha presença (o que eu poderia escrever?) e minhas

---

4 Esta citação é do diário de Elisabeth de 1968, não da carta de Cornell em si.
5 EE para "Queridíssima mãe and demais", 28 de maio de 1968.

perguntas (por que trazer isso à tona?), e eu sinto, ao mesmo tempo, que deveria ficar calada completamente e/ou subir no telhado de um prédio e gritar!"

"Esses homens estão conscientes do poder. Eles movem homens a fim de mover nações a fim de mover Deus — a FAZER ALGUMA COISA. Cada um tem sua companhia itinerante, seu espetáculo, sua produção."

Quando junho começou, Elisabeth já estava há um mês esperando a aprovação final de seu editor para *Furnace of the Lord*. Silêncio. Ela se atormentava com visões sombrias de ter que refazer o livro inteiro do zero.

Na noite de 4 de junho de 1968, Robert Kennedy venceu as primárias democratas da Califórnia para a eleição presidencial. Pouco depois da meia-noite, na madrugada de 5 de junho, ele discursou para apoiadores no Ambassador Hotel em Los Angeles. Assessores o escoltaram pela cozinha do hotel para uma entrevista coletiva improvisada.

Kennedy atravessou uma passagem estreita. Um ajudante de garçom de dezessete anos que usava uma jaqueta branca chamou a sua atenção. Ele havia servido uma refeição ao senador mais cedo naquele dia. O senador reconheceu o adolescente e parou para apertar sua mão.

De repente, um homem de cabelos escuros segurando uma arma saiu e se lançou em direção a Kennedy. Atirou nele três vezes e disparou balas na multidão até ser imobilizado pelos assessores e amigos do senador, cinco dos quais ficaram feridos.

Um jornalista tirou a foto que se tornou a imagem icônica daquele dia: o senador Kennedy está esparramado de costas, com as pernas em ângulos estranhos. O jovem ajudante de garçom, Juan Romero, em sua jaqueta branca de serviço, agacha-se ao lado de Kennedy. Seu rosto está borrado de confusão enquanto ele embala a cabeça ferida de seu herói. Ele já arrancou seu rosário do bolso e o colocou na palma aberta de Kennedy. Os olhos de Kennedy estão abertos; ele ainda está vivo.

O atirador, um radical palestino chamado Sirhan Sirhan, diria mais tarde que atirou em Robert Kennedy porque o senador havia apoiado Israel na Guerra Árabe-Israelense de 1967.

"5 de junho. 8h", Elisabeth rabiscou em seu diário. "A TV está ligada, relatando o tiroteio de Bobby Kennedy. Ele ainda está na sala de cirurgia, seis neurocirurgiões trabalhando para remover a bala do cérebro."

Robert Kennedy sobreviveu à cirurgia, mas sua condição era grave. Vinte e seis horas após o tiroteio, ele morreu, com sua esposa e outros membros da família ao seu lado. Ele tinha quarenta e dois anos, um ano a mais que Elisabeth. Para muitos jovens, principalmente após a morte de Martin Luther King, Kennedy representava sua última esperança de justiça social, tolerância racial e o fim da guerra no Vietnã.

Assim como após o assassinato de John Kennedy, Elisabeth sentiu dor e profunda empatia pela viúva de Bobby Kennedy. Ela entendia o horror da perda repentina e violenta de um homem amado e carismático. Mas no diário de Elisabeth, a morte de Kennedy é acompanhada de um tipo de perda muito diferente. Talvez cegada pelo sentimento avassalador de que a experiência humana é tão repleta de mortes e perdas, grandes e pequenas, Elisabeth associou a morte de Robert Kennedy à rejeição do manuscrito de seu livro por sua editora.

"6 de junho. Bem, suponho que haja algum significado no fato de este volume terminar com a morte (esta manhã às 1h44, horário do Pacífico) de Bobby Kennedy, e com a chegada de uma carta totalmente demolidora da Harper sobre *Furnace*."

"É uma velha canção conhecida. 'Você não enxergou direito'. Eles me dão total liberdade para ir, olhar, ouvir, aprender e escrever o que vejo. Então me dizem: 'Não, você deveria ter contado dessa forma.'"

Um executivo da editora havia escrito a carta oficial, mas Elisabeth sentiu "quase certeza de que Cornell [estava] por trás de tudo — ele deve ter contatado" os poderes constituídos.

"Preciso analisar isso com muita clareza. Estou sendo crucificada por ser uma contadora de verdades ou apenas recebendo o que mereço por um trabalho ruim?"

"Estou deprimida, é claro, quase desesperada. Senti a facada. Quem deseja isso? Por que arrisco meu pescoço? Por que não escrever coisas boas, populares, positivas, 'úteis'? Ó meu Deus — porque eu simplesmente não vejo as coisas da maneira 'certa' na hora certa!"

"Suponha que os editores estejam certos?"

"Suponha, no entanto, que eu esteja?"

"A Harper está me manipulando ou me iluminando????"

"Então, mais uma vez, me encontro em um deserto de dúvidas", concluiu Elisabeth. Ela já se sentia uma excêntrica espancada pelo fato de *No Graven Image* ter ofendido os líderes da igreja a ponto de seus compromissos de palestras em tais ambientes terem murchado. Ela pensava em suas lutas com editores, casas publicadoras e outros em vários livros que havia escrito, como ela parecia estar constantemente em desacordo com as pessoas religiosas em geral.

"No final, Deus será total e absolutamente Deus. (1Co 15.28). Que perspectiva!"

CAPÍTULO 21
"EU SIMPLESMENTE FICO PASMA"

"Se ao menos eu pudesse recordar aquele toque,
o primeiro toque de mãos dadas — Quem me dera saber!"
— Christina Rossetti

Para algumas de nós, soa insensível Elisabeth comparar a morte de Robert Kennedy à rejeição de seu livro sobre Jerusalém por sua editora. Mas não precisamos dar peso condenatório ao que as pessoas incluem ou não em seus diários particulares. A maioria de nós se encolheria e se esconderia diante da possibilidade de nossas anotações pessoais serem reveladas contra o imenso pano de fundo da história humana.

Mas o que sua observação nos mostra é a dor pelo seu trabalho ter sido rejeitado por sua editora — e por Cornell. Parecia a morte para ela. E parecia mais um caso em que ela se deparava com a "maneira certa de contar a história" do establishment religioso, em vez das conclusões que ela havia extraído com base em suas próprias percepções.

Poucos anos depois, Elisabeth escreveria um longo artigo para a *Christianity Today* sobre o que ela pensava ter acontecido com seu livro sobre Jerusalém. "O sentimentalismo é um ídolo. Ele tem olhos, mas não vê. Ele se coloca no lugar da verdade. Hoje em dia, levantar qualquer questão sobre a ética do sionismo ou a natureza de Israel (é, por exemplo, um estado racista? Existe liberdade religiosa lá? O tratamento que eles dão aos árabes é justo?); perguntar: 'Quem é judeu?'; tudo isso desperta acusações de antissemitismo. [...] Pedir simpatia, ou mesmo um momento de fria consideração pelos árabes, é ser imediatamente rotulado como um oponente de Israel."[1]

---

1 Elisabeth Elliot, "Furnace of the Lord: In Support of the Arabs", *Christianity Today*, 6 out. 1978, https://www.christianitytoday.com/ct/1978/october-6/furnace-of-lord-in-support-of-arabs.html.

Quando Elisabeth tentou obter respostas da Harper & Row sobre o motivo de a editora rejeitar seu livro, obteve apenas uma. "'Você tratou de um assunto sensível de forma insensível'. Minhas observações, ao que parece, eram 'controversas', não porque eu tenha tomado partido, mas porque eu não tomei partido."

Esse tratamento atingia profundamente algo que Elisabeth Elliot prezava muito naqueles dias turbulentos de 1968: sua liberdade e capacidade de "falar a verdade" como ela a enxergava. Novamente, como tantas vezes no passado, ela se sentiu reprimida por instituições religiosas e comerciais que queriam sua voz, mas apenas se ela repetisse a cartilha oficial como um papagaio.

Entrementes, ela "ficou sabendo... de duas instâncias nas quais alegaram que Elisabeth Elliot perdeu sua fé". Depois, informaram à sua amiga Van que havia um boato circulando pelas comunidades missionárias na África, de que Elisabeth era unitarista, que ela havia se casado novamente e que seu irmão igualmente herético tinha "as mesmas ideias diferentes" que ela.

No meio daquele verão turbulento, no entanto, as inquietações de Elisabeth mudaram repentinamente de rumores sobre sua fé, preocupações sobre *Furnace* ou qualquer outra coisa. Ela recebeu a notícia de que a valente esposa de Addison Leitch, Margaret, havia falecido em 16 de julho. Elisabeth havia fechado uma porta em sua mente para seus sentimentos sobre Addison e quaisquer possibilidades para o futuro deles juntos.

Agora, no entanto, a porta estava aberta.

No final de julho, Elisabeth estava programada para falar em uma oficina de escrita e uma conferência no Judson College (agora Judson University) em Elgin, Illinois, a uma curta distância do Wheaton College. Addison Leitch a encontrou lá. Almoços, jantares. Eles foram ver o filme *Positivamente Millie* em Wheaton. Despediram-se na manhã de quinta-feira, 2 de agosto, e ela embarcou em um voo da TWA para Nova York.

Poucos dias depois, houve uma enxurrada de cartas e telefonemas. Isso foi em uma época antes dos celulares, quando ligações de "longa distância" eram um luxo para a frugal Elisabeth. Pela primeira vez na vida, ela não pensou em economizar dinheiro. Pensou em Addison Leitch.

"Estou incapacitada para o trabalho", ela escreveu. "Não consigo dormir à noite, perdi cinco quilos, estou 'doente' de amor. Que fenômeno misterioso."

Como Elisabeth Elliot, Addison Leitch era um escritor talentoso. Seu estilo é mais fluido; ele agonizava menos sobre seu processo de escrita e estava mais contente em deixá-lo fluir. Suas cartas sobreviventes mostram um homem cativante, espirituoso, autodepreciativo e perspicaz, um homem com certo conforto, mas não orgulho, de ser quem ele era.

Infelizmente, se sua correspondência com Elisabeth Elliot ainda existe, não está em um reino disponível para esta biógrafa. Talvez isso seja um alívio — a certa altura em outro lugar, Elisabeth escreveu admirada sobre as "ardentes" cartas de amor de Addison para ela, e talvez tal conteúdo fosse mais do que qualquer uma de nós realmente deseja ler.

Elisabeth escreveu: "Orar [para que] Deus me livre de fazer a escolha [errada], em algo que parece vir dele tão milagrosamente, para começo de conversa, parece um caminho estranho a seguir. Como ele pode me levar à tentação? Tentação ao mal? Se é mal, por que ele me conduziu até lá? Se não é mal, não é tentação que deva ser resistida. O Senhor 'redime da cova a tua vida' — posso contar com isso?"

"Como esta se parece com a minha primeira experiência amorosa, com os riscos, sacrifícios, armadilhas e disciplina envolvidos. Mas, ó Deus, que coisa, que coisa indizível é ser <u>notada</u>. Ser perfeitamente <u>correspondida</u>, ser valorizada, fazer falta e ser estimada. Eu simplesmente fico pasma. Isso não pode estar acontecendo."

Em 14 de agosto, ela escreveu em seu diário: "O telefonema chegou por volta das 9h de ontem. Referências à grande questão (trabalhando nessa direção), desejando estar cara a cara quando chegar a hora de discuti-la — não por carta".

"Passei a noite acordada, imaginando, sonhando, duvidando (por exemplo, onde morar, qual seria a reação de Val), recordando. Mas disto não há <u>nenhuma</u> dúvida em minha mente — eu o amo."

"Outra ligação agora mesmo... Acho que talvez possamos expor o assunto por volta do Natal."

Elisabeth e Addison decidiram se casar. Seu "noivado", por assim dizer, permaneceria secreto até dezembro. Eles planejavam contar às suas famílias nessa época e informariam sua esfera mais ampla de amigos, colegas e o público somente após a cerimônia ter ocorrido.

Enquanto isso, Elisabeth era como uma garota apaixonada, por dentro, e sua habitual personalidade de aço por fora. Ela pensava sem parar sobre o tempo que passaram juntos em Wheaton.

"Duas semanas atrás, ainda estávamos juntos. Parece que faz dois anos. Incrível o que pode acontecer com a alma de alguém [em tão pouco tempo]."

Elisabeth e seus irmãos e pais circulavam cartas familiares por várias décadas. Eles digitavam usando uma invenção antiga chamada papel carbono. Folhas finas desse papel, como papel de seda, eram inseridas entre folhas de papel branco comum. O papel carbono registrava o impacto das teclas da máquina de escrever manual, fazendo borradas cópias azuis para os destinatários. Computadores pessoais, impressoras e máquinas de fotocópia estavam num futuro muito distante para os consumidores americanos comuns.

Dado seu amor vertiginoso e transformador por Addison Leitch, Elisabeth escreveu de forma um tanto dissimulada para sua família no outono de 1968: "Sei que não tenho sido muito diligente em escrever cartas para a família, mas parece meio inútil sentar com oito carbonos a menos que se tenha algo a dizer, o que ainda não tenho".[2]

Ela prosseguiu escrevendo sobre o quanto Val estava gostando do ensino médio e que ela tinha um "namorado", o que Elisabeth explicou significar "alguém cujo nome ela escreve em capas de livros e para quem ela olha em jogos de futebol. Acho que ele meio que olha para ela também, mas é só isso".

Sempre que Elisabeth viajava, ela trazia uma "pequena surpresa" para Valerie. Val sempre esperava ansiosamente por um cachecol, ou papelaria, ou qualquer presente divertido que sua mãe tivesse trazido para ela. Tarde da noite no outono de 1968, Elisabeth voltou para casa em Francônia, onde Van, como sempre, ficara com Val enquanto Elisabeth estava na estrada. Meio atordoada, Val ouviu sua mãe chegar em casa e voltou a dormir. Na manhã seguinte, Val pulou para o quarto de sua mãe. Estranhamente, Elisabeth ainda estava na cama, sentada e encostada no travesseiro. "Você tem uma pequena surpresa para mim?", perguntou Val.

"Não", disse Elisabeth. "Tenho uma grande surpresa." Val olhou ao redor; não conseguia ver nenhuma caixa ou sacola brilhante à vista.

Elisabeth sorriu. "Eu vou me casar." Val encarou sua mãe por um segundo, boca aberta, chocada. Então começou a chorar.

Elisabeth pulou para abraçar a filha. "Por que você está chorando?", perguntou.

Val balançou a cabeça, totalmente confusa. "Bem, não é algo para rir!", disse. Ela não fazia ideia de com *quem* sua mãe iria se casar.

---

2 EE para "Queridíssima mãe, Mamãe e Papai [o Sr. e a Sra. Elliot, pais de Jim], e todo mundo", Natal de 1968.

"EU SIMPLESMENTE FICO PASMA"

"Você já o conheceu", Elisabeth continuou. "Você se lembra do homem mais velho, o professor, que veio jantar? Você gostou dele. Esse é o homem com quem eu vou me casar."

Val se acalmou. Em seu cérebro de treze anos, era difícil mudar de seu mundo de garotos bonitos nos corredores da escola para o mundo adulto e empoeirado de sua mãe, de viagens distantes e professores fumantes de cachimbo. Mas, nos últimos anos, ela tinha visto suas amigas com seus pais e pensado em como seria legal ter um. Ela não conseguia se lembrar de seu próprio pai; Jim fora assassinado quando Val tinha apenas dez meses de idade.

"Ele vai ser seu padrasto", Elisabeth continuou, como se estivesse lendo a mente de Val. "Mas você não precisa chamá-lo de 'papai'".

As bochechas de Val ficaram rosadas. Uau. Isso *foi* uma grande surpresa.

"Uma última coisa," disse Elisabeth. "Isso é um segredo. Você não pode contar a *ninguém*."

Poucas de nós confiariam tamanho segredo a uma garota de treze anos, mas, como vimos, Elisabeth era uma mãe incomum.

Val juntou seus livros, casaco e material escolar, sua boca firmemente fechada como se o segredo fosse pular fora se ela não tomasse cuidado. O longo e amarelo ônibus escolar chegou. Ela subiu a bordo e sentou-se ao lado de sua amiga Jane. Elas se acomodaram para a jornada.

"Então", disse Jane, do nada, "sua mãe já se casou?"

Aaaauggghhh!, pensou Val. *Por que Deus estava testando sua determinação tão cedo? Isso era loucura.*

Ainda assim, ela pensou, *havia um jeito de escapar. Afinal, sua mãe não havia se casado novamente. Ainda.*

"Não", ela disse. "Você está preparada para a prova de matemática?"

Logo depois disso, Val recebeu uma carta pelo correio.

1º de outubro de 1968 Querida Val,

Sua mãe me disse que ela lhe falou sobre nós. Então agora você sabe das ótimas notícias e espero que você sinta o quão extremamente felizes estamos. E nós dois estamos ansiosos para que você fique feliz com isso também.

Na minha última visita à sua casa, eu tinha uma certa vantagem sobre você porque eu estava por dentro do segredo. Então eu estava analisando você, eu acho, um pouco mais cuidadosamente do que você estava me analisando. Nossa, como eu gostei e apreciei o que vi — sua aparência, suas maneiras, o seu jeito de falar e, especialmente, seu bom gosto para roupas. Você tem estilo — de tantas maneiras!

Então nós agora estaremos perto um do outro pelo que eu espero que seja um longo, longo tempo. Eu mesmo sou bem acanhado e suspeito que você também seja, então suponho que nós dois estamos ambos nos perguntando como devemos tratar um ao outro. [...] Uma coisa, porém: nós dois estamos vivendo dentro do amor maravilhoso da sua mãe, então suponho que isso nos coloca no mesmo ponto de partida, e o resto deve ser fácil. Então, relaxe. Eu sou realmente muito fácil de se conviver. Eu não planejo invadir seu castelo. Mas você pode ter certeza disso: meus braços estão bem abertos sempre que você sentir vontade de entrar neles, e eu terei prazer em segurá-la em meu coração.

Carinhosamente, Addison Leitch

Dentro de mais ou menos um mês, o resto da família de Elisabeth soube da notícia. Tom Howard foi o primeiro, é claro. Ele e Elisabeth tinham um vínculo especial, e ele vivia nos mesmos círculos literários e acadêmicos de Addison Leitch. A carta dele para Addison captura tanto a maneira única de Tom se expressar quanto sua profunda compreensão de sua irmã mais velha.

"Bem, eu queria poder dizer a você como me sinto ao saber que mais uma vez [Elisabeth] terá a experiência do amor romântico — ou já o tem, melhor dizendo, e conhecerá o tipo de bênção que é peculiar ao amor conjugal. Não é de fato um mero 'mais uma vez', no entanto. É singular, vasto e emocionante, e me faz querer dançar de alegria."

"Você sabe melhor do que eu (aposto) que mulher apaixonada e sexual ela é. Ao longo dos anos, quantas vezes eu quis dizer às pessoas que só a conheciam das plataformas e de seu comportamento público: 'Caramba, cara — você não conhece essa mulher de jeito nenhum. Ela sabe rir mais alegremente do que qualquer pessoa que eu conheço, ela sabe <u>cozinhar</u>, e ela sabe participar de uma experiência mais plenamente do que qualquer pessoa que eu conheço — <u>qualquer</u> experiência — uma taça de vinho, um piquenique, uma caminhada na floresta, um concerto, a visão da candura, da tristeza, da coragem ou da boa vontade de outra pessoa. [...] E ela é uma <u>mulher</u>, cara — ela é uma mulher.'"

"A ironia de ela passar todos esses anos longe do amor de um homem muitas vezes me perturbou. [...] Mas agora — Senhor! Eu me empolgo imaginando a capacidade de alegria e amor sendo trazidos, de ambos os lados, para esta transação de tirar o fôlego."[3]

A "transação de tirar o fôlego" seria selada em 1º de janeiro de 1969, em um pequeno casamento na cidade de Nova York.

Em dezembro, Elisabeth escreveu para sua mãe: "Muito obrigada por sua carta, expressando sua alegria por mim. E foi legal da sua parte escrever para Add. [...] Sim, concordo que é uma boa ideia ele chamá-la de Katharine. É engraçado — ele tem uma filha chamada Katherine e uma chamada Elizabeth, e ele me chama de Elisabeth em vez de qualquer um dos meus apelidos. Eu gosto muito disso... O nome de sua esposa era Margaret, e ela também nunca foi chamada por nenhum apelido".[4]

Elisabeth passou a contar à mãe sobre sua lua de mel, uma semana no Plaza Hotel em Nova York. "Nenhum de nós tem a menor vontade de ir a lugares e fazer coisas neste momento. É uma ressurreição tão inacreditável para nós dois, tudo o que queremos é ficar juntos em paz."

"Add é o que eu chamaria de um homem muito atraente. Ele bem poderia posar para aqueles 'homens de distinção' [uma campanha publicitária dos anos 1950 que apresentava modelos masculinos de aparência distinta], exceto pelo fato de que nele não há nenhuma linha delicada, e alguns daqueles homens parecem insípidos."[5]

Add era um "homem maravilhoso, amoroso, gentil, sensível, atencioso, poderoso, inteligente, e estou simples, perdida e irrevogavelmente apaixonada por ele! Ele é o que Jim poderia ter sido com mais 32 anos de sofrimento, experiência e aprendizado.

---

3 Tom Howard para "Querido Addison," 17 de dezembro de 1968.
4 EE para "Queridíssima mãe," 9 de dezembro de 1968.
5 EE para "Queridíssima mãe," 19 de dezembro de 1968.

Add sofreu de muitas maneiras, e é claro que esta é uma das coisas que primeiro me atraiu nele. Sua esposa teve câncer por 11 anos, ele próprio foi absolutamente crucificado pelo establishment presbiteriano por não seguir a cartilha oficial, e teve a dor de ter uma criança nascida com hidrocefalia e espinha bífida. Ela viveu por dois meses".[6]

Addison escreveu para a mãe de Elisabeth.

> Tenho certeza de que a senhora deve estar se perguntando que tipo de personagem está acolhendo na família, e a senhora é certamente bondosa por me dizer palavras tão afáveis com tão pouco conhecimento a meu respeito. Elisabeth está apaixonada e é um tanto indigna de confiança em sua estimativa a meu respeito... Então não espere muito; eu sou apenas alguém que se alegra por entrar na órbita dos Howards e, especialmente, no amor e na graça de sua filha maravilhosa.
>
> Meu Deus, que família a senhora criou — linguistas, pioneiros, escritores, heróis. Elisabeth acha que Tom é um gênio, e eu acho que Elisabeth é uma gênia... Bem, minha reivindicação à fama é que eu amo Elisabeth, verdadeiramente, alegremente, com todo o meu coração. [...] Certamente estou na expectativa de estar com a senhora.
>
> Muito sinceramente, Add[7]

A próxima carta de Elisabeth para sua mãe foi mais esbaforida. "Três semanas a partir de hoje! Mal posso esperar. Na verdade, mal posso suportar. A senhora consegue imaginar isso, aos quarenta e dois? E pelo que ouço Add falar ao telefone, ou leio em suas obras-primas de cartas de amor, é pior aos sessenta! 'Estou sangrando' ele diz.'[8]

---

6 EE "Carta à mamãe," 9 de dezembro de 1968.
7 Addison Leitch para "Querida Katharine," 15 de dezembro de 1968.
8 EE para "Queridíssima mãe," 11 de dezembro de 1968.

CAPÍTULO 22
TOMA-ME!

"ELISABETH ELLIOT SE CASA COM TEÓLOGO OBSCURO"
— Manchete falsa de jornal criada por Dick Kennedy, melhor amigo de Addison Leitch

Em 1º de janeiro de 1969, Elisabeth Howard Elliot se casou com Addison Hardie Leitch em uma pequena capela de aparência medieval anexa à Brick Presbyterian Church de Manhattan. Foi uma cerimônia muito diferente de seu casamento civil de dez minutos com Jim Elliot em Quito, em 1953.

Usando um vestido de seda rosa e carregando uma única rosa, Valerie Elliot serviu como dama de honra. O irmão de Add, Robert Leitch, foi o padrinho. O reverendo Richard K. Kennedy, o melhor amigo do noivo, conduziu a cerimônia junto com o ministro da Brick Church. Elisabeth foi conduzida até o altar por seu irmão, Tom Howard. Mais tarde, Tom escreveu: "Eu nunca — repito, nunca — vi [Elisabeth] tão linda quanto ela estava no casamento. Deslumbrante é a palavra. [...] Ela usava um conjunto de casaco e vestido de seda grossa: o casaco era simples, de linhas retas e azul claro [...] um laço azul prendia seus cabelos atrás".[1] (Cornell Capa tirou fotos do evento [...] mas, infelizmente, elas parecem ter sido perdidas ou destruídas ao longo dos anos.)

Dave Howard surpreendeu a todos ao aparecer de última hora vindo de Wheaton. Ele conheceu seu novo cunhado na recepção. "Add é um homem de aparência muito impressionante", escreveu para o resto da família, "e muito amável e fácil de se conhecer. Por muitos anos tenho me impressionado com seus escritos e estou muito feliz pelos dois".[2]

---

1 Tom Howard para "Queridíssima mãe e família", 7 de janeiro de 1969.
2 Dave Howard para "Queridíssima mãe e família", 6 de janeiro de 1969.

Addison, questionando seu melhor amigo Richard Kennedy antes da cerimônia, perguntou se o Dr. Kennedy declararia que ele e Elisabeth eram "marido e mulher" ou "homem e mulher".

"Marido", respondeu o Dr. Kennedy.

"Isso é bom", disse Addison. "Não preciso que ninguém me declare homem".

Dick Kennedy havia escrito para Elisabeth antes do casamento, falando com amor sobre seu velho amigo. "Eu nunca vi Add tão exuberantemente entusiasmado com nada", disse. "Ele é uma alma alegre, como você sabe, mas ele nunca ficou tão ansioso ou animado com nada como está sobre [o casamento de vocês]. É um verdadeiro deleite vê-lo dessa forma."

Além disso, Dick aconselhou Elisabeth dizendo-lhe que Add não precisava explicar a ninguém esse casamento ou a sua ocasião. Referindo-se evidentemente ao tempo decorrido entre a morte de Margaret Leitch e o casamento de Add com Elisabeth, ele escreveu: "Quem fizer perguntas sobre isso não será amigo dele. A ocasião certamente está nas mãos de Deus, assim como tudo o mais".[3]

A *Christianity Today* noticiou o casamento: "Uma das poucas escritoras do evangelicalismo em tempo integral, a Sra. Leitch, 43 anos, é bem conhecida por seus livros missionários, incluindo *Através dos portais do esplendor* e *Shadow of the Almighty*, seu controverso romance *No Graven Image* e sua biografia de Kenneth Strachan, *Who Shall Ascend?*. Seu sétimo livro [*Furnace of the Lord*, que havia sido aceito pela Doubleday após sua rejeição pela Harper & Row], está programado para a primavera".

"O casal Leitch se conheceu em 1966, quando um amigo em comum convidou Elisabeth para falar na Tarkio College, onde Leitch é um eminente professor de teologia e religião e assistente do presidente. Mais tarde, ele a convidou para dar uma palestra sobre o Livro de Jó."

"Leitch, 60 anos, cuja esposa de mais de trinta anos morreu no ano passado após uma longa luta contra o câncer, está atualmente de licença da Tarkio. O ex-presidente do Pittsburgh Xenia Theological Seminary tem sido um colaborador frequente da *Christianity Today*, começando com um artigo em sua primeira edição e continuando como colunista. Por mais de três anos, ele escreveu sob o pseudônimo Êutico II. Além de ensinar e dar palestras, ele escreveu cinco livros e está trabalhando em um sexto."[4]

---

3 Richard K. Kennedy para "Queridíssima Elisabeth," 23 de dezembro de 1968.
4 "Addison Leitch Weds Elisabeth Elliot," *Christianity Today*, 31 jan. 1969, https://www.christianitytoday.com/ct/1969/january-31/women-ministers-marry.html.

TOMA-ME!

Após uma recepção com prataria, cristal, flores, bolo, café e ponche na casa de Tom Howard, os noivos se retiraram para o Plaza Hotel. O diário de Elisabeth diz: "Dia do meu casamento... [Um homem] disposto a tomar para si uma mulher, vir até ela com tudo o que ele é e tem, e dizer: 'Eu sou teu — toma-me!'"

O resto da página está decididamente cortado do diário.

Assim que Elisabeth e Addison chegaram esbaforidos em casa, na Francônia, "agora oramos por orientação sobre onde Add ensinará. Mostra-nos, Senhor — Tu que és o Maravilhoso Conselheiro".

Eles já tinham decidido que prefeririam estar na Costa Leste em vez de no Centro-Oeste. Segundo sua orgulhosa esposa, Add já havia recebido ofertas de presidências de oito faculdades. Ele também recusou a presidência do Seminário Fuller e a editoria da *Christianity Today*. Ele amava os alunos e a dinâmica da sala de aula em vez de os desafios da administração. Addison estava decidido a que sua esposa continuasse a crescer e florescer em sua vida de escritora, e ambos estavam confiantes de que Deus abriria suas portas para Addison na Costa Leste.

"Felizes em nosso casamento", escreveu Elisabeth em seu diário em fevereiro. "Add é maravilhosamente atencioso e desejoso de me agradar. Ele me entende incrivelmente bem."

Compreensivelmente, ela estava "achando extremamente difícil trabalhar. O Christian Herald quer contribuições regulares. A Practical Anthropology quer uma resenha. Quero escrever um romance. Tenho uma gaveta cheia de coisas em que continuo 'QUERENDO' trabalhar. Minha leitura está tristemente atrasada. Estou mergulhando no Faulkner agora (Enquanto Agonizo) e alguns de seus contos. Deus me ajude a produzir — para sua glória — ou, como Faulkner coloca, a "elevar os corações dos homens".

No final de fevereiro, um metro e quinze de neve caíram no topo do Monte Washington em vinte e quatro horas. No início de março, o casamento dos Leitch encontrou seu primeiro frio significativo: um desafio na forma de um visitante chamado Hans Bürki.

Elisabeth conhecia Hans desde seus dias no Wheaton College. Associado ao ministério da InterVarsity (IV) entre estudantes universitários na Europa, ele veio para os Estados Unidos no verão de 1947 a fim de participar de uma conferência IV. Ele então ficou em Wheaton, servindo como assistente pós-graduado no departamento de alemão no período de inverno do ano acadêmico de 1947. Ele havia sido amigo de Jim e, mais tarde, escreveu o prefácio para a edição alemã do livro de Elisabeth, *Através dos portais do esplendor*. Ele era um acadêmico e filósofo cuja mente se elevava a alturas às vezes inacessíveis enquanto devorava as Escrituras, Freud, H. G. Wells, Oscar Wilde, historiadores seculares, cientistas sociais, artistas de vanguarda e a cultura em geral. Em outras palavras, sua mente era uma que atraía Elisabeth Elliot.

Elisabeth evidentemente havia se correspondido com ele no final de 1967; ele a tinha convidado para visitá-lo na Suíça no caminho de Israel para casa. Depois de ela aceitar sua oferta, ele rabiscou uma nota estranha para ela, que ela recebeu no American Colony Hotel em Jerusalém.

"[...] é pouco antes da meia-noite... A carta está na caixa. Com afeição e amor verdadeiro eu lhe darei as boas-vindas. O que isso significa — para ela, para mim? Algo diferente? Eu a abraçaria no aeroporto e a beijaria, como faço com algumas — algumas mulheres que têm minha mais alta estima. Mas ela é viúva — mas ela é a viúva do meu amigo — e ela é livre [...]."

"Gostaria de estar com ela, mostrar-lhe um pouco do meu país, dirigir até as montanhas em solidão, neve, sol, um dia e uma noite de inverno. De novo, talvez isso seja demais. Mostrar a ela, apresentá-la a alguns dos meus melhores amigos, ter comunhão. Apresentá-la à minha melhor amiga, minha esposa, as crianças. Serei capaz?"

"[...] O que isso significa? [...] [Elisabeth] aceitou meu convite e nos encontraremos. Amor verdadeiro? Que seja verdade, que seja amor. Que estejamos prontos."[5]

Elisabeth não registrou no diário suas reações a esta carta. Mas ela deve ter guardado aquilo para si. "Como será ver Hans?", ela se perguntava enquanto voava sobre o Mediterrâneo, para longe das cores quentes do deserto de luz e sombra em direção às paisagens imaculadas dos Alpes.

Após a visita, ela escreveu sobre isso em seu diário. "O tempo com Hans foi realmente uma prévia do paraíso."

"Ele me deu seu lento e doce sorriso através das portas de vidro do aeroporto enquanto eu esperava minha bagagem, então me cumprimentou com as duas mãos e um beijo. Fomos à casa da viúva de seu amigo para o almoço, [...] uma refeição saudável, uma rica sopa caseira; Prisca é uma mulher adorável, com uma

---

5 Hans Bürki para "Querida Elisabeth," dezembro de 1967.

feminilidade essencial, franqueza e simplicidade. Depois que nós três tomamos café na sala de estar, Hans nos deixou sozinhas e conversamos sobre viuvez, criar filhos sozinhas, a necessidade de homens que se aproximem das crianças.

"Então Hans me levou para um passeio por Zurique. [...] Um castelo na encosta de uma colina, um cachorro São Bernardo preto e branco, uma garota como Heidi, e tomamos chá quente com pão integral, manteiga campestre e carne crua em pedaços em uma grande travessa redonda. Conversamos sobre a vida de Hans desde que o vi há quase 20 anos. Encontrei nele tudo o que esperava — uma grande humanidade calorosa aliada a uma profunda percepção espiritual e uma fome por Deus semelhante à fome de Jim."

"Então, fomos para sua casa, onde conheci pela primeira vez sua esposa Agatha, uma judia, médica, muito ousada, direta, cordial, sexy (usava um suéter cinza justo e uma saia, pernas nuas e sandálias), inteligente — em suma, uma mulher formidável e amigável. E seus filhos — de cabelos pretos, bochechas rosadas e redondas, vibrantes. Sua casa cheia de criatividade. Livros, pinturas, esculturas, blocos de construção, desenhos infantis em giz de cera, fotos de revistas, coleção de pedras, móveis húngaros antigos etc."

"No dia seguinte, passeamos por aí [...] um castelo na ponta de uma grande pedra, depois uma pequena casa na floresta, com vista para um vale, aonde ele frequentemente vai para ficar sozinho e escrever ou orar e pensar. Nós nos sentamos e conversamos; ele falou tão livremente sobre si mesmo e sua vida, que me senti feliz e grata por me ter sido permitido conhecê-lo. Jantar em casa — fondue de queijo e chá à luz de velas [...]."

"A caminho do aeroporto na manhã de sábado, paramos na floresta, caminhamos por uma pequena estrada entre pinheiros onde um velho estava cortando galhos. Saímos para o sol em um amplo campo de neve... tão adorável. Tão adorável."

"Mais uma vez, o reconhecimento de uma grande dádiva: um verdadeiro amigo. 'Aquele que permanece no amor permanece em Deus.'"

Eles se despediram no aeroporto, e Elisabeth voou em direção a Londres e para casa. A próxima carta dele para ela transbordava de exultação pelo "raro e precioso conhecimento" de que ele havia "verdadeiramente... conhecido um rosto e um coração humanos. [...] Estou cheio de gratidão por saber que nenhum amor pode ser sem sofrimento".⁶ Ele continuou, em cartas subsequentes, entre muitas efusões filosóficas, a afirmar sua verdadeira amizade e gratidão por ela.

Agora, dois anos após aquela visita à Suíça, Elisabeth estava recém-casada, e seu esotérico amigo e outrora admirador Hans estava viajando pelos Estados Unidos. Ele passou cinco dias como hóspede na casa dela com seu novo marido. Mesmo alguém tão socialmente sem noção quanto Elisabeth poderia ter pensado duas vezes sobre isso.

"Hans Bürki esteve aqui de sábado a quarta (ontem). Foi um teste severo da força do nosso casamento. Add ficou com ciúmes da posição de Hans aos meus olhos." Ele percebeu que Hans estava "na mesma frequência de onda de Elisabeth" e se sentiu excluído.

Talvez isso o tenha levado a entrar em discussões acadêmicas com Hans.

"Hans, embora muito capaz de argumentar teologicamente, não queria discutir ou responder às perguntas de Add (muitas das quais me pareciam totalmente retóricas). Por um lado, Hans me explicou que ele não queria me excluir para que os dois 'professores' pudessem discutir."

"Add falava demais, não dava uma chance justa a Hans. Hans viu que eu 'sofria' (ele me disse mais tarde) e, portanto, ele sofreu. Add também viu que eu achava que ele falava demais. Ele implicou em [termos] lógicos com declarações que Hans fazia sobre coisas internas, por exemplo, 'Devemos ser livres para sermos nós mesmos'".

Além disso, disse Hans, "Não devemos nos condenar por não <u>fazer</u> mais. Servir a Deus é <u>viver</u> sua vida".

Isso evidentemente não agradou Add, que viu Hans como "um hóspede egocêntrico que não pensava duas vezes antes de pedir um segundo café da manhã, música depois que a família havia ido dormir, leite condensado para seu abacate".

Elisabeth observou que Hans queria falar da alma, de nossos próprios relacionamentos imediatos uns com os outros e com Deus.

"Add replicava citando [...] seus amigos (Whale, Gerstner, [etc.]), seus ídolos teológicos, contando histórias ('Quando eu estava trabalhando no acampamento de rapazes'; 'Quando eu estava no seminário'; ou 'Havia um sujeito que [...]')."

Hans chamou essas anedotas de "uma artilharia de externalidades".

---

6 Hans Bürki para "Querida Elisabeth," janeiro de 1968.

Enquanto isso, a infeliz Elisabeth também foi alvo de escrutínio.

"Eu, na opinião de Add (e Hans), falava muito pouco. Ambos desejavam que eu entrasse mais na conversa. Add citou o almoço que ele e eu tivemos com [amigos] em Atlanta. 'Sua atitude foi: 'Às favas com isso', e você não fez nenhum esforço para mostrar a eles o que você é, para convencê-los de que eu tinha um bom motivo para me casar com você.'"

Só podemos imaginar as tensões bizantinas entre esses três indivíduos brilhantes na residência Leitch. "Ontem, levei Hans sozinha para o aeroporto", escreveu Elisabeth quando a visita excruciante finalmente terminou. "No almoço no Hanover Inn, ele me disse que de fato se apaixonou por mim durante minha visita à Suíça em 1967."

Como Elisabeth pode ter ficado surpresa com isso não é pouca coisa. Mas Hans, para seu crédito, foi coerente em suas palavras de despedida a ela.

"Ele me exortou crer em Add, a ser paciente na esperança."

Em seu diário, ela ponderou sobre o ciúme de Add e o que isso poderia revelar sobre seu próprio senso de inadequação e necessidade de ser afirmado. Podemos esperar que ela também tenha refletido sobre o que parece ser uma necessidade não reconhecida dela de ser adorada, desejada, de despertar desejos e emoções nos homens. Talvez sua visão inata de si mesma como muito alta, muito desajeitada, muito pouco atraente — graças, em grande parte, aos primeiros resumos de Jim Elliot sobre seu rosto e silhueta — a levou a gostar de despertar tensões românticas quando podia.

Ou talvez não.

"Eu oro pela libertação de Add. Por sabedoria em saber como responder aos seus interrogatórios."

"[...] Noite. A oração acima já está sendo atendida. Ele 'começou uma boa obra' em nós dois. Certamente ele 'a completará até o Dia de Jesus Cristo.'"

"Add me contou esta tarde sobre a dor de tentar aceitar Hans e minha reverência por ele, enquanto ao mesmo tempo sabia de coisas que pareciam totalmente inconsistentes com a imagem. Como eu encararia Add tendo uma mulher visitante na posição de Hans?"

"Então conversamos, depois caminhamos — pela estrada entre os campos de neve no sol de fim do inverno, e ele me falou novamente sobre seu amor, seu anseio por ser o que eu quero, sua tristeza pelos pecados passados, seu desejo de abertura e liberdade entre nós. Que milagre!"

"E esta noite, um ainda maior. Ao terminar de ler <u>Shadow of the Almighty</u> e <u>Através dos portais do esplendor</u>, ele veio perguntar se podíamos orar juntos. Foi para mim um selo maravilhoso da promessa e bênção de Deus sobre nós, e da realidade do homem, AHL. Ele é um homem de <u>verdade</u>. Humilde (imagine sua disposição de aprender com Jim, com Hans, <u>comigo</u>!) e sincero e faminto. [Ele me disse:] 'Eu nunca soube que homem pequeno eu era até me casar com você.'"

Ela concluiu: "E ah, eu o amo terrivelmente. Ontem, enquanto eu estava me vestindo, ele veio até mim, colocou os braços em volta de mim e disse: 'O que quer que você saiba, querida, aconteça o que acontecer, lembre-se de que uma vez houve um cara que <u>adorava</u> você!'"

Depois que Elisabeth deixou Hans no aeroporto para seu voo de volta para a Europa e para longe de suas vidas, ela se lembrou das palavras de Add. Ela abaixou a cabeça sobre o volante e começou a chorar.

CAPÍTULO 23
DOMESTICIDADE E COMPLEXIDADE

"A encarnação tomou tudo o que propriamente pertence à nossa humanidade e nos trouxe de volta, agora redimido. Todas as nossas inclinações, apetites, capacidades e anseios são purificados, reunidos e glorificados por Cristo. Ele não veio para diminuir a vida humana; veio para libertá-la. Todo o dançar, o festejar, o produzir, o cantar, o construir, o esculpir, o cozinhar, o divertir-se... tudo o que nos pertence, e que foi roubado para o serviço de falsos deuses, nos é agora devolvido no evangelho."
— Thomas Howard

Em março de 1969, Addison fez avanços na frente profissional. Suas duas opções favoritas eram uma posição em Dartmouth ou uma no Gordon Conwell Theological Seminary. Elisabeth anotou em seu diário em 20 de março: "Add tomou sua decisão hoje de aceitar a oferta da Gordon Divinity School. Ele pensou em ligar para Dartmouth e pediu a Deus que lhe desse um sinal. Que Gordon ligasse antes de ele ligar para Dartmouth. Eles ligaram, por volta das 9h".

Sob a liderança de Billy Graham, do filantropo J. Howard Pew e do inimigo ocasional de Elisabeth, Dr. Harold John Ockenga, Gordon Conwell era a recém-organizada fusão de várias instituições teológicas no Nordeste. Sua visão era "estabelecer dentro de uma forte moldura evangélica, um seminário independente e interdenominacional cujos constituintes estejam unidos na crença de que a Bíblia é a Palavra de Deus infalível e dotada de autoridade [...] consagrada à educação de homens e mulheres em todas as facetas da evangelização".[1]

---

[1] https://www.gordonconwell.edu/about/history/.

Addison combinaria seu ensino no seminário com a escrita de artigos para periódicos cristãos e livros sobre tópicos teológicos. Ele também se tornaria um dos professores mais populares do seminário. "Ele se sentava e tomava café conosco e conversávamos sobre coisas masculinas. Todos nós entrávamos furtivamente em suas aulas, mesmo que não estivéssemos matriculados nelas... Ele contava histórias ultrajantes e nos alertava sobre o pastorado. Ele dizia: 'Nunca chore, reclame ou chame atenção para si mesmo. Quando ouço um pastor reclamando, isso me lembra de uma luta de boxe. Um cara é atingido, vai até o árbitro e grita que levou um soco. O árbitro apenas balança a cabeça e grita: 'O que você esperava?'"[2]

Nesta temporada de recém-casados, a sempre presente Van estava morando com os Leitches na Francônia, e havia convidados constantes. Add às vezes reclamava com Elisabeth sobre seus modos abruptos e sua falta de percepção dos sinais sociais. Seu diário anota, com pesar: "Discussão longa esta noite por eu não ter participado em nada, à mesa de jantar, de uma conversa sobre o campo missionário e Deus falando com as almas. Van e Add dialogaram por um tempo. Ambos já tinham me ouvido falar sobre o assunto antes. Não vi razão para participar".

"Além disso, saí da mesa e comecei a lavar a louça quando eles terminaram de falar. <u>Depois,</u> eu simplesmente voltei para minha mesa e comecei a trabalhar — sem nenhuma explicação para Add sobre meus "planos para a noite". Resultado: ele se sente completamente excluído. Fui rude com ele, disse-me mais tarde. Não estou sendo uma companheira amigável. 'Não consigo entender', ele repetiu. Eu, de minha parte, não consigo entender as pessoas sendo afetadas assim pelo meu silêncio."

Uma área de ajuste com a qual não precisamos nos preocupar foi sua vida de intimidade. Elisabeth misericordiosamente eliminou grande parte dos rastros de papel sobre este tópico, mas algumas referências espalhadas em seu diário sobreviveram. "É algo ótimo ver um homem grande e forte esparramado, exausto, em uma cama. Ele é um homem de <u>verdade</u> que sabe o que fazer e <u>faz</u>! Como agradeço a Deus por ele."

"Você é puro deleite para mim, querida. Fresca todas as manhãs!", ele diz.

"Ontem à tarde — pela primeira vez — ao sol! Musgo macio, pinheiros, céu azul, pequenas nuvens. Oh, êxtase."

---

2 Entrevista de Ellen Vaughn, uma de muitas, com Walter Shepard, Southport, Carolina do Norte, maio de 2018.

DOMESTICIDADE E COMPLEXIDADE

Talvez os fervores ao ar livre tenham se tornado um hábito. Em maio, ela escreveu: "Meu coração diz: 'Será que poderia amá-lo mais, melhor, do que eu amo? Ele não consegue acreditar que preenche meu coração?' Ontem — piquenique em um campo ensolarado. Depois, amor. Deus — como tudo foi lindo".

Addison, como Elisabeth, era uma pessoa sensual. No passado, isso o fizera tentar ir longe demais com relacionamentos com alunas e outros comportamentos que nunca seriam tolerados hoje. Não há dados que sugiram que Elisabeth tenha cruzado os mesmos limites em seus relacionamentos anteriores com homens, mas ela entendia, e o perdoou.

Entrementes, a mãe de Elisabeth a visitou. Como sempre, Elisabeth observou em seu diário a constante tensão doméstica subjacente.

"Frigideira no fogão."

"Ela coloca uma colher de chá de gordura de bacon em (uma panela enorme)."

"'Oh, Bets, é melhor você fazer os ovos. Eu vou fazer torradas.'"

"Eu adiciono um pouco mais de gordura à panela."

"'Meu Deus! Você precisa de tudo isso? Bem, aí está mais uma área em que somos diferentes.'"

Os Leitches estavam procurando uma casa não muito longe do Gordon Seminary. Os preços eram surpreendentemente altos, e nada tinha o tipo de atmosfera ou personalidade que eles queriam.

Enquanto dirigiam pela Bay Road em Hamilton, não muito longe da escola secundária que Valerie frequentaria, eles viram um bangalô aconchegante com telhas de cedro marrom, uma entrada curva para a garagem e um lindo paisagismo, aninhado em árvores maduras. Havia uma placa de "À venda" no jardim da frente.

Eles a viram no dia seguinte e "estavam prontos para assinar os papéis em cinco minutos. Estamos simplesmente impressionados com a perfeição do lugar para nossos desejos e necessidades. Louvado seja aquele que nos levou até lá e nos deu o dinheiro para comprá-lo".

Enquanto isso, Van estava sem rumo. Antes da mudança de Francônia para Hamilton, Elisabeth escreveu em seu diário: "Van é uma preocupação real para mim. Muito deprimida, incapaz de fazer qualquer movimento para encontrar um emprego ou um lugar para morar. Faz pequenos comentários cortantes sobre como as coisas sempre vão bem para mim, chora em seu quarto, onde frequentemente se senta sozinha no escuro. Senhor, faz algo por ela. Esta noite, Van me disse que vai para Hamilton amanhã procurar um emprego. Ela disse sentir que estou contra ela — ao dizer-lhe claramente que ela precisa ir embora, ao não querer que ela 'espere no Senhor', ao não acreditar que Deus está com ela para guiá-la".

"Add diz: 'Por que ela não se muda? Por que ela não quer sair e ganhar a vida? Por que ela coloca em risco sua amizade com você?"

"Ela diz: 'Que tipo de amizade temos se você não entendeu minha posição? Por que você ficou contra mim — você, que teve tão longa experiência ao esperar no Senhor por Jim, para ir para os [waorani], etc. Pensei que estava ajudando você aqui. Não quero atrapalhar. Eu não sonharia em ficar a menos que você me pedisse.'"

"E eu digo: 'Ai de mim! Só o Senhor vê e julga retamente. Ela me disse que é uma grande desajustada na sociedade — quão solitária, quão à deriva, e o quanto ela gostaria de ter 14 anos novamente e voltar para a fazenda. O que devo fazer para ajudá-la? Eu simplesmente não sei nada além do que já faço."

Van rapidamente se desculpou por suas reclamações para com Elisabeth, explicando que "sua menstruação tinha começado naquela manhã, vários dias atrasada, e talvez isso explicasse o 'caos' de sua mente".

Se o humor de Van era por causa da miséria menstrual ou não, Elisabeth continuou dizendo que Van "ainda parece incapaz de tomar medidas drásticas. A Sra. Neil veio jantar ontem à noite e disse a Add, enquanto ele a levava para casa, que Van dependia totalmente de mim e deveria cortar o cordão umbilical completamente. Além disso, Van não tem ideia de quanto custa viver".

"Verdade — ano passado ela ganhou menos de 600 dólares, mas parece nunca ter lhe ocorrido que eu a estava sustentando. Ela nunca pagou aluguel, e meu carro tem estado à disposição dela o tempo todo. (Mesmo quando ela tinha o seu próprio, o meu era usado para quase todas as tarefas, compras etc.) Agora, ela continua dizendo que não 'sabe como' fazer" uma mudança e se tornar independente.

Elisabeth também se preocupava com as emoções voláteis de Van e seus efeitos sobre Val. Ela estava empolgada por Val ter aceitado Addison plenamente. Ela não precisava de um ambiente familiar de três adultos. "Padrasto e mãe são o suficiente e o certo para ela", escreveu Elisabeth. "Ela tem grandes altos e baixos de emoção, e seu trabalho sofre com essas variações. Van é surpreendentemente impaciente e sarcástica com ela, e às vezes eu queria que Val não tivesse que sofrer com isso."

Amiga próxima de Jim Elliot durante a faculdade, Van conhecera e amara Elisabeth através dos olhos de Jim e, depois, dos seus próprios olhos, por décadas.

DOMESTICIDADE E COMPLEXIDADE

Ainda em 1950, ela escreveu para Elisabeth, que lhe enviara uma foto: *"Seu retrato me emociona toda vez que o vejo, e só queria mais uma vez ver você e conversar com você. Como seria ficarmos juntas para sempre? Estou começando a entender o que o oposto disso significa e o tamanho disso me faz esperar ansiosamente pela consumação do estado eterno. Pela sua foto, acredito que a graça do Totalmente Amável inundou sua alma. Certamente sua fragrância chega ao meu coração, mesmo por aquele pedaço de papel".*[3]

Talvez Van esperasse que, após a morte de Jim, ela e Elisabeth pudessem ficar juntas para sempre, criando Val, realizando seu trabalho, desfrutando sua unidade filosófica e espiritual. Quando ela e Elisabeth estavam morando na Francônia antes de Addison entrar em cena, ela escreveu para Elisabeth logo após levá-la para Boston para um voo para Nova York: "Minha doce Bet, a casa ficou estranhamente quieta o dia todo. Um tipo de silêncio desesperado. Coisas familiares deixaram de ser familiares; parecia até estranho estar almoçando sozinha. Eu ouvia T. S. Eliot, mas não ouvia nada de fato. Ele parecia estar zumbindo em um túmulo vazio. O caráter deste lugar se foi, isso é tudo o que há nele. [...] Meu coração estava pousando em La Guardia".[4]

O amor, a dependência e o ressentimento de Van por Elisabeth Elliot criaram uma complexa rede de emoções. Ela foi uma amiga fiel quando Elisabeth mais precisou dela e, de fato, deu a Elisabeth a liberdade de viajar muito para dar palestras — assim como a viagem de dez semanas para Israel — quando Val era criança. Ela foi uma aliada nas fortes reações de Elisabeth contra as banalidades e a falta de honestidade intelectual em alguns círculos cristãos e missionários. Ela era uma trabalhadora esforçada, uma dona de casa forte e se encaixava bem com os costumes domésticos particulares de Elisabeth.

Mas o fato era que Elisabeth havia encontrado em Addison Leitch o par que ela jamais sonhara ser possível. Então, agora, por dezenas de razões, era hora de Van seguir em frente.

Elisabeth se perguntava o que fazer. "Ela não se esforça para fazer pelos outros. Ela não avança de forma alguma. 'Paraíso Perdido' — ela o teve conosco na Francônia. Agora depende dela — será que ela está preparada para enfrentar a mudança e o crescimento? Acho que não.

Depois que os Leitches se mudaram para Hamilton, Van, agora com quarenta e cinco anos, mudou-se para um dormitório no Gordon College. "Ela está

---

3 Eleanor Vandervort para "Querida Elisabeth", 6 de março de 1950.
4 Eleanor Vandervort para "Minha doce Bet", terça-feira à noite, março de 1965.

à deriva", escreveu Elisabeth. "Sem emprego, sem carro, sem ideia de como conseguir qualquer um dos dois [...] Será que ela está preparada para enfrentar a mudança e o crescimento? Acho que não."

Van acabou se tornando diretora de residência estudantil no Gordon College. Mais tarde, ela atuaria como consultora estudantil no núcleo de desenvolvimento de carreira do Gordon. Seu obituário, após sua morte em 2015, assim resumiu: "Seu trabalho lá foi um incentivo para centenas de alunos, que a viam como uma mãe substituta, professora, mentora, conselheira e amiga".[5]

De sua parte, parece que Addison considerava Van, como fazia com muitos conflitos, com um certo grau de boa vontade e equanimidade. A situação não despertou nele nada como a estranha visita do filósofo Hans Bürki. Ele levava Elisabeth para a cama — ou para uma encosta ensolarada — com grande fervor; aplaudia seus sonhos de escrita; tentava sinceramente ajudá-la a se tornar mais socialmente consciente; elogiava suas habilidades como palestrante, debatedora, cozinheira e anfitriã; e, com Elisabeth, abria sua casa para alunos, professores, familiares e amigos. Eles se tornaram parte de uma igreja local. Foi talvez a temporada mais saudável da vida de Elisabeth Elliot em termos sociais e comunitários.

Em junho, Elisabeth, Add, e Valerie se estabeleceram na sua casa dos sonhos na Bay Road e começaram a estabelecer novas rotinas. Add estava zelosamente determinado a proteger o tempo de escrita de Elisabeth e encorajar sua criatividade. "Elisabeth está trabalhando duro nisso", ele escreveu a um amigo. "De uma forma ou de outra, parece que estamos dando a ela um pouco mais de tempo em sua escrivaninha. Sei que cuidar e alimentar um marido toma algum tempo, mas ainda insisto em que aquele cachorro idiota que ela e Val resgataram da Liga de Resgate de Animais é mais [...] problemático para ela do que eu. Ainda assim, continuamos a batalha: ela deve ser liberada para escrever."[6]

"Add e eu estamos tão felizes!", escreveu Elisabeth em outubro. "Uma felicidade escandalosa, às vezes me parece. Hoje vendemos o VW [o carro dela] em Beverly e depois comemoramos no McDonald's, comendo hambúrgueres e 'frappés', como chamam os milkshakes na Nova Inglaterra."

---

5 Obituário de Eleanor Chambers Vandervort, *Gloucester Times*, 4 nov. 2015, https://obituaries.gloucestertimes.com/obituary/eleanor-vandevort-772532331.
6 Addison para "Querido Richard", 15 de novembro de 1969.

DOMESTICIDADE E COMPLEXIDADE

No Dia de Ação de Graças, o peru estava no forno, a mesa posta para dez, com lugares para Elizabeth e Fred Bonkovsky (filha e genro de Add), os pais de Fred, Val, Van e outros amigos. Elisabeth parabenizou a si mesma pelo fato de o peru não estar seco — sempre um perigo, independentemente da experiência culinária de alguém. O cachorrinho residente, Muggeridge, ficou fora da cozinha. Elisabeth se deleitou com a doçura do dia. O grupo brincou de jogos após o jantar e depois cantou o "Tallis's Canon" — "Glória a Ti, meu Deus esta noite" —, assim como outros hinos.

Os pais Bonkovskys amaram o canto, escreveu Elisabeth com um transbordamento incomum, "e eu os amei!".

Depois daquele feliz Dia de Ação de Graças, no início de janeiro de 1970, o infeliz cachorrinho Muggeridge foi morto na movimentada Bay Road, bem em frente à casa Leitch. "Ele era um cachorrinho sem noção", escreveu Elisabeth, "mas eu o amava, e sua morte me fez chorar".

No entanto, o primeiro aniversário de casamento dos Leitches foi alegre. Relembrando alguns dos dias emocionalmente difíceis do ano anterior, Elisabeth refletiu que sua depressão incomum era por causa do anticoncepcional que ela tomava desde o casamento. "Depois de ler um pouco sobre o assunto, [era] simplesmente o efeito da pílula — aparentemente produz emoções [confusas] em muitas mulheres. Certamente tinha pouco a ver com a realidade."

Uma semana ou mais após a morte prematura de Muggeridge, Val e Elisabeth foram "para Haverhill [...] e compramos um pequeno filhote de cachorro preto puro-sangue Scotty! Ele pesa um quilo e meio, usa uma coleira azul chamativa e tem olhos pretos brilhantes, um pequeno casaco desgrenhado brilhante como um cobertor de cavalo e duas orelhas muito pontudas. Quando suas orelhas vão para trás, seu pequeno e alegre rabinho abana, e quando as orelhas sobem, o rabo para. O nome dele é MacPhearce, um antigo e consagrado nome de cachorro na família Leitch, inventado, eu acho, pelo meu marido. Ele tem o formato de uma caixa, com outra caixa no lugar da cabeça".[7]

Em março, Elisabeth e Valerie foram confirmadas como membros da Igreja de Cristo de Hamilton e Wenham. Valerie, agora com catorze anos, adorava o grupo de jovens de lá. Uma noite, ela chegou em casa para perguntar ao papai

---

7   EE para "Queridas famílias", 13 de janeiro de 1970.

sobre o tema da predestinação. Ela sentia que ele sabia de tudo; ele era "sábio, engraçado e inteligente". Ela se sentou com ele.

"Predestinação", disse ela. "O senhor pode me dizer o que isso significa?"

Era uma questão com a qual Addison havia lidado muitas vezes na sala de aula, não tanto com meninas de catorze anos.

Ele sorriu e bateu o cachimbo.

"Quanto tempo você tem?", perguntou.

Addison conversou com Val sobre o mistério de tudo aquilo, a enormidade e grandeza de Deus. Falou sobre chegar ao céu, passando pelo portão de entrada por causa do sangue de Jesus Cristo. A frente do portão, ele disse a Val, está gravada com as palavras: "Quem quiser, venha" (Apocalipse 22.17). À medida que felizes e gratos seres humanos passam por ele para a glória, a parte de trás do portão diz: "Escolhidos em Cristo antes da fundação do mundo" (Efésios 1.4).

O evangelho está aberto a todos, livremente. E Deus chama as pessoas para si mesmo.

"E ambos, é claro, são 100% verdadeiros", Addison disse a Val.

Contente com o mistério, Val foi fazer sua lição de casa. Era um enorme conforto ter um pai a quem trazer suas perguntas, descansar em seu amor, conhecer seus braços fortes ao redor dela.

Elisabeth quis que sua irmã mais nova, Ginny deVries, viesse a Nova York para seu milagroso casamento com Addison. Add se ofereceu para comprar passagens aéreas para Ginny e seu marido Bud viajarem das Filipinas, onde serviam como missionários. Mas não deu certo. Agora, no verão de 1970, Elisabeth estava animada para exibir seu maravilhoso novo marido e se deleitar com a vida exótica de Ginny nos trópicos. Addison não era muito fã de viagens internacionais, mas, como sempre, estava entusiasmado para apoiar sua esposa e passar tempo com a família deVries.

Elisabeth e seus cinco irmãos cresceram em um lar altamente organizado, com regras claras e altas expectativas de serviço cristão. Devoções familiares eram realizadas de manhã cedo e depois do jantar todas as noites. A Bíblia era lida, hinos clássicos eram cantados — com todas as estrofes — e esperava-se que as crianças prestassem atenção e participassem. Um enorme dicionário ficava perto da mesa de jantar; esperava-se uma conversa com alto nível de vocabulário sobre tópicos teológicos e muito mais. Eles não eram rígidos: a família adorava jogos de palavras, charadas e mímica, com gritos e ataques de riso diante da sagacidade uns dos outros.

DOMESTICIDADE E COMPLEXIDADE

Phil, o irmão mais velho, tornou-se missionário em grupos tribais no território noroeste da América. Elisabeth escolheu missões no Equador e depois sua vida de escritora. Dave serviu como missionário na América Latina e atuou em funções de liderança em uma variedade de organizações cristãs. Ginny foi missionária nas Filipinas. Tom foi um escritor brilhante, PhD e professor, agora no corpo docente do Gordon College com Addison. E Jim se tornou um pastor em tempo integral e famoso artista de aquarela em Montana.

Addison escreveu sobre a família de sua esposa: "Elisabeth é uma Howard... Tenho a sensação de que todos os Howards são gênios e que todos esses gênios Howards procuram a ilha mais distante ou a selva mais profunda ou as florestas mais frias do Norte para trabalhar. Sinto-me muito no time reserva quando essa multidão aparece. Uma semana... quatro livros foram publicados por quatro Howards diferentes no decorrer daquela semana! E um dos irmãos [Jim] é um artista, para completar".[8]

Elisabeth amava profundamente sua irmã, Ginny. Talvez por causa da diferença de idade de sete anos, não parece ter havido competição entre elas, mas mais uma postura protetora e orgulhosa de Elisabeth em relação à irmã mais nova. Ginny, é claro, veio do mesmo lar de origem e das mesmas instituições educacionais que moldaram Elisabeth: a atmosfera legalista excêntrica da Hampden DuBose Academy e o bastião evangélico do Wheaton College. Lá Ginny conheceu Bud deVries. Eles se casaram e se tornaram missionários nas Filipinas sob os auspícios de uma missão batista. Ginny foi abençoada com o mesmo tipo de intelecto e habilidades linguísticas impressionantes de Elisabeth, bem como um forte senso de dever e propósito.

"Mamãe era extremamente amorosa e gentil", diz o filho de Ginny, Peter deVries, um violinista de renome, primeiro-violino, regente e professor que se apresentou e ensinou em todo o mundo. "Mas ela não descansava e relaxava. Ela era muito motivada com altas expectativas de si mesma."

Mais uma vez, a família Howard — Elisabeth, Ginny e seus irmãos homens — todos carregavam o mesmo impulso de alta vocação. "Era 'excepcionalismo', não sucesso aos olhos do mundo", diz Peter. Ginny se esforçava para dar mais do que o seu melhor, qualquer que fosse a ocasião, quem quer que fosse

---

8 Addison para "Queridos Boyd e Nelle", 2 de agosto de 1972.

o destinatário. "Das minhas primeiras memórias, lembro-me da hospitalidade dos meus pais. Minha mãe amava festas. Ela amava fazer as pessoas se sentirem bem-vindas."⁹ Ginny e Bud, trabalhando por meio de uma missão batista, se estabeleceram em Palawan, em sua capital, Puerto Princesa. Cuyonon era uma língua em grande parte não escrita, e Ginny, junto com dois colegas, colocou seu formidável intelecto e espírito na tarefa de criar uma versão escrita do idioma. Ginny então conduziu um projeto de tradução que culminaria, em 1982, na publicação do Novo Testamento em Cuyonon.

Ginny tinha uma personalidade mais naturalmente social do que Elisabeth. Onde Elisabeth às vezes projetava indiferença, julgamento ou grosseria, Ginny transbordava com uma graça natural, gentileza e compreensão. Ela havia aprendido a defender sua irmã mais velha quando as pessoas reclamavam dos modos estranhos de Elisabeth. "O que lhe falta não é gentileza", Ginny dizia. "É que [Elisabeth] não entende como suas palavras podem fazer a outra pessoa se sentir."

Em junho de 1970, Elisabeth, Addison e Val voaram para Manila. Ginny e Bud os encontraram para dois dias de recuperação e tempo na capital das Filipinas antes que o grupo seguisse para Palawan, uma pequena província insular situada no sudoeste das Filipinas, cercada a oeste pelo Mar da China Meridional e a leste pelo Mar de Sulu. Era remoto. Lindo. Cheio de exótica vida selvagem. Isolado.

"A beleza deste lugar é impressionante", escreveu Elisabeth. "Baía de Sirena, apoiada por montanhas escarpadas, nuvens flutuantes. Abundância tropical de flores e árvores, [...] flores todas com cheiro de variações de gardênia e jasmim, abacaxis, mangas, bananas..."

Bud deVries, um tipo incrivelmente habilidoso, construíra uma bela casa e um barco de mais de doze metros — sem ferramentas elétricas. A casa dos deVries era um ímã para hóspedes. Missionários e outros visitantes da área parecem ter presumido: "Ah, vamos simplesmente ficar com os deVries!" Um dia, vinte pessoas apareceram inesperadamente no portão da frente... e Ginny e Bud os acolheram. Eles ficaram por três semanas. Em outra ocasião, um casal sueco que estava navegando ao redor do mundo soçobrou perto da ponta sul da África, onde seu mastro quebrou e perderam seu bote. Eles coxearam até o porto dos DeVries e, durante sua estadia de três meses, Bud consertou seu mastro e construiu

---

9 Entrevista de Ellen Vaughn com Peter deVries, 4 de setembro de 2021, Charlotte, Carolina do Norte.

um novo bote para eles. Ginny de alguma forma parecia capaz de exercer hospitalidade sem estresse ou esforço aparente.

"A <u>beleza</u> e a <u>amabilidade</u> de Ginny me deixam continuamente à beira das lágrimas", escreveu Elisabeth. "Ela faz todas as coisas tão lindamente e tão bem, administra sua casa tão [...] habilmente, disciplina, treina e ama seus filhos tão bem, [...] a casa é um adorável e confortável testemunho de uma quantidade impressionante de trabalho duro e imaginação por parte de Bud e Ginny."

"Por ter vivido em Shandia, tenho alguma ideia do que cada 'pequena' conveniência representa — em visão, projeto, conhecimento, pedido de peças, reparos etc.", escreveu Elisabeth para sua família. "A casa é lindamente construída com pisos brilhantes... polidos diariamente por um garoto que patina em quengas de coco."[10]

Elisabeth continuou a delirar sobre a engenhosidade e energia criativa de Ginny e Bud. "Ontem à noite, Ginny fez um jantar para dezesseis pessoas, incluindo nós. Amigos da cidade chegaram e nós comemos um atum enorme e gordo" que Bud tinha acabado de pescar, arroz, bananas, amendoim, ruibarbo e torta de castanha de caju com sorvete, tudo feito do zero.

"As crianças são as três crianças mais atraentes da idade delas que já vi em qualquer lugar. Todas elas profundamente bronzeadas e de bochechas rosadas [...] louras e cheias de entusiasmo, humor, inteligência, [...] belas maneiras, afetuosas e doces. [...] Estou impressionada com [...] o talento de Peter no violino. Até o acompanhamento de piano de Ginny me surpreendeu. Eu não tinha ideia de que ela era tão boa."

"'Aqui estamos', pensei, 'no meio do nada, e aqui estão essas crianças tocando com toda a sua alma, acompanhadas por uma mãe que estava deslumbrante em um vestido preto e branco de anfitriã, seu cabelo em um elegante coque francês, sua maquiagem impecável, brincos nas orelhas.'"

Em um ou dois dias, Ginny disse à irmã que estavam planejando receber alguns amigos na noite de sábado. "Quantos?", perguntou Elisabeth.

"Duzentos e cinquenta", Ginny respondeu.

Todos os deVries, um clã incrivelmente competente, talentoso e entusiasmado, entraram em ação. Eles construíram uma plataforma externa com um

---

10 EE para "Querida família", 26 de junho de 1970.

sistema de som, que serviria como palco. Penduraram luzes elétricas no gramado e arranjaram bancos, mesas e cadeiras emprestados para a multidão.

Na noite marcada, as pessoas começaram a passar pelo portão da frente. Havia mulheres em vestidos longos com mangas grandes e bufantes e homens de *barong*, a tradicional camisa social bordada filipina. Houve apresentações de dança tradicional, recitações poéticas e solos musicais acompanhados por Ginny no piano, que seu marido havia levado da casa para o gramado. Mais tarde, enquanto as lanternas brilhavam na noite e as chuvas tropicais começavam e paravam, a comida — incluindo um enorme leitão — foi servida em longas mesas de madeira. O banquete continuou por horas.

Um belo dia, Valerie, Peter e as outras crianças estavam nadando e esquiando na baía. Um cardume de tubarões-baleia — nunca visto naquela área — apareceu. Destemidos, os deVries perseguiram vários tubarões em seu barco. Val, aprendendo a esquiar na água na época, desenvolveu uma capacidade imediata de ficar em pé em alta velocidade. Ela não precisava ter se preocupado, sua mãe notou mais tarde. Os tubarões eram enormes, mas basicamente desdentados, com filtros que peneiravam sua comida da água. Eles se alimentavam principalmente de plâncton, em vez de adolescentes.

Peter deVries se lembra do evento dos tubarões. Ele também se lembra do quanto amava e respeitava seu "tio Add".

"Ele era um ser humano extraordinário", diz Peter hoje. "Um verdadeiro atleta. Ele e a tia Elisabeth eram um casal perfeito. Ele era caloroso, um homem grande com uma voz grande e uma grande presença [...] e simplesmente morria de rir de si mesmo. Ele era tão humilde. Não precisava ser o centro das atenções." O desfrute de Elisabeth com essa visita colorida e gloriosa, no entanto, foi mitigado pela piora da condição física de Addison.

Add sofria há anos de algo chamado "próstata hipertrofiada benigna". Ele havia sido diagnosticado enquanto sua esposa Margaret estava sofrendo de câncer, e ele adiou a cirurgia. Disseram-lhe que ele ficaria bem, a menos que a doença começasse a agir.

A viagem para as Filipinas desencadeou tudo. Ele estava tendo problemas terríveis de intestino e bexiga, exacerbados pelo calor tropical escaldante e por não estar em seu ambiente familiar e confortável. Um médico local diagnosticou o problema como uma infecção urinária e prescreveu remédios. Eles não ajudaram. "Então esperamos", escreveu Elisabeth em seu diário. "E nos preocupamos. (O pai de Add morreu de câncer de próstata.) E tentamos aprender os desejos de Deus para nós. Ó Senhor, tem misericórdia de nós. Cristo, tem misericórdia de nós."

Depois de apenas seis dias com Ginny e a família, Elisabeth, Valerie e Add tiveram que retornar a Manila. Elisabeth achava que algum tempo em um hotel com ar-condicionado poderia ajudá-lo. Ele piorou, com dor no abdômen, inchaço e rigidez.

"O que fazer? [...] Parece que estamos a um milhão de quilômetros do nada. A última coisa que ele pode enfrentar agora é a viagem de 20.000km para casa."

"Por que o Senhor permite isso? O que devemos aprender? Que decisões devemos tomar?"

"'Confia no Senhor de todo o teu coração e não te estribes no teu próprio entendimento'. 'Tu conservarás em perfeita paz aquele cujo propósito é firme; porque ele confia em ti.'"

Elisabeth de alguma forma conseguiu levar Add ao Centro Médico Makatu em Manila. Ele ficou hospitalizado por dois dias e teve uma enorme quantidade de urina retida drenada. Foi liberado com um cateter.

O cateter ficou obstruído em um ou dois dias. "Incerteza, medo, indecisão — quão dolorosas são essas provações, agravadas mil vezes por se estar doente e, ainda mais, por estar em um país estrangeiro. Senhor — tu tens sido o nosso refúgio."

Os Leitches pegaram um avião para Tóquio e passaram miseráveis vinte e quatro horas lá. "Um dia estranho em nossas vidas", escreveu Elisabeth sucintamente. "Add em um estado de medo e exaustão na noite passada — e se o cateter entupisse novamente e ele se encontrasse na miséria insuportável da sexta-feira passada?"

"O sentimento de desamparo — como podemos sair daqui?" Encontraram um médico para irrigar o cateter entupido. "Corrida de táxi na chuva. Ruas estreitas, placas verticais, lanternas, guarda-chuvas, jardins com arbustos e árvores escuras e pingando, pedras cobertas de musgo, lâmpadas. Pessoas de tamancos. [...] Eficiência, agitação, rapidez, cortesia, reverências e sorrisos."

Elisabeth conseguiu colocá-los em um voo de Tóquio para Seattle, depois Portland. Add estava "em agonia e desespero o tempo todo", ela escreveu. "As memórias dos últimos dez dias assombram seus dias e noites, e a repetição vívida o deixa bastante doente."

Os Elliots — a família extensa de Jim, que ainda morava em Portland — foram um porto na tempestade. Eles levaram Addison diretamente do aeroporto para o hospital. Ele teve náuseas, febre e dor. Ficou lá por cinco dias.

Enquanto isso, Elisabeth e Val se hospedaram com Bob e Ruby Elliot, o irmão mais velho de Jim e sua esposa. "Estou cercada por essa gentileza incomparável dos Elliots", observou Elisabeth. "Obrigada, Senhor, por isso." Felizmente, a adolescente Val "se divertiu muito com seus primos". Por fim, Add se estabilizou o suficiente para voar para casa em Massachusetts, onde seria operado. Elisabeth ligou para Van, que estava cuidando da casa e do cachorro, e descobriu que a casa havia sido furtada enquanto Van estava fora uma tarde. Os ladrões levaram a TV, o rádio, o gravador, algum dinheiro e muitas peças de prata insubstituíveis dos Leitches.

Elisabeth se sentiu desconfortável; estranhos violaram sua casa. Mas a prioridade era seu marido, e ela e Add conseguiram agendar sua necessária cirurgia para logo após seu retorno seguro a Hamilton.

Na manhã de 20 de julho, antes de sua cirurgia, Addison falou com Elisabeth sobre como o sofrimento "chama a atenção de alguém", ou melhor, "_faz_ você prestar atenção", como Lutero descreve. Ele lhe disse que nunca tinha entendido a graça preveniente até a viagem às Filipinas — em cada ponto Deus nos encontrou de alguma forma. Ele abria a Bíblia, esperando meditar em um salmo, mas em vez disso era atraído pela história de Ezequiel sobre os ossos secos que voltaram a viver.

"Eu deveria falar com mais frequência sobre isso", ele disse a Elisabeth.

Elisabeth continuou observando, com _seu_ próprio pessimismo habitual, que "um hospital é um lugar terrível por causa das evidências, por toda parte, da fraqueza humana, devastação, mortalidade. 'Quem me livrará do corpo desta morte?'"

"A ressurreição _é_ o único fundamento válido de esperança."

Verdade. Mas a "apreensão e o medo de Addison eram grandes. Pensamentos sobre a morte de seu próprio pai por câncer de próstata, além de seu próprio pessimismo habitual em relação a si mesmo o mantinham continuamente nervoso. Suas mãos estavam úmidas ontem à noite enquanto eu as segurava e orávamos juntos".

Em poucas horas, o cirurgião ligou para Elisabeth para relatar que a operação havia corrido bem e que não havia sinal de malignidade e nenhuma razão para esperar complicações pós-operatórias.

"Obrigada, Senhor, oh, obrigada!"

Add passou pela depressão pós-cirúrgica habitual, desconforto, perguntas e ajustes. Ele escreveu a um amigo em agosto: "Obrigado pelo seu cartão com respeito às indignidades tardias que sofri nas mãos de muitos médicos. Sei que vou acabar morto algum dia, mas tenho certeza de que deve haver maneiras melhores de morrer do que com um profissional espetando você com agulhas e enfiando tubos. Parece muito mais agradável no Antigo Testamento, quando alguém morre 'em ditosa velhice, avançado em anos, e é reunido ao seu povo'. Para ser franco, não gosto de hospitais".

Em setembro, seu cirurgião o declarou com boa saúde, e a vida começou a retornar à sua normalidade. No início de outubro, Elisabeth escrevia em seu diário: "Dias dourados de outono. Add está bem — todos os sistemas estão funcionando. Louvado seja Deus".

CAPÍTULO 24
TRÉGUA

"[C. S. Lewis escreveu que] não há nada especialmente admirável em falar consigo mesmo. De fato, é defensável que ao falar consigo mesmo, um homem tem aquele único público diante do qual ele mais se ensaia e sobre o qual pratica mais elaborado engano. [...] Nenhum registro aqui por um longo tempo. Talvez seja melhor não praticar elaborado autoengano, tal como escrever um diário!"
— Elisabeth Elliot, 30 de dezembro de 1970

No final de 1970, Elisabeth fez um balanço de sua vida e declarou-se contente. "Add está bem, nossa casa é linda e confortável, Val é adorável (embora ainda indisciplinada em seus estudos e prática musical, ainda muito egocêntrica), MacPhearce é fofo e eu sou uma mulher feliz. Quão bem, com que frequência, reconheço a precariedade da vida e quão completamente dependemos de Deus para tudo o que temos. Que sejamos verdadeiros discípulos."

Os verdadeiros discípulos seguiram navegando.

Contudo, uma onda traiçoeira sobreveio à tranquilidade doméstica geral. No início de 1971, um item apareceu no boletim de ex-alunos do Muskingum College, a *alma mater* de graduação de Add. Na seção de notícias de "nascimentos" estava o anúncio de um filho nascido de Addison e Elisabeth Leitch, chamado Isaac. Add e Elisabeth receberam notas de felicitações de estranhos e conhecidos que se alegravam com aquele filho de nome bíblico da própria velhice deles.

"Estou ferida, enfurecida, enojada e humilhada", escreveu Elisabeth em seu diário. "Então é melhor eu ponderar no salmo: 'Não te indignes...'".

Addison enviou uma carta ao boletim de ex-alunos, informando aos editores que seu erro havia causado grande constrangimento aos Leitch. Ele pediu uma correção na próxima edição, expressando suas dúvidas de que tal retratação poderia estancar a desinformação que agora estava se espalhando com vida própria.

Sobre sua saúde, Add escreveu agradecido a um amigo, após se recuperar de sua cirurgia: "Estou em ótima forma. Jogo tênis duas a três vezes por semana, saio para jogar golfe e acho que nunca me senti melhor nos últimos dez anos da minha vida. Temos um [...] lar muito feliz e nosso trabalho aqui no seminário está indo bem. Estamos esperando 460 seminaristas aqui em setembro, dos quais mais de cem serão presbiterianos".

Lamentando as mudanças que ele não via como saudáveis nas principais denominações, Add observou que "os figurões [...] nos níveis superiores de nossa igreja não têm noção de como as pessoas realmente pensam. Eles conversam entre si e todos leem os mesmos livros e a igreja continua apesar deles. Para mim, uma das coisas mais significativas dos últimos anos foi que o Conselho Nacional de Igrejas encerrou seu trabalho de jovens na mesma semana em que a revista *Life* apresentou [sua matéria de capa sobre] todo o Movimento de Jesus, borbulhando na Califórnia. Estávamos tão ansiosos para ser tão sofisticados com estudantes do ensino médio e da faculdade e, de repente, descobrimos que eles estão interessados em uma religião que diz: 'Será que você está salvo?'"[1]

"Acho que poderia escrever longamente sobre nossa igreja presbiteriana, mas eles parecem mudar mais rápido do que conseguimos chorar a respeito. Aquele último relatório sobre sexo me deixou incapaz de fazer qualquer coisa além de balbuciar. O que vem em seguida? O pior é sentir que não importa qual proposta seja apresentada, acabará sendo aprovada."[2]

Escrevendo para a esposa de um amigo após a morte dele, Add demonstrou um certo senso de empatia ao falar sobre a solidão dela na perda de seu marido.

"Recentemente me casei com Elisabeth Elliot, que era viúva há doze anos e, nos poucos anos em que estamos casados, ela compartilhou um pouco da solidão que faz parte dessa experiência. Em todo o meu ministério, nunca descobri nenhuma cura para a solidão. Passei pela morte da minha primeira esposa em sua longa luta contra o câncer e nos últimos três anos de sua vida, mal tivemos uma vida juntos. Então, sei um pouco sobre o que você tem passado e o que enfrenta agora. Tenha certeza de que nossas orações estão com você, que temos a mais profunda empatia pela situação em que você se encontra, mas tenha certeza também de que qualquer preenchimento do seu coração ou qualquer substituição da

---

[1] Addison para "Queridos Boyd e Nelle", 2 de agosto de 1972.
[2] Addison para "Querido Joe", 24 de agosto de 1970.

perda deve vir do nosso grande amigo e médico Jesus Cristo. Somente ele pode nos preencher naquilo de que somos vazios."³

Em março de 1971, Elisabeth releu seu diário do início de 1969, que relatava alguns altos e baixos em seu novo casamento. Era como ler algo que outra pessoa havia escrito. Os registros pareciam "completamente inacreditáveis para mim agora. Totalmente inacreditáveis. Não consigo imaginar um casamento mais feliz. Add é uma maravilha absoluta para mim. Van ainda é minha amiga, minha <u>querida</u> amiga, mas Deus tinha seus próprios propósitos para realizar a nosso respeito e estou cheia de gratidão. Não consigo expressar em palavras a felicidade que temos aqui na casa 746 da Bay Road! Em mais oito dias, Add e eu estaremos casados há tanto tempo quanto Jim e eu estivemos".

Em abril, o agente de Elisabeth, Bob Lescher, abruptamente a abandonou como cliente, dizendo estar "muito ocupado". Ela se sentiu ferida e confusa. Seu humor não melhorou quando ela se viu falando em pequenos eventos entre mãe e filha com títulos alegres como: "Mulheres fiéis e frutíferas do futuro".

Em junho, Elisabeth falou em um almoço de mulheres na Igreja de Cristo. Foi a primeira vez que ela falou em uma igreja da qual era membro. "E quanto a algumas dessas mulheres, suponho que seja a primeira vez que elas ouviram alguém que realmente lidava com a Bíblia de modo literal e pessoal, [...] isso me leva a ter esperança de que eu possa encontrar algumas novas portas se abrindo para mim (talvez, como uma gentil compensação do Senhor pela rejeição que senti quando Lescher me largou e a sensação de fracasso em escrever o romance)."

Ela se comparava a escritoras que tiveram sucesso onde ela falhara. Ela leu *The House was Quiet and the World was Calm* ["A casa estava silenciosa e o mundo, calmo"], um livro de Helen Bevington, uma poetisa e escritora de não ficção da Carolina do Norte. Não se enquadrava em nenhuma categoria específica, mas "simplesmente conta um segmento da experiência não muito extraordinária de uma mulher como professora de inglês na Duke University [...] e resulta em um livro interessante. Por que não consigo fazer isso?"

Na mesma época, ela observou que "Add e eu estamos casados há 27 meses e meio — Jim e eu ficamos juntos por apenas 27 meses". Logo depois, ela teve um sonho estranho e vívido de que Jim Elliot havia retornado. Lá estava ele, forte,

---

3 Addison para "Querida [Sra. Woodruff]", 28 de março de 1972.

real, vivo. No sonho, ela percebia que teria que escolher. Com qual desses homens maravilhosos ela queria estar casada? Ela concluiu que a decisão dependeria de qual deles seria mais afetado pela escolha do outro. "Jim, eu decidi, não poderia se importar menos." Não importa, pois ela percebeu "que, de qualquer maneira, eu realmente amo Add mais!"

Addison Leitch, não Jim Elliot, era o "amor da vida de Elisabeth".

Ela agradeceu a Deus pela "saúde maravilhosa" dele e voltou sua atenção, como mães em todos os lugares, para sua filha adolescente. "Val está usando as saias mais curtas possíveis. Ah, esses estilos. O penteado das meninas é o mais deprimente — o visual longo e esguio, sem cachos, sem presilha, caindo sobre os olhos, constantemente precisando ser jogado para trás."

Em 4 de junho de 1971, algo excruciante: "Morte. Novamente a angústia, o enjoo que essa experiência, em qualquer forma, traz. MacPhearce foi morto esta manhã."

"Val estava a caminho da escola. Eu estava lavando pratos, ouvi o guincho dos freios, vi Val correndo de volta pela entrada da garagem com lágrimas escorrendo pelo rosto. A mulher que o atropelou parou e foi muito gentil, muito chateada, tinha seu próprio cachorrinho preto no carro. [...]"

"Claro que sei que poderia ter evitado. Claro que tinha que acontecer, mais cedo ou mais tarde. Claro que nenhum cachorro deveria ficar solto em uma rodovia tão movimentada. Mas, oh, como eu amava vê-lo <u>correr</u>! Ele tinha tanta energia e espírito. Era tão adorável e doce, além de ser irascível e até cruel quando sua vontade era contrariada. De alguma forma, eu não conseguia me disciplinar para mantê-lo confinado."

"Agora a velha questão e os sentimentos fortes — como o sol brilha, do mesmo jeito, a casa está igualmente linda e confortável, os carros passam como sempre, todos continuam com seus negócios, 'mas oh, que diferença para mim!'"

"E é claro que eu pondero sobre o mistério dos sentimentos humanos, o estranho vínculo entre uma mulher e um cachorrinho preto, a impossibilidade de eu mesma sobreviver à perda de Jim, como sobrevivi, e por que eu deveria estar devastada agora. Há tanto pelo que ser grata na minha vida."

"Tom — como ele é gentil e amoroso! — veio quando estávamos enterrando MacPhearce. Depois do meu telefonema, ele se sentou à mesa do café da manhã e chorou. Gallaudet [com cerca de três anos] me disse: 'Papai estava chorando'".

TRÉGUA

Dez dias depois, Elisabeth e Add saíram e compraram uma cadela pastora-de-shetland chamada Tania, de sete meses, graciosa e linda. "Estou aprendendo a amá-la, mas estou tendo muita dificuldade em superar a morte de MacPhearce. Às vezes, me sinto fisicamente fraca e enjoada, mal conseguindo contemplar o trabalho comum do dia. [...] Ele era um cachorro muito teimoso e incontrolável, às vezes selvagem como um coelho, mas eu o *adorava*. *Sic transit.* (*Sic transit gloria mundi* é uma frase em latim que pode ser traduzida como: 'Assim passa a glória do mundo'".

Os meses seguintes foram como uma montagem cinematográfica de alegrias domésticas comuns, mas gloriosas, as coisas que compõem a maior parte do tecido de nossas vidas.

O irmão de Elisabeth, Jim, e sua esposa, Joyce, junto com seus quatro filhos — de dois meses a sete anos — os visitaram por uma semana. "Sou muito grata por esta casa — tão confortável, espaçosa e fácil de receber."

"Pintamos as paredes da sala de estar de framboesa, deixando os detalhes de madeira brancos. Ficou lindo", Elisabeth falou entusiasmada, amando os tapetes Khirman azuis e rosas, as sanefas e capas de almofada floridas, o tapete Bokhara e as cadeiras de bordado cor de framboesa na sala de jantar. Ela se deleitava no quarto principal com suas paredes brancas, móveis de mogno, lareira e carpete vermelho vivo. "Eu amo esta casa."

"Ainda não superei a perda de MacP."

Houve uma visita de uma semana a Trail West, o alojamento para adultos administrado pela Young Life, um ministério para adolescentes. Elisabeth e Add foram para Frontier Ranch, onde um acampamento de uma semana transbordando de adolescentes enérgicos estava a todo vapor. Evidentemente, a atmosfera culturalmente conectada e exuberante da Young Life daqueles dias não era a praia de Elisabeth.

"Pandemônio. As crianças estavam 'cantando' — ou seja, gritando ao som de altos decibéis de uma guitarra amplificada eletronicamente. As letras são pura bobagem — por exemplo,

'Quando andamos na luz

Podemos confiar uns nos outros

Podemos nos enxergar' — 10 VEZES!"

Elisabeth ficou igualmente perplexa com o fenômeno cultural de um jogo de futebol americano universitário em um grande estádio naquele outono.

"Jogo do Harvard Crimson contra o Dartmouth Big Green no último sábado. 50.000 pessoas a seis dólares ou mais por pessoa. Outro grande empreendimento americano." Addison e Elisabeth se sentaram no alto do estádio, cercados por "dinheiro e cérebros de meia-idade, [...] uísque e bourbon, Rolls-Royces, casacos de peles, [...] bandas marciais, [...] garotas animadas com saias minúsculas e seios saltitantes, e um campo cheio de heróis fortes, robustos, acolchoados e com capacetes, os Super Machos".

Add, é claro, estava dentro. Para Elisabeth, era um fenômeno cultural fascinante, mas tão estranho quanto uma visita a Marte.

Valerie se candidatou ao Wheaton College, a alma mater de seus pais.

Então, no último dia do ano, Elisabeth escreveu em seu diário.

"31 de dezembro de 1971. [...] E agora, acho que devo abandonar este diário eterno. Quarenta e cinco anos certamente é uma idade madura demais para registrar a si mesma. Tenho tido uma vida muito boa. Amanhã Add e eu estaremos casados há três felizes anos.

Praticar a justiça

Amar a misericórdia

Andar humildemente com Deus —

Ainda são meus objetivos. E ainda estou tão longe quanto sempre estive de alcançá-los."

Foi um desfecho autoconsciente, uma despedida da autorreportagem e um fim bastante artístico do registro pessoal escrito da vida interior de Elisabeth Elliot.

Os créditos sobem com uma imagem do pôr do sol.

CAPÍTULO 25
"É CÂNCER?"

"As abelhas não trabalham, exceto na escuridão;
o pensamento não funciona, exceto no silêncio;
a virtude não opera, exceto no segredo."
— Thomas Carlyle

No início de março de 1972, Elisabeth estava de volta ao negócio de manter diários, rabiscando com uma caneta preta em um diário Herald Square verde-escuro, de couro sintético, encadernado em espiral, com oitenta páginas pautadas.

"Quando terminei meu último diário, em dezembro de 1971, havia decidido que era o bastante. É um monte de bobagens inúteis, na maior parte, que não interessam a ninguém além de mim. Porém, descobri que ele faz algo por mim — marca o progresso, de alguma forma. Ele conta as árvores na floresta, embora eu ainda não consiga ver a floresta."

Val foi aceita no Wheaton College para o semestre do outono de 1973.

Sua mãe leu *O Homem Eterno*, de G. K. Chesterton, e uma biografia de Phillip Brooks. Ela devorou *Sartor Resartus: vida e opiniões de Herr Teufelsdröckh*, de Thomas Carlyle; *Search for Science* ["Busca pela ciência"], de Elizabeth O'Connor; e *Aquela fortaleza medonha*, de C. S. Lewis.

Ao ler Carlyle, o ensaísta, historiador e filósofo escocês do século XIX, Elisabeth teve tempo e espaço para refletir sobre prioridades e escolhas. Ao considerar um convite para falar em uma faculdade no Kansas, ela disse não. "Preciso concentrar mais minha atenção. Não sou chamada para toda a nação. Talvez eu devesse falar menos e meditar (e escrever?) mais."

Ela encontrou em Carlyle um "novo amigo. Ele me apresentou a outros amigos — [Samuel] Johnson, [Robert] Burns, [Martinho] Lutero — todos homens humildes, sinceros, honestos, pacíficos, ávidos pela verdade, gratos e bem-humorados". Se todos esses escritores eram pacíficos e bem-humorados é uma questão de opinião, mas permanece o fato de que Elisabeth explorou seus escritos em busca de verdades duradouras.

"Boa semente, semeada em meu coração, é semeada pelo Filho do Homem. Graças a Deus por isso."

Carlyle também lhe deu a bênção que somente um introvertido poderia apreciar. Ela anotou suas palavras em seu diário: "Em tuas próprias perplexidades mesquinhas, segura tua língua por um dia; amanhã, quão mais claros serão teus propósitos e deveres. [...] A fala muitas vezes não é, como o francês a definiu, a arte de esconder o pensamento, mas de sufocar e suspender completamente o pensamento, para que não haja nada a esconder".

Ela havia escrito um pequeno livro sobre a direção de Deus, o qual foi aceito pela Word Publishing. Registrou que havia navegado para o Equador vinte anos antes. Trabalhou em um novo livro que chamava de *A Jungle Notebook* ["Um caderno da selva"], sobre seu primeiro ano no campo missionário, com os índios colorados.

"Quem sou eu?", escreveu Elisabeth em seu novo diário. "Uma pergunta inane, discutida infinitamente. Carlyle diz: 'Uma grande alma, qualquer alma sincera, não sabe o que é [...] não consegue, dentre todas as coisas, minimamente medir a si mesma! O que os outros o consideram e o que ele supõe que possa ser; esses dois itens agem estranhamente um sobre o outro, ajudam a determinar um ao outro.'"

Em 7 de abril, ela reservou um tempo para examinar arquivos antigos. Ela leu contratos de livros do passado, antigas declarações de realeza. "Eu tive uma certa quantidade de 'fama' e riqueza mundana", ela observou. "Isso se foi, e surge a tentação de tentar recapturá-lo. (Não que eu suponha realmente poder recapturá-lo, mas eu certamente poderia me preocupar em tentar. É algo que eu poderia ficar remoendo.) Um tanto irônico, já que nenhuma das duas coisas eram de interesse especial para mim quando estavam ao meu alcance. Isso eu considero uma ação da graça. Então, agora, oro por graça para resistir à tentação acima mencionada. Em Mateus 13.22, vejo que 'a fascinação das riquezas' sufoca a palavra."

Depois de Elisabeth falar em um evento no Maine, uma mulher correu até ela, sorrindo. "Qual é mesmo o seu livro? *Esplendor na Relva*?" (Para sujeitos não literários, esta fã sincera estava misturando o livro de Elisabeth, *Através dos portais*

"É CÂNCER?"

do esplendor, com o clássico filme dos anos 1960, *Esplendor na Relva*, uma história de amor e angústia adolescentes estrelando Natalie Wood e Warren Beatty.)[1]

Após um jantar na casa de um casal de seminaristas com visitantes da Nova Zelândia, o presidente do seminário, Harold Ockenga, e sua esposa, Elisabeth escreveu: "Add fica muito deprimido com toda a situação do seminário. Persistir ou não? Ele acorda de madrugada e mentalmente pede demissão".

Tanya, a cachorra sheltie, sem dúvida percebendo que não poderia se comparar ao falecido MacPhearce aos olhos de Elisabeth, tentou se redimir tendo quatro filhotes. Val foi aceita na National Honor Society. Concluiu o ensino médio. Candidatou-se a um emprego de modelo. Os Leitches foram com Tom e Lovelace Howard para o Castelo de Blantyre em Massachusetts, uma majestosa propriedade Tudor, para alguns dias tranquilos de relaxamento. "Comida demais, muito rica, muito cara", concluiu Elisabeth. "Realmente não é minha praia."

Em meados de julho, Elisabeth se viu novamente falando na conferência de verão do Tarkio College no Missouri, hospedada no mesmo quarto que ela tinha em 1967, quando as faíscas entre ela e Addison voaram pela primeira vez.

"O que Deus fez!", ela se maravilhou, pensando em tudo o que havia acontecido nos últimos cinco anos. Preocupada com suas próximas palestras, ela observou: "Add é muito amado aqui. Espero não o desonrar".

Em meados de setembro, Elisabeth enfrentou um desafio que temia e esperava há anos, enquanto ela e Val faziam as malas para que ela pudesse levar Val para o Wheaton College. Elisabeth teve algumas das mesmas sensações que tivera anos atrás... ao fazer as malas para a Hampden DuBose Academy quando era uma jovem adolescente, ansiosa por tudo o que sua experiência no ensino médio ofereceria ali. Ao fazer as malas para o Wheaton College em 1944, sem saber que conheceria Jim Elliot lá, nem que seu curto casamento produziria um presente como Valerie. Ao fazer as malas para partir para o Equador como uma missionária idealista e inexperiente. Ao reunir seus poucos pertences quando foi viver entre os waorani como uma jovem viúva, com a pequena Val a tiracolo. Ao empacotar ainda menos pertences quando ela e Val deixaram a selva... e então ao empacotar o pouco que não tinha doado quando deixou o Equador para retornar aos Estados Unidos e começar uma nova vida em New Hampshire. Então ela pensou na

---

1 N. T.: *Esplendor na Relva* foi o título do filme em Portugal, que melhor reflete o original *Splendor in the Grass*. No Brasil, o filme foi lançado com o título *Clamor do sexo*.

mudança mais recente, a feliz transição de se mudar de Francônia para Hamilton, energicamente enchendo caixas e fazendo alegres planos com Addison.

A vida. Tantas jornadas, olhos no horizonte, sem saber o que viria. "O que é?", ela pensou. "Não é tristeza. É uma percepção avassaladora do que as pessoas e os lugares significaram para mim." Ela sentiu gratidão, esperança, saudade, amor... e alguma outra emoção que não conseguia nomear. Talvez fosse perda, aquela sensação doce e aguda de que a mudança, por mais bem-vinda que seja, muitas vezes traz a percepção de que, embora sejamos criaturas do tempo, ansiamos pela eternidade. Passamos por uma porta após a outra; há novos cômodos, novas mudanças, e algumas são empolgantes. Mas ainda há a dor dos cômodos deixados para trás, para nunca mais serem habitados.

Elisabeth escreveu em seu diário que Add tivera um sonho estranho. Ele estava "passando de porta em porta e finalmente chegava a uma porta que não abria. Quando se virou para voltar pelo caminho pelo qual tinha vindo, a porta atrás dele não abria. Então, no modo desconectado dos sonhos, ele começava a se enrolar e sufocar em papel. Ele começou a gritar: 'Acorde-me! Acorde-me!' E eu me acordei com seus gemidos e a repetição de uma frase abafada, que, à medida que eu ouvia, se tornava mais clara e alta, até se tornar finalmente inteligível: 'Acorde-me! Por favor, me acorde!' E é claro que eu o acordei".

No final de setembro, Elisabeth estava de volta à sua rotina doméstica, o que sempre a estabilizava e tornava sua sensação de perda um pouco menos aguda. "A casa está silenciosa. Alunos do ensino médio passam pela rua. Val não está entre eles. Hoje faz uma semana que me despedi dela. Nenhuma carta, ainda."

Ela passou a escrever seus motivos de oração para o dia. Val estava no topo da lista. Elisabeth também orou por sua mãe, por amigos que enfrentavam dificuldades, por seu próprio compromisso de palestrar naquela noite na Grace Chapel, nos arredores de Boston.

E então havia sua preocupação com o lábio de seu marido. Add tinha uma ferida feia que não melhorava e não ia embora.

"Por favor, cura-o", ela pediu ao Senhor.

E então: "É câncer?"

CAPÍTULO 26
SELVA ESCURA

"No meio da jornada da nossa vida
Eu me vi dentro de uma floresta escura,
Pois o caminho reto se havia perdido.
"Ah, meu Deus! Como é difícil dizer
O que era essa floresta selvagem, áspera e severa,
Que no próprio pensamento renova o medo."
— Dante Alighieri, *A Divina Comédia*

Era câncer. Não era um sonho ruim do qual Add pudesse acordar.

Ele precisaria de cirurgia o mais rápido possível. Talvez os cirurgiões pudessem remover tudo.

Add e Elisabeth dirigiram lentamente do hospital, onde se encontraram com o médico, para casa. Add olhava fixo para a frente. "'Avisa o sino que esmorece o dia'", disse ele à esposa.

Ele escorregava pelo perigoso caminho do pavor. Sentia-se um fardo para Elisabeth. Sentia-se como um velho. Ele amava sua vida — sua esposa, o ensino, planejar o futuro, tênis, amigos, banquetes, leitura, fumo, boa conversa e debate. Estava tudo acabado?

Elisabeth escreveu: "estranho que eu tenha escrito esta manhã, em um pedaço de papel rascunho:

Como lidar com o sofrimento de qualquer tipo:
1. Reconheça-o
2. Aceite-o
3. Ofereça-o a Deus como um sacrifício
4. Ofereça a si mesmo com ele.

Naquela noite e na manhã seguinte, Addison sangrou ao urinar. Por quê?" Elisabeth implorou em seu diário. "Oh, Deus, POR FAVOR..."

"C. S. Lewis escreveu que a tristeza é como o medo. Eu tenho conhecido a tristeza. Agora sei que o medo é como ela. Inquietação, perda de apetite, uma sensação de estar em um deserto; [...] ultimamente, enquanto leio os Evangelhos, fico surpresa com a capacidade de Jesus de seguir em frente, através de todos os eventos de uma vida humana normal, em direção àquele sofrimento horrível que ele sabia que o aguardava em Jerusalém. Ele fazia uma coisa, e então fazia outra, serenamente, graciosamente, pacificamente..."

"Hoje preciso fazer as coisas de sempre, cozinhar, lavar louça e arrumar. Também preciso escrever uma coluna para o Christian Herald."

"Isso exige uma disciplina mental rigorosa e estrita, então precisarei receber ajuda divina."

Ela cozinhou e limpou. Escreveu o artigo. O sangramento de Add continuou.

Após a cirurgia, o câncer no lábio foi considerado "controlável". Ele também passou por uma cistoscopia, durante a qual um tubo oco com uma lente é inserido na uretra e avança até à bexiga. Isso deveria revelar por que Addison continuava a ter sangue na urina.

O procedimento mostrou carcinoma prostático. Câncer de próstata. A mesma doença que matara o pai dele. O pior medo de Add se confirmava.

Hoje, se for detectado cedo o suficiente por meio de testes de triagem de PSA, e por causa de opções de tratamento aprimoradas, a maioria dos homens diagnosticados com câncer de próstata não morre por causa disso.[1]

Mas os testes de triagem de PSA não existiam em 1972. Na época da doença de Addison, a fosfatase ácida prostática era o exame de sangue mais comum para câncer de próstata. Infelizmente, não tinha valor para a detecção *precoce* da doença, pois os níveis séricos de fosfatase ácida aumentavam principalmente em homens que já tinham metástases ósseas.[2]

Receber a notícia de uma doença potencialmente terminal é como receber uma passagem para um trem que você não quer pegar. Mas você tem que

---

[1] "Key Statistics for Prostate Cancer", revisado em 12 de janeiro de 2023, https://www.cancer.org/cancer/prostate-cancer/about/key-statistics.html.
[2] William J. Catalona, "History of the discovery and clinical translation of prostate-specific antigen", *National Library of Medicine*, 16 abr. 2015, https://www.ncbi.nlm.nih.gov/pmc/articles/PMC5832880/#bib5.

embarcar. Você não sabe o que deveria ter colocado nas malas. Você sabe o fim da rota, o terminal para onde o trem escuro está indo. Mas não sabe se poderá descer em uma estação e embarcar no trem alegre que vai na direção oposta, o trem que o levará de volta à vida que você conhecia anteriormente, ou algo próximo disso.

Felizmente, isso acontece com algumas pessoas. Seus entes queridos são curados e eles conseguem retornar à vida normal, ou a um alívio de algum tipo. Mas para muitos, o trem do câncer simplesmente continua, às vezes terrivelmente devagar, às vezes em alta velocidade. Ele passa por muitos túneis escuros. Às vezes você para brevemente em uma estação e pessoas gentis sobem a bordo. Elas lhe dão cestas de comida caseira, cobertores felpudos para a viagem e abraços. Alguns dão conselhos e opiniões sobre o que você deve fazer. Então elas descem. Os amigos corajosos ficam no trem com você, e viajam nele até o fim.

O relato de Elisabeth sobre sua jornada com Add no trem do câncer é totalmente honesto, esperançoso, desesperador e pungente. Talvez mais do que qualquer outro de seus escritos, ele captura sua coragem, sua fé em Deus e sua vulnerabilidade. Para todos nós que refletimos sobre o enigma de Elisabeth Elliot, é esta história — esta temporada enquanto o sol se punha em seu casamento com este homem a quem ela amava "mais do que Jim" Elliot — que revela seu âmago e nos dá uma chave para entender as decisões insondáveis que ela tomou depois, as quais definiram o curso do resto de sua longa vida.

Elisabeth chamou esta nova temporada de "deserto do câncer", uma terra desolada de incerteza e confusão.

"Em nome de Jesus Cristo, LIVRA-NOS DO MEDO", escreveu enquanto ela e Add digeriam as más notícias do novo diagnóstico de câncer de próstata e ele permanecia deitado em uma cama de hospital, esperando por mais análises de locais de câncer adicionais.

"'Não temas, pois eu sou contigo'. 'Não te assombres, pois eu sou teu Deus'. Nada alterou esses dois fatos."

Além dos fatos da fé, ela descobriu que pequenas coisas a confortavam em casa. Um banho quente com seu óleo perfumado favorito. O rosto curioso e cômico de MacDuff, seu novo cachorrinho scottie.

Mas Add estava sozinho, a onze quilômetros de distância, em uma cama de hospital, "zangado, calado, espancado até a poeira da humilhação", esperando por mais notícias de seu cirurgião sobre se ele também tinha câncer nas glândulas da boca.

Ele reunia forças para receber visitas. Dois amigos da igreja foram visitá-lo no hospital enquanto Elisabeth estava lá e, em poucos minutos, Add estava aconselhando-os e encorajando-os. Os quatro deram as mãos e oraram. Um dos homens desabou a chorar enquanto falava ao Senhor sobre seu amor por Addison. A visita tocou Add profundamente.

Elisabeth orava em nome de Jesus por libertação. Às vezes, sem motivo aparente, ela tinha uma grande sensação de esperança. A volatilidade das emoções. Seu irmão Tom observou que às vezes os sentimentos de uma pessoa não tinham relação com os dados em mãos.

Em 4 de novembro de 1972, ela não conseguia dormir, seu estômago embrulhado e sua mente girando. Ela sentiu que foi a pior noite que teve desde 1956, quando Jim foi morto. No dia seguinte, ela escreveu em seu diário: "Hoje, mais uma ladeira abaixo, à medida que a ficha cai e percebemos o que pode estar reservado para nós. O sangramento continua".

A carta de Add para suas três filhas de seu casamento com Margaret era mais otimista.

"Decidi tentar novamente", começava com seu jeito provocador, já que elas não haviam respondido às cartas anteriores. "Afinal, Faulkner foi rejeitado 43 vezes antes de seu primeiro manuscrito de livro ser aceito."[3]

Ele escreveu levemente sobre a primeira nevasca, passear com o cachorro, tentar fazer mais exercícios, agradecer a Fred e Elizabeth por um livro sobre o Brooklyn Dodgers e outras informações; e, só então, passou para o elefante na sala.

"Minha saúde parece ser um grande fator por aqui", escreveu. Ele descreveu sua cirurgia no lábio e então a indignidade de ter médicos também interessados em sua outra extremidade, onde eles "cometeram o erro de encontrar um câncer no local de onde [o cirurgião] havia retirado a próstata dois anos e meio atrás. Quantas pessoas você conhece com dois tipos de câncer — dois tipos diferentes e desconexos de câncer. [...] Tenho dificuldade em lidar com minhas preocupações".

Ele disse a Helen, Elizabeth e Katherine que as manteria informadas sobre qualquer notícia futura. "Com amor a todas vocês, papai."[4]

Durante esse tempo, Elisabeth recebeu vários telefonemas por semana, alguns à meia-noite, de Jandra, uma amiga de Oklahoma. Eram pedidos de ajuda;

---

3 Addison para "Queridas filhas da Dispersão", 15 de novembro de 1972.
4 Ibid.

ela estava prestes a se divorciar, seus filhos adolescentes a "odiavam" e acabaram saindo de casa, certa de que ela tiraria a própria vida. Outra amiga confidenciou estar em um casamento poliamoroso e queria o conselho de Elisabeth.

Cansada, Elisabeth buscava consolo, como sempre, na leitura. Ela anotou em seu diário as palavras de G. K. Chesterton em *Ortodoxia*: Para o cristão, ele escreveu, a alegria é fundamental e a dor, superficial. "A pulsação permanente da alma deveria ser o louvor."[5]

Então, "a alegria é algo gigantesco, a tristeza é algo especial e pequeno", Elisabeth resumiu. Ah, pensou ela. Que eu me lembre disso na minha próxima tristeza.

O Natal de 1972 chegou e passou, com visitas familiares, cultos na igreja e reuniões festivas na casa de Tom Howard. Addison continuava a ter problemas de sangramento urinário. Seu câncer de próstata mostrou ser uma massa inoperável. Ele teria oito semanas da mais pesada radioterapia possível.

O ano novo traria de seis a oito semanas de viagens de cinco dias para Boston, para radiação intensiva no Hospital Geral de Massachusetts.

Elisabeth chamou cada sessão de "três minutos e meio sob o olhar de uma máquina do tamanho de um vagão de carga, fazendo o barulho de três lanchas" em uma abóbada subterrânea DE ALTA VOLTAGEM e repleta de avisos de radiação nuclear no porão do famoso Hospital Geral de Massachusetts, em Boston, como se tivessem caído por acaso em algum cenário de filme apocalíptico.

Quando saíam da barriga da besta e voltavam para seu pacífico vilarejo, Elisabeth se maravilhava com a neve branca, os galhos nus das árvores contra um céu azul cobalto e a alegria saltitante de MacDuff, seu cachorrinho de franjas pretas, correndo na neve. "Todas essas coisas, e nós mesmos, e a ação do Betatron, estão seguras na mão que segurava as sete estrelas (Apocalipse 1) e agora se põe sobre nós novamente com amor e com as palavras: Não temais."

"Há algo maravilhosamente fortalecedor no conhecimento de que C. S. Lewis, sua esposa, Samuel Rutherford, Amy Carmichael e incontáveis hostes de outras pessoas sofreram, temeram, confiaram e foram carregadas nos mesmos Braços Eternos que nos sustentam."

Enquanto isso, Addison se autodenominava "o mais desesperado dos homens".

---

5 G. K. Chesterton, *Ortodoxia*, Clássicos MC, trad. Almiro Pisetta, 2. ed. (São Paulo: Mundo Cristão, 2012), p. 195. Edição do Kindle.

"Devo escrever aqui?", ela rabiscou em seu diário. "Não para que outros leiam isso, mas para que eu possa ter um registro preciso de 'todos os caminhos pelos quais o Senhor meu Deus me guiou', para que talvez eu possa contar sobre isso para a esperança de outros — essa é uma razão boa suficiente para fazê-lo, eu acho."

"Esta manhã estou chorando, mas tenho energia física para fazer o trabalho que tenho de fazer."

"Não podemos deixar o câncer ser o centro de nossa vida estes dias", ela pensou. Add pregou em uma igreja em Boston. Ele deu uma aula de três horas, sentindo-se trêmulo o tempo todo. Passava seus três minutos e meio de radiação a cada dia da semana orando por uma pessoa em particular, uma para cada dia da semana. Elisabeth falou em um café de senhoras da igreja. Ela indagou a Word Publishing sobre o tratamento dado ao seu livro sobre a direção de Deus, o qual ela sentiu ter sido editado "como um trabalho de aluno do ensino médio". Ela ficou satisfeita por sua antiga editora Harper, que tão dolorosamente havia rejeitado *Furnace of the Lord*, vir cortejá-la para escrever outro livro para eles.

Mas a vida havia mudado. Add sentia dor. Estava deprimido. Sentava-se na cadeira, cochilava, ignorava seus amados livros e assistia à TV. Vomitava no carpete vermelho do quarto. Sangrava quando urinava e tinha diarreia constante. Gemia, suspirava e tinha o olhar distante. Torturado todas as noites por insônia, ele não tomava pílulas para dormir. Seus "pecados do passado o atormentam", escreveu Elisabeth. "Sua teologia o atormenta." Ele pensava no verso do Salmo 103: "Como um pai se compadece de seus filhos, assim o Senhor se compadece dos que o temem".

"O que isso significa?", ele gemia. "Estou doente. Estou tão doente! Não podes me ajudar?"

Deus parecia tão distante, e este era apenas o começo da jornada. Ele pensou em suicídio. Elisabeth compreendia. "Quem não pensou nisso? Quem, isto é, quem já sofreu?"

"Estamos há três dias fazendo a dieta de Adele Davis e tomando pílulas de vitaminas", relatou Elisabeth no final de janeiro. "Já há uma melhora notável. Add não teve nenhuma náusea. Menos sangue na urina, menos desconforto gástrico, menos insônia."

Adele Davis foi talvez a nutricionista popular mais famosa de meados do século XX, com seus livros vendendo milhões de cópias. Seu terceiro livro, *Let's Eat Right to Keep Fit* ["Vamos comer bem para manter a forma"], escrito em 1954, tornou-se um manual popular sobre nutrientes considerados essenciais para a saúde humana e sobre como modificar o estilo de vida para ingerir essas vitaminas, minerais, ácidos graxos essenciais e proteínas.

O livro também criticava a dieta americana típica da época, que era rica em sal, açúcares refinados, agrotóxicos, hormônios de crescimento, conservantes e outros aditivos, bem como despojada de seus nutrientes essenciais pelo processamento excessivo. Davis criticou a aparente obsessão dos Estados Unidos por hambúrgueres, bifes e outras carnes vermelhas. Davis dizia que, como "alimentos genuinamente saudáveis" eram difíceis de obter nos supermercados da década de 1970, ela era uma grande defensora dos suplementos vitamínicos.

Embora essa perspectiva seja comum hoje em dia, em 1973 era tudo novo para Elisabeth Elliot.

Ela era evangelística sobre suas epifanias nutricionais. "Quando orei, meses atrás, para que Deus me mostrasse maneiras de ajudar Add, [...] certamente não teria imaginado essa resposta." Uma amiga trouxe mais livros, comida, depoimentos e suplementos. Outra velha amiga, médica, pediu que ela e Add tomassem bastante suplementos de vitamina C e E.

Elisabeth começou a contar a todas as suas amigas sobre a importância da nutrição.

"Para mim, faz sentido que Deus não precise operar um 'milagre' se houver regras naturais para obedecermos. O câncer, ao que me parece, é um dos resultados inevitáveis dos nossos próprios pecados e dos pecados da nossa sociedade contra as leis da nutrição (assim como todas as doenças). A radiação destrói maciçamente vitaminas e células no corpo. Um rigoroso programa de nutrição para ganho de massa muscular é necessário para substituí-las."

Ela se ocupou na cozinha e jogou fora males como farinha, açúcar, gotas de chocolate, refeições prontas e um saco de marshmallows escondidos em uma prateleira da despensa. Add observou: "Você é uma verdadeira crente! Quando decide que algo é verdade, você age. E então começa a ser uma missionária!"

Elisabeth já havia perdido um quilo e meio. Também havia perdido o desejo por doces. Ela estava com uma energia incrível. Acordava às 6h da manhã, ansiosa para levantar-se. Ela provocou uma rara rixa com seu irmão Tom ao tratar a pata ferida de seu cachorro com vitamina C em vez de levar MacDuff ao veterinário. Ela escreveu em seu diário que Tom e sua esposa "evitam o assunto de médicos comigo; minha atitude (embora não seja de crítica total) os enfurece".

Ocasionalmente, havia distrações da doença de Add. Em um dia frio, uma carta inestimável chegou à caixa de correio.

> Cara Sra. Elliot, sou o Conde Einar Olav Henrick Edvart da Noruega. Tenho um diploma de bacharel (magna cum laude) em filosofia por Yale (1942). Tenho um doutorado em teologia. Pertenço a 25 clubes em Londres. Foi-me prometido um emprego como professor de filosofia no Scarborogh College em Toronto. Quero me casar com você e ser pai de sua filha Valerie. Se quiser, estou disposto a ser um missionário como seu falecido marido. Se estiver interessada, por favor, escreva para mim. Obrigado. Atenciosamente, Conde Einar [...].

Se Elisabeth respondeu ao Conde, sua carta, que teria sido uma grande obra da literatura, tristemente se perdeu.

Após duas semanas em seu regime de suplemento vitamínico, Elisabeth observou que "o ânimo de Add estava inquestionavelmente melhor". Ela não conseguia deixar de acreditar que a dieta e os suplementos estavam ajudando.

Terminar os tratamentos de radiação também foi um fator. Add marcava grandes X's pretos no calendário pendurado na parede da cozinha à medida que cada sessão de tratamento era concluída, contando os dias para a conclusão.

Add escreveu a um amigo que eles teriam de adiar alguns possíveis planos de viagem juntos. "A dificuldade é que minha saúde, do lado de cá, jogou muita areia nas engrenagens e não tenho noção do que pode ser resolvido."

"Ontem mesmo [22 de fevereiro] terminei um curso de 33 tratamentos de radiação, e devo confessar que eles quase me levaram para o subsolo."[6]

Em 23 de fevereiro, o médico de Add lhes disse novamente que a massa em sua próstata era grande demais para permitir uma operação. Add havia recebido toda a radiação que podia tomar. A próxima opção seria uma orquiectomia, um procedimento cirúrgico para remover os testículos.

Enquanto isso, o lábio de Add não havia cicatrizado da cirurgia de alguns meses antes. Estava inchado, vermelho e irregular. Ele tinha certeza de que era mais câncer.

---

[6] Addison para "Querida Bess", 26 de fevereiro de 1973.

"Oh, Deus!", Elisabeth gritou. "Andamos em agonia de medo e lemos palavras como 'Alegrai-vos na esperança'! Choramos em oração, dois concordando na terra [em relação à] cura e não ouvimos resposta, apenas tênues esperanças de que pelo menos receberemos tua graça para suportar, mas graça não é o que pedimos. Senhor, tem piedade, tem misericórdia, é o nosso apelo."

"Ajuda-nos na nossa falta de fé!"

Em 27 de fevereiro, longe de casa, na faculdade, Valerie fez dezoito anos. Elisabeth e Add descobriram que o lábio dele precisaria de mais uma cirurgia. Imediatamente. E, agora, as esperanças de Elisabeth nos suplementos sofreu um golpe. Ela perguntou ao cirurgião de Add sobre aplicar vitamina E na área do lábio, após a operação, para reduzir a cicatriz. De forma alguma, o cirurgião lhe disse. Havia uma chance remota de que a vitamina E pudesse promover o crescimento de tumores genitais.

"Becos sem saída", Elisabeth gemeu. "Agora, o que fazemos?" Ela citou a oração do rei Josafá em 2 Crônicas 20.12. "Não sabemos nós o que fazer; porém os nossos olhos estão postos em ti."

"Sei que vocês têm simpatia e empatia", Add escreveu aos amigos enquanto sofria os efeitos posteriores da radiação. "No entanto, o que realmente me abalou é que, agora, com apenas uma semana após minha radiação, eles descobriram que meu lábio está tendo problemas de novo, então tenho que fazer outra cirurgia amanhã. Como ele foi operado há apenas três ou quatro meses, não estou muito seguro de que esta segunda operação será mais definitiva do que a primeira. [...] Se tudo ficar bem, serei um homem muito feliz, e se nem tudo estiver bem, então as opções que estão diante de mim são realmente muito estreitas."[7]

No dia seguinte, a caminho da sala de cirurgia, uma enfermeira disse a Addison: "Dr. Leitch, o senhor é tão alto!", ao que ele respondeu: "Sim, mas estão prestes a me cortar no tamanho certo".

Depois, Elisabeth olhou para sua forma adormecida na cama do hospital. "Não arrancaram o rosto dele", ela pensou. Graças a Deus. Mas parecia que faltava um pedaço. O curativo era enorme.

Os cirurgiões tiveram que remover parte do músculo da boca. Os relatórios de patologia voltariam em alguns dias para informá-los se deveriam voltar para esculpir ainda mais.

---

[7] Addison para "Queridas Glenn and Margaret", 2 de março de 1973.

Add voltou do hospital com o formato de sua boca alterado, "extremamente deprimido e desanimado".

Compreensivelmente, Elisabeth acordou na manhã seguinte "terrivelmente deprimida" também. Uma aluna do seminário lhes deixou uma violeta africana exuberante e florida. A violeta, disse ela a Elisabeth, não florescera por três anos. A aluna disse que realmente orara para que a violeta florescesse, e, agora, ela floresceu para Addison Leitch. "Vou orar pelo Dr. Leitch", disse ela a Elisabeth.

"Que suas orações sejam tão eficazes para ele quanto para a flor", pensou Elisabeth. O presente a encorajou muito, assim como outras ligações de sua amiga médica dizendo que ela acreditava que Addison melhoraria, que esperava pela cura, que continuasse usando vitaminas E e C.

"Graças a Deus", escreveu Elisabeth. "Creio que Add será curado."

CAPÍTULO 27
"AH! SE AO MENOS..."

"O fiat que Deus pede de nós quando sofremos não é o fiat da insensibilidade, mas do sofrimento. Quando nosso coração está dilacerado e continua assim, devemos entregá-lo a ele como está. Mais tarde, quando a paz retornar, nós o entregaremos a ele em paz. O que Deus quer é que nos entreguemos como estamos."
— *They Speak by Silences* ["Eles falam pelos silêncios], por um monge cartuxo não identificado

Se Elisabeth acreditava que Add seria curado, ela estava disposta a considerar qualquer coisa que pudesse ajudar a atingir esse fim. Ela observou em seu diário que uma querida amiga estava voando para Montreal para obter um pouco de "Laetrile 'clandestino', já que nem o Canadá nem os EUA permitem seu uso".

O Laetrile era popular na década de 1970, embora controverso. É derivado da amigdalina, a substância amarga encontrada em caroços de frutas como damascos, nozes cruas, feijões-de-lima e trevos. Quando ingerido, ele se converte em cianeto de hidrogênio. A ideia era que o cianeto iria atrás das células cancerígenas, privando-as de oxigênio e matando-as. No entanto, como nunca foi demonstrado que era eficaz e devido aos efeitos colaterais sérios que se assemelhavam aos efeitos do envenenamento por cianeto — inclusive a morte — o FDA, o órgão regulador de alimentos e medicamentos dos Estados Unidos, nunca aprovou seu uso no país.

Certa noite, Add e Elisabeth assistiam a uma entrevista com Corrie ten Boom no programa de televisão de Kathryn Kuhlman. Kuhlman era uma controversa evangelista e curandeira controversa; seu programa de televisão foi ao ar de 1966 a 1975. Kuhlman entrevistou convidados tanto famosos como desconhecidos, perguntando sobre suas experiências espirituais. Os espectadores sentiam que estavam ouvindo uma conversa real em vez de assistindo a um programa.

Corrie ten Boom era um nome conhecido da cristandade na época. Por causa de sua fé em Jesus, durante a Segunda Guerra Mundial, Corrie e sua família esconderam judeus dos nazistas em sua casa em Amsterdã. Eles foram descobertos e levados para Ravensbruck, um campo de concentração nazista. O pai e a irmã de Corrie morreram lá.

Corrie sobreviveu. Ela passou o resto da vida pregando sobre o poder milagroso de Deus de sustentar seu povo e capacitar o perdão. Seu primeiro livro sobre sua experiência na prisão, *O refúgio secreto*, vendeu milhões de cópias, foi transformado em filme e tem inspirado cristãos desde então.

Corrie contou a Kathryn Kuhlman sobre seu tempo em confinamento solitário, sozinha, sem nenhuma noção da passagem do tempo. Mas, de repente, ela não estava mais sozinha.

"Uma pequena e ocupada formiga preta entrou na minha cela solitária. Eu quase pisei nela certa manhã... quando percebi a honra que me estava sendo feita. Agachei-me e admirei a maravilhosa concepção das patas e do corpo. Pedi desculpas pelo meu tamanho e prometi que não andaria tão irrefletidamente outra vez."[1]

À medida que o tempo passava na solitária, ela esperava por outra visita de sua pequena amiga. Ela não apareceu. Ela e suas companheiras formigas estavam "ficando escondidas em segurança. E, de repente, percebi que aquilo também era uma mensagem, uma última comunicação sem palavras entre vizinhas. Pois eu também tinha um esconderijo quando as coisas não iam bem. Jesus era esse lugar, a Rocha fendida por mim".

Add olhou para a simpática santa holandesa de cabelos grisalhos na tela da televisão, seu cabelo em seu coque habitual, seus sapatos quadrados firmemente plantados no palco.

"Isso é apenas autoengano", ele disse a Elisabeth; "é como adiantar seu relógio para não se atrasar".

Elisabeth piscou os olhos algumas vezes. Na época, questionar Corrie ten Boom, renomada crente e heroína do Holocausto, era como questionar o ícone evangélico Billy Graham, ou talvez o apóstolo Paulo.

---

[1] Corrie ten Boom com Elizabeth e John Sherrill, *The Hiding Place* (Grand Rapids: Chosen Books, 1971), p. 165.

"AH! SE AO MENOS..."

Ela lembrou Add das Escrituras: "Não temas, porque eu sou contigo; não te assombres, porque eu sou o teu Deus".

"Essas coisas não valem um centavo para mim agora", disse Add.

Era tudo tão grosseiramente triste e desanimador. Elisabeth viu o alarmante cinismo do marido como o poder do inimigo de nossas almas para "tirar vantagem da fraqueza física e minar o espírito. Nada parece ter valor ou esperança para alguém dominado por essa força".

A amiga deles voltou do Canadá com pílulas de Laetrile e uma carga de suplementos e instruções, jogando Elisabeth em "um turbilhão de confusão" sobre as "ultrajantes restrições alimentares: nada de carne, nada de laticínios. Como alguém trilhar seu próprio caminho através dos meandros do equilíbrio químico e da fisiologia?"

Elisabeth decidiu que Add deveria continuar a comer carne e laticínios, já que, escreveu ela — apesar da animosidade da guru da nutrição Adele Davis pela carne bovina — "ela é muito nutritiva".

Add começou o Laetrile. Ele teve altos e baixos; quando estava melhor, as esperanças de Elisabeth disparavam. Ele escreveu para ex-alunos do seminário:

"Não tenho ensinado neste último semestre em Gordon-Conwell por causa do câncer, [...] uma combinação de duas operações e alguns longos tratamentos de radiação me desqualificam para qualquer trabalho adicional. Acho que agora consigo assumir um pouco de trabalho e, se tudo correr bem, poderei assumir mais no final do semestre, ou, certamente, retomar no outono."

"E se tudo não correr bem, minha história será a história de todas aquelas pessoas que você ouviu falar que tiveram câncer. É uma doença muito cruel, e ainda estou longe de estar fora de perigo, embora esteja me sentindo muito melhor do que me sentia há algum tempo. Há dias em que fico muito para baixo e volto aonde estava, mas em geral estou melhor."

"Não importa o quanto eu tente ou o quanto eu pense, não há soluções que tenham a ver com o que eu posso fazer, dizer ou tentar. O problema de apenas esperar é o tipo de coisa a que não estou acostumado, e talvez essa seja a lição que tenho que aprender: descansar no Senhor em vez de tentar resolver tudo sozinho."

"Elisabeth é uma torre forte, como vocês sabem, e ela tem sido mais do que isso, não apenas para si mesma, mas para mim."[2]

---

2 Addison para "Queridos Ramez and Becky", 29 de março de 1973.

A querida e velha amiga de Elisabeth, Katherine Morgan, veio visitá-los. Katherine havia perdido o marido quando era missionária na Colômbia, com quatro filhas. Como uma jovem viúva, ela decisivamente se empenhou em um ministério vibrante e frutífero na Colômbia que durou décadas. Havia poucas mulheres — se é que havia alguma — que Elisabeth admirava mais.

Katherine acreditava firmemente que Add seria curado. Ela discorria sobre o que havia testemunhado em termos do movimento do Espírito de Deus na Igreja Católica Romana. "O Vento está soprando", escreveu Elisabeth. "Que mulher ela é! Uma pessoa inteira, sã, bem equilibrada, profundamente espiritual, inteligente, bem-humorada, compassiva, amorosa. Obrigada, Senhor, por enviá-la."

Add sentia dor nos rins. "É câncer renal", ele resmungou. Continuava a perder peso. Sentia dor no nariz. "É câncer nasal." Sentia dor de garganta. Dor nas costas. Havia parado de comer laticínios, pois vários amigos disseram aos Leitches que ele não deveria consumi-los enquanto tomava Laetrile. Outro amigo recomendou uma clínica de câncer incrível na Flórida. Add ligou, apenas para descobrir que ela havia fechado as portas.

Cada pessoa precisa fazer suas próprias escolhas sobre quais caminhos seguir e protocolos adotar, homeopáticos e outros, em sua jornada contra o câncer. À medida que Elisabeth buscava as melhores opções para Addison, tudo era confuso.

"Nós nos encontramos na *selva escura*", ela escreveu, em uma referência ao *Inferno* de Dante, a sensação de estar em uma floresta escura e sombria, uma estação em que se perde o caminho.

Ela ligou para um médico no Instituto Nacional do Câncer nos arredores de Washington, D.C. Ele lhe disse que não havia necessidade de eliminar laticínios e que "Laetrile era tão eficaz quanto qualquer tratamento ortodoxo contra o câncer, ou seja, cerca de 15% de chance de cura efetiva".

O médico era um bioquímico respeitado e premiado. Muitos anos depois, o *Los Angeles Times* noticiou que ele havia sido oficialmente repreendido pelo Instituto Nacional do Câncer, em 1973, por seu "apoio aberto ao controverso tratamento contra o câncer com Laetrile". Ele considerava o composto "atualmente na vanguarda do tratamento para câncer" e instava a que ele fosse testado em humanos que dessem seu consentimento.

Aquilo irritou os representantes do instituto, que "lhe enviaram uma reprimenda oficial, dizendo que ele tinha o direito de exercer sua liberdade de expressão como cidadão privado, mas não representava a agência governamental".[3] Val voltou para casa nas férias de primavera, em março, e depois voltou para a escola. Suas notas estavam caindo; Elisabeth e Add a exortaram a se recuperar.

Os dias se arrastavam. Add não confiava mais em si mesmo para tentar dar aula nenhuma; ele poderia muito bem entrar em colapso. Estava cansado. Fraco. Ainda perdendo peso. Vomitando. O cheiro do óleo de banho de Elisabeth à noite o deixava enjoado. "Na semana que vem, estarei fraco demais para carregar as latas de lixo", disse ele a Elisabeth. "Estou viajando pela mesma rota que Margaret percorreu — mais fraco e doente a cada dia. Acho que o câncer está realmente me afetando agora. Acho que está no fígado."

Era difícil para Elisabeth não notar as queixas dele. "Todos os dias, três ou quatro vezes por dia, eu ouço 'Ó Deus, estou doente'. 'Eu sou de fato um bichano doente' etc. Hoje de manhã, Add disse (falando muito sério) o quão impressionado ele estava com o quão raramente ele fala de sua doença."

Em meados de abril Elisabeth e Add conseguiram jantar no Algonquian Club de Boston com Tom, Lovelace, a mãe de Elisabeth, Van, dois outros amigos e a filha de Add, Elizabeth Bonkovsky, que estava de visita.

Páscoa. Trombetas e tímpanos na igreja. Add se sentiu péssimo o dia todo, "doente e sem esperança, e ressentido por Deus não ouvir suas orações".

Depois disso, a próxima linha no diário de Elisabeth cita que o médico de Add "o declarou, 'para todos os efeitos práticos, <u>curado</u>'. O lábio de Add estava sarando bem, e nenhuma menção se faz à massa da próstata".

"Graças a Deus!", escreveu Elisabeth. "Terá sido

1. Um milagre

2. A radiação

3. Adele Davis

4. Laetrile???

Ou foram todos os quatro?"

---

[3] Robert Welkos, "Dean Burk, Supporter of Laetrile, Dies", *Los Angeles Times*, 11 out. 1988, https://www.latimes.com/archives/la-xpm-1988-10-11-mn-3603-story.html.

Add tinha dores terríveis na cabeça e tinha certeza de que agora tinha câncer no cérebro. Ele ensinou uma matéria. Ele e Elisabeth compareceram ao banquete de formatura do seminário.

Isso talvez não tenha ajudado o ponto de vista atipicamente sombrio de Add. "Todas as suas orações e jejuns não me têm feito nenhum bem", ele disse a Elisabeth.

Contudo, o ânimo dela aumentou, pois o apetite de Add melhorou e suas dores de cabeça diminuíram. O ânimo dele estava mais parecido com sua personalidade real. Elisabeth ousou ter esperança.

"Senhor, tenha misericórdia de nós. Que não haja mais nenhuma esperança frustrada, ó Deus da saúde e da esperança!"

Certa manhã, Elisabeth acariciou o braço dele para acordá-lo. "Observando os restos mortais?", ele perguntou.

O médico recomendou radiação para o lábio de Add. "Outro mergulho naquele túnel longo e escuro", escreveu Elisabeth. "Ó Senhor, salva-nos e ajuda-nos."

No dia seguinte, eles foram informados de que o câncer no lábio estava se espalhando agressivamente, com envolvimento da glândula sob o queixo, biópsias necessárias, talvez cirurgia para remover partes da mandíbula.

Mesmo durante esse tempo, Add ainda dava aulas quando podia; ele ainda era convidado a suprir o púlpito de pastores que estavam ausentes. Todas as vezes, ele falou o que sabia ser verdade, não o que estava experimentando em sua *selva escura*.

ANOTAÇÕES MÉDICAS: Addison Leitch UNIDADE Nº 181-51-85

O problema aqui, que agora é bem difícil e cujo prognóstico é bem grave, foi discutido longamente com a esposa dele, que está bastante perturbada, e justificadamente, creio eu.

O caráter fulminante de seus carcinomas de lábio e próstata levaria a crer que estamos lidando aqui com uma situação em falta ao paciente tudo o que é necessário para resistir ao exuberante crescimento tumoral.

Normalmente, tanto os carcinomas de lábio quanto os de próstata são lesões indolentes e progridem lentamente, se não tratadas, ao longo de

"AH! SE AO MENOS..."

muitos meses; porém, aqui, estamos lidando com uma doença bem fulminante em ambos os casos.

— M. D. S., M.D.[4]

Eles voltaram ao Hospital Geral de Massachusetts para mais radiação.

Add se engasgava com comprimidos, sofria dores de cabeça excruciantes, recusava-se a comparecer a pelo menos uma das "reuniões de cura" que Elisabeth sugeria. Ele estava cansado demais para se barbear. Que diferença isso faria, afinal? Os alunos vinham visitá-lo, e ele "falava somente sobre seus problemas", escreveu ela com tristeza, para então explicar: "Eu só expus tudo isso para que, quando ele melhorar, nos lembremos de quão ruim foi!"

Add frequentemente pedia desculpas a Elisabeth, dizendo-lhe o quanto ele lamentava pelo que estava fazendo com ela, como esse tempo era para ela um "terrível desperdício". Ele lhe disse que esperava ficar acamado durante julho e agosto inteiros e só podia esperar por "uma morte precoce". Seu irmão Robert o visitou, alarmado com a depressão de Add.

Val voltou da faculdade para passar o verão em casa.

Em 7 de junho, Elisabeth recebeu a notícia de que Sandra, sua amiga problemática e colega de telefonemas em Oklahoma, havia cometido suicídio.

Os dois melhores amigos de Add, Frank Lawrence e Dick Kennedy, vieram visitá-lo. Eles o encorajaram imensamente.

Mas por pouco tempo. No dia seguinte, Add saiu da mesa do café da manhã para vomitar. Ele voltou e derramou ovo na camisa. Era difícil para ele comer por causa da cicatriz ao redor da boca. Ele balançou a cabeça e enxugou furiosamente a camisa, irado com sua própria fraqueza. Disse a Elisabeth que pensava em suicídio todos os dias.

Os dias se passavam agonizantemente lentos.

"Cada dia é um pouco pior", escreveu Elisabeth.

"Eu oro por coragem, compreensão e heroísmo", Add lhe disse com raiva. "Deus não me ouve. Nada funciona. <u>Nada funciona</u>. Suas orações não funcionam. Suas dietas não funcionam. Sua psicologia infantil não funciona. Você não pode fazer <u>nada</u> por mim? Ninguém pode <u>me ajudar</u>? O suicídio

---

4 Documentos de Addison H. Leitch, arquivos da Presbyterian Historical Society, Filadélfia, Pensilvânia.

seria mil vezes melhor. Você não acha que nós dois estaríamos melhor se eu estivesse morto?"

O médico disse a Elisabeth que estava "muito pessimista" em relação ao prognóstico de Add.

Ainda assim, Elisabeth nunca desistiu. Ela se recuperava constantemente, juntando os cacos. Se o apetite dele melhorava por um dia ou mais, ela via uma tendência. Se suas dores de cabeça não eram tão ruins quanto antes, talvez estivessem indo embora.

A maior miséria de Add era sua própria incapacidade de viver bem enquanto morria. "Eu amo você, querida", ele sussurrou para Elisabeth uma noite. "Fique comigo. Talvez eu consiga."

Ficou pior. Ele continuou desmaiando, e Elisabeth não tinha forças para levantá-lo. A certa altura, ele rastejou de quatro, ofegando e gemendo, pelo carpete vermelho do quarto. "Ninguém pode me ajudar?", ele gritou. "Deus, tire tua mão de sobre mim, por favor, tem piedade!"

"Estou testemunhando o total colapso emocional e físico e a dissolução do homem que amo", escreveu Elisabeth em seu diário. "Ainda não tenho nenhuma dúvida de que Deus tem poder de curá-lo — de fato, talvez ainda o faça, mas oro para que seja logo, ou que Deus o leve rápido."

Os raios X mostraram metástases disseminadas no crânio, na coluna e na pélvis de Add. E se os níveis de cálcio na corrente sanguínea de Add não diminuíssem, ele poderia morrer a qualquer momento.

"A face da morte é, como sempre, avassaladora. Não consigo deixá-lo ir. 'Agora não, Senhor', eu me pego dizendo, como se em algum outro momento eu estivesse disposta a deixá-lo. Eu digo a Deus que quero o melhor que ele tem, mas então, nas profundezas da minha mente, eu quero apenas uma coisa: Add. É Add que eu quero, é de Add que eu preciso, e sem Add eu não suporto viver."

"Ah — se <u>ao menos</u>..."

CAPÍTULO 28
FAÇA-SE A TUA VONTADE

"Faça-se a tua vontade, ainda que seja a minha ruína!"
— Elisabeth Elliot

Visitantes iam e vinham. Em um domingo movimentado de junho de 1973, Tom, Lovelace, Ginny, Katharine Howard, Miriam, Roger e Annette Nicole, e Bill Bronson, todos apareceram. Addison reuniu forças, brincou, fez perguntas e contou histórias com uma sombra corajosa de sua antiga efervescência.

Depois que todos foram embora, Addison chorou. "O pensamento de quanto ele importava para tantas pessoas simplesmente o esmagou." Ele e Elisabeth falaram sobre a enormidade do perdão de Deus. Eles se maravilharam com a surpresa, a alegria e o "deslumbre" absolutos do seu casamento. Eles atualizaram seus testamentos e Add disse a Elisabeth quais hinos e oradores ele queria em seu funeral.

Os irmãos de Addison, seus sogros e sua filha Elizabeth também vieram nessa época.

Em 15 de junho, ele foi internado no Cable Memorial Hospital em Ipswich, Massachusetts, a cerca de oito quilômetros de casa.

"A vida está mais estranha — de fato, tem sido estranha por sete meses, mas agora, com essa sentença de morte realmente sobre ele, eu continuo comendo, bebendo e conversando com as pessoas, tentando em meus momentos de silêncio perscrutar o futuro. Consigo imaginar a viuvez e [também consigo imaginar] uma viagem para Cambridge junto com Add, saudável e forte novamente."

No dia seguinte, ela se perguntou como seria a morte quando chegasse. "O câncer é um grande e terrível deserto. Senhor, Deus de Abraão, guia-nos através dele. Deus de Moisés, vai conosco, por favor."

Ela viu que seu diário recém-iniciado em 1º de janeiro daquele ano estava quase pela metade. Ela olhou para as páginas em branco à frente. O que elas conteriam?

18-06-1973 Addison Leitch UNIDADE #181-51-85
Nossa preocupação de que esse homem fosse um exemplo de alguém que não tem o que é preciso para conter uma doença maligna aparentemente se confirmou. Durante os últimos sete ou dez dias, ele ficou cada vez mais deprimido, um tanto obtuso e atormentado pela dor. As metástases ósseas aparentemente são bastante fulminantes em caráter, pois [estudos] metastáticos realizados aqui há um mês mostravam apenas lesões ósseas questionáveis. [...] Metástases ósseas disseminadas do lábio são bastante incomuns. [...] De toda forma, radioterapia adicional no lábio parece perder importância diante da urgência das metástases sistêmicas. [...] Este é o plano: o Dr. P deve interná-lo no hospital para a apropriada quimioterapia e o tratamento de suas anormalidades bioquímicas sanguíneas. [...] Se ele responder à quimioterapia apropriada, então podemos retomar o tratamento do lábio em cerca de duas a três semanas; sabendo, é claro, que, em última instância, isso é inútil. [...] Problema discutido com o paciente, e particularmente com sua esposa, que entende muito bem onde estamos.
— M. D. S., M.D.

Elisabeth tinha cinco frascos de comprimidos, "venenos poderosos" para ajudá-lo a dormir, diminuir a ansiedade, aliviar a dor e "combater o câncer". O médico não estava permitindo que ela lhe desse nenhuma vitamina. "Estou fora de tudo agora — inútil, à mercê da vontade dos médicos, à mercê de Add, à mercê do Deus que se esconde."

Addison Leitch UNIDADE Nº 181-51-85
O paciente foi visto pelo Dr. R. para discutir a possibilidade de uma nova cirurgia radical. Isso, é claro, pode ser feito, mas significaria essencialmente sacrificar o lábio, a pele do queixo e realizar uma mandibulectomia para remover o nódulo fixo com dissecção supra-omo-hióidea do pescoço. [...]
O paciente [...], assim como sua esposa, não aceitarão cirurgia que implique deformação.

Poucos dias depois, por sugestão de uma amiga, ela tentou lhe dar vitaminas. "Ele se engasgou com elas — não tendo engasgado com <u>nenhuma</u>" das drogas prescritas. "<u>Como</u> alguém pode ajudar alguém em tal situação?"

Ela agora dava banho, fazia a barba e vestia seu marido, pois ele estava fraco demais para fazê-lo.

Elisabeth pensou em seu herói C. S. Lewis e como sua esposa Joy experimentara remissão em seu terrível câncer. Ela estava "aparentemente morrendo, com enfermeiras 24h por dia e, então, cerca de um mês depois, ficou aparentemente <u>bem</u>".

"Querido Deus, tu podes fazer isso por Add. Faze-o, <u>por favor</u>."

"Se nossa mente aqui a vagar

Tudo puder santificar

Tesouro rico proverá Deus

Para ofertarmos, sim, aos pés seus."

(John Keble, Episcopal Hymnal ["Hinário Episcopal"] nº 155)

"Talvez Add me tenha sido dado, como um tesouro de incontável valor, para que eu pudesse oferecê-lo de volta a Deus."

"Que felicidade Add e eu temos conhecido!"

REGISTRO DE CONSULTA, 16-06-73 #39935

Se o tumor for um carcinoma anaplásico da próstata, o diagnóstico é grave, pois geralmente não é um tumor responsivo.

—J. R. P., MD

"É estranho ter a morte ao seu lado, tão conscientemente, a todo momento." Ela fez espaguete para o jantar, o favorito de Add. Enquanto colocava as sobras no congelador, ela se perguntava: "Será que Add comerá ou morrerá antes que eu os tire de novo?"

Em 15 de julho, Elisabeth acordou com hinos gloriosos ecoando em sua mente. Ela citou um para Add.

"Nas chagas que te feriram, Senhor
Da morte tu arrancaste o vigor,
Por isso, a ti entoamos louvor
Aleluia!"

"Você tem algum hino para a dor?", Add reagiu. Ele falou de versículos que descrevem Deus torturando os descrentes no Apocalipse. "Será que deveríamos amar um Deus que tortura pessoas? É por isso que devemos amá-lo? Ele me assusta até à morte. Não há muita esperança no Apocalipse. Nunca sei em que grupo estou."

Os médicos queriam que Add andasse o máximo que pudesse. Cada passo vacilante era doloroso. Ele não queria se mover.

Elisabeth tentou fazê-lo dar algumas voltas pela casa.

Ele se apoiou pesadamente nela, ofegando e gemendo.

"Você não tem coração", ele disse. "Absolutamente sem coração. Eu simplesmente não consigo. Não consigo chegar até você. Estou doendo. Sou torturado a cada passo. Mas você se importa? 'Vamos', você diz. 'Vai lhe fazer bem.'"

Elisabeth estava dividida. Se ela o deixasse quieto, seus músculos atrofiariam. Mas ela não podia desistir. "Ele é um homem doente. Eu estou bem, eu o amo — devo continuar, esperando, insistindo, tentando ajudar. Se apenas eu soubesse como fazê-lo sem irritá-lo a cada minuto."

"A escuridão espiritual na qual Add está envolvido é talvez o pior aspecto desta doença. Ele duvida da bondade e do cuidado de Deus, duvida de sua própria salvação, teme a morte por temer que o que acontecerá em seguida seja pior do que este sofrimento. Senhor, liberta-o de suas amarras."

"Deus não quer um homem honesto", disse Add. "Apenas um homem que assobie na escuridão."

Enquanto isso, um dos médicos de Add disse a Elisabeth acreditar que os seus episódios de tremores e colapsos eram reações nervosas, e que "grande parte da dor nas costas é muscular (precisa de exercício!). Mas ele não anda — diz que a dor é excruciante".

Em 25 de julho, ele foi internado no Cable Hospital em Ipswich.

"Meu amoroso Pai. Amoroso Pai! Onde estás?", clamou Addison. "Eu devo me tornar como uma pequenina criança. Já me tornei. Estou indefeso. Só posso esperar contra a esperança que, de alguma forma, eu morra como um homem."

"Você saberá", ele disse a Elisabeth, "no Dia do Juízo, que você foi o instrumento da minha salvação".

"Oh, não!", respondeu ela, com sua teologia ofendida.

"Sim", Addison respondeu. "Talvez não seja uma ocasião apropriada para piscar, mas, quando for anunciado, eu piscarei para você."

No dia seguinte, Elisabeth leu Romanos 8 para Add em voz alta, em seu quarto de hospital. "Eu quero isso no meu funeral", ele disse. Elisabeth se inclinou sobre a cama. "Você é uma mulher adorável", ele lhe disse. "Uma mulher gloriosa."

Oh, Deus, Elisabeth pensou. Ela pensou em Maria falando com Jesus, depois que seu irmão Lázaro morreu; ah, Senhor, se tu estivesses aqui, ele não teria morrido. E então Maria disse: "Mas também sei que, mesmo agora, tudo quanto pedires a Deus, Deus to concederá".

"Add está aqui, Senhor, deitado, desesperadamente doente", Elisabeth orou. "Afundando. Além do alcance da medicina. Mas MESMO AGORA..."

"Você — havia tantas coisas que eu queria fazer com você", Add sussurrou para Elisabeth. Ele se engasgou com lágrimas. "O que há de mais brilhante da minha vida — e eu perdi."

Eles fizeram planos para o funeral. "Somos forçados a pensar no impensável." Morte. Parecia tão arbitrário, Elisabeth pensou. Ela se lembrou da imagem de C. S. Lewis, depois de sua esposa morrer, de algum tipo caprichoso de triagem cósmica:

"'Você, senhora, à direita. Você, senhor, à esquerda.'"

"É assim que é", Elisabeth pensou. "Sumariamente dispensado. Encerrado. Despachado."

A filha de Add, Helen, chegou para visitar e dizer adeus ao seu pai, que ainda estava no hospital. Ele ficou emocionado ao vê-la. Ela ficou alguns dias, ajudou Elisabeth a limpar a casa e foi jantar com uma amiga. Pai e filha choraram quando se despediram.

"Eu continuo querendo planejar as coisas — planejar ir para o céu, o que farei no primeiro dia."

Elisabeth recebeu uma carta de um amigo missionário, relatando ter ouvido que Add não sobreviveria e que Elisabeth não conseguia aceitar isso. "Ó Deus", ela resmungou; "precisamos ter todo um novo circuito de rumores?"

Dor. Agonias de desconforto pela incapacidade de evacuar, a necessidade de lavagens intestinais. Oh, que graves indignidades e humilhações para tal homem!

Katherine, uma das filhas de Add, tinha dado à luz recentemente. Agora, tinha feito uma apendicectomia e uma cirurgia ginecológica. Sua outra filha, Elizabeth, foi para a casa de Katherine para cuidar de seu filho recém-nascido. Elas não conseguiram visitá-lo.

Uma tarde, depois de uma variedade de visitas, Elisabeth perguntou a Add se poderia abaixar um pouco a cama dele para ele poder descansar.

"Eu não quero fazer nada", ele disse.

"Mas você não precisa", Elisabeth respondeu. "Eu vou abaixar a cama, só para mudar sua posição."

"Oh, querida", ele disse. "Deixe-me em paz. Você consegue pensar melhor do que eu, argumentar melhor do que eu, superar-me em qualquer coisa. Não consigo mais enfrentar desafios. Cada pessoa que esteve aqui esta tarde, eu tive que reagir a elas. Estou exausto."

De sua parte, Elisabeth sentia que queria "usar cada minuto, conversar, fazer perguntas, aprender com ele, colher de sua mente maravilhosa tudo aquilo que esses nove longos, longos meses tivessem lhe ensinado."

"Mas silêncio e paz são aquilo de que ele precisa."

Em 7 de agosto, Elisabeth escreveu em seu diário: "SERÁ QUE HOJE PODERIA SER O PONTO DE VIRADA?"

Addison estava mais calmo, tinha menos dor, mais força para ficar de pé e andar. Dois amigos sentiram que ele seria curado. Na faculdade, Valerie estava em jejum desde o almoço, todos os dias, até Add ser curado.

"Certamente algo ainda precisa acontecer antes que a cura venha", pensou Elisabeth, "mas acredito que ela virá".

"Mas a fé é duramente testada todos os dias", escreveu em seu diário. "Ontem Add estava miserável" [...] Seu espírito estava abatido e quase amargo, perguntando novamente como Deus pode olhar para o sofrimento de seus filhos tão friamente, sem levantar um dedo para ajudar. Fico muda quando ele age assim — ele faz isso há quase dez meses. Não tenho mais respostas. Como ele aponta, eu estou bem."

No dia seguinte, ele estava em um estado de quase euforia — sem dor, ansioso para se levantar para almoçar com Elisabeth. À tarde, a maré mudou completamente.

O tio de Elisabeth recomendou que ela o persuadisse a ir a um médico no México para tratamento com Laetrile. (Mais tarde, o médico seria amplamente condenado na comunidade médica por suas falsas alegações sobre as propriedades curativas do Laetrile para pacientes com câncer.)

Add estava exausto. Ele não queria falar, não queria que Elisabeth o cobrisse, não queria almoçar. Ela fez uma pergunta sobre uma carta que ele havia recebido. "Não me interrogue!", disse ele asperamente.

"Eu sei que isso não passa de delírios de um homem doente", escreveu Elisabeth em seu diário, "e é tolice levá-los para o lado pessoal, mas eu sou uma pessoa!"

Amigos vieram e encorajaram Elisabeth dizendo que Add estava suportando uma tremenda luta.

Ele conseguiu andar, com um andador, e sentou-se em uma cadeira por meia hora. Falou sobre ter que desenvolver uma vontade de viver — até então, essa vontade não era forte porque ele sentia que a vida seria algo muito ruim se ele fosse apenas "meio homem, um que só servisse para varrer folhas".

"Agora o processo de cura pode ter começado", escreveu Elisabeth.

O dia seguinte foi o pior dia de dor de Addison até então.

CAPÍTULO 29
A ESTRADA É SEMPRE LADEIRA ACIMA?

> "Também sou grata a Lewis por ter a coragem de, com raiva violenta, gritar, espernear com Deus, duvidar dele. Essa é uma parte do luto saudável que nem sempre é incentivada. Na verdade, é útil que C. S. Lewis, que tem sido um tão bem-sucedido apologeta do cristianismo, tenha a coragem de admitir dúvidas sobre o que ele proclamou de forma tão esplêndida. Isso nos dá permissão para admitir nossas próprias dúvidas, nossas próprias raivas e angústias, e saber que elas fazem parte do crescimento da alma."
> — Madeleine L'Engle, prefácio a Lewis, *A anatomia de um luto*[1]

Add voltou do hospital para casa pela última vez em 22 de agosto de 1973. Elisabeth se sentia terrivelmente ansiosa sobre como cuidar dele quando ele não conseguia se mover, como suportar sua dor e choro, e como cuidar melhor de suas funções corporais.

Hoje, muitas de nós que já estivemos na situação de Elisabeth recorremos a unidades de cuidados paliativos, com sua compassiva experiência em lidar com aqueles que não mais precisam de terapias de cura. Enfermeiros de cuidados paliativos, assistentes sociais, capelães e auxiliares de enfermagem aliviam o fardo dos familiares em tudo, desde o controle da dor até o planejamento do funeral, banho, ajuda física, até aconselhamento empático. Mas unidades de cuidados paliativos não foram introduzidas nos Estados Unidos até 1974.

E quem sabe se Elisabeth Elliot, forte e independente como era, teria se valido de tal ajuda e alívio.

---

1 C. S. Lewis, *A anatomia de um luto*, trad. Francisco Nunes (Rio de Janeiro: Thomas Nelson Brasil, 2021), p. 10. Edição do Kindle.

Elisabeth anotou suas frustrações, medos e tristezas em seu diário.

"26 de agosto. Fraqueza maior do que nunca. Mais gritos e desgosto para comigo." Ela leu para ele em voz alta o "maravilhoso sermão sobre Abraão e Isaque" de Martinho Lutero.

Ele a interrompeu antes que ela terminasse.

"Chega disso! Leitura muito alegre! Estou com dor! Você poderia afofar os travesseiros e ligar a TV?"

"27 de agosto. Ó Senhor, por que tu simplesmente não o curas?"

"2 de setembro. Constante declínio. Estou sempre dividida entre duas possibilidades: insisto em que ele se mova (por exemplo, para o vaso sanitário, ou para virar de lado na cama, ou para me permitir [elevar] a cabeceira da cama)? Ou deixo que ele fique cada mais fraco sem se mover (o que significa ter [evacuações] na cama, sem penico, já que ele não consegue levantar os quadris)?"

"O poder do mal — morte, desolação, dissolução — é tremendo."

"4 de setembro. Dave Howard [irmão de Elisabeth] e seu filho vieram. Stephen recebeu o dom da cura enquanto viveu na Colômbia, e agora passou três dias jejuando e orando na floresta de Nova York, preparando-se para visitar seu tio Add. Ele impôs as mãos sobre Add, orou e disse que acredita que ele será curado."

Add pediu um sinal — que as marcas roxas nas costas de suas mãos começassem a desaparecer naquela manhã.

Nada aconteceu.

"Ele não sai da cama para andar há cinco dias. Está mais fraco a cada dia."

A irmã de Addison, Margaret Leitch, chegou em 5 de setembro. Enfermeira, ela foi de grande ajuda para Elisabeth.

Mas ainda assim, a dor de Elisabeth era particular, excruciante, específica. "Faça-se a tua vontade, ainda que seja a minha ruína!"

"8 de setembro. O médico visitou. Um horror de imensas trevas paira diante de mim. Tento me preparar para a morte de Add, tento aceitá-la, enquanto ao mesmo tempo oro fervorosamente [...] por um milagre."

Elisabeth pensou novamente na esposa de C. S. Lewis, que tinha algumas semanas de vida, então se recuperou e viveu mais dois anos em remissão. Ela implorou a Deus pelo mesmo para Add.

"9 de setembro. Hoje à noite, após o ritual de ir para a cama — urinol, limpeza de fezes, lavagem das costas, aplicação de pomada de silicone, comprimidos, lavagem do rosto, orei com ele como sempre faço, e então relembramos alguns dos nossos momentos mais empolgantes e felizes até que o Nembutal o fez quase dormir. Fui para a cama, em paz mais uma vez, depois de um dia muito triste e muitas lágrimas. Não penso que Deus queira curá-lo agora. Espero estar errada, e ainda oro por isso."

Em 10 de setembro, Mair Walters, a médica que era amiga íntima dos dois, veio e notou o pulso de Add muito fraco. Ela disse a Elisabeth que ele havia decidido morrer, e que ela não tentasse fazê-lo comer ou se mover.

"Como alguém morre?", Add perguntou a Elisabeth. Ele tinha certeza de que experimentaria cada um dos cenários terríveis que ouvira sobre a morte. Ele partiria gritando ou se engasgando? Sua dor aumentaria? A que hora do dia as pessoas morrem, afinal? Uma vez que o caroço em seu lábio continuava a crescer, Deus o deixaria viver tempo suficiente para ter que remover sua mandíbula?

Amigos entravam, entravam e saíam o dia todo. Eles seguravam as mãos de Add, falavam de seu amor e choravam. Alguns se despediam.

"Estou sendo, como antes, maravilhosamente sustentada", escreveu Elisabeth. "Paz. Antecipação de alegria para Add, tranquilidade e confiança de Deus para mim. <u>Como</u> é isso? Eu não sei. Uma coisa eu sei, que embora estivesse aterrorizada e abalada, agora estou calma."

Em 11 de setembro, Elisabeth pensou em quão grata ela estava por Add não estar no hospital, mas em casa, em seu próprio escritório, com suas reproduções de Michelangelo sobre a cama, seu diploma de Cambridge emoldurado na parede e o jardim do lado de fora da janela. O conforto do familiar... contudo, esses eram dias estranhos. Era como se um visitante desconhecido estivesse prestes a aparecer. Você tenta se preparar para ele, mas não tem ideia de como fazê-lo. Você imagina o momento em que ouvirá sua batida na porta.

"Não quero que ninguém entre", Add sussurrou. "Não me toque. Deixe-me em paz. Deixe-me morrer."

A enfermeira voltou, perplexa porque o pulso de Add estava forte e sua pressão arterial, normal. Ele comeu e bebeu um pouco. Elisabeth se perguntou sobre a remissão. "Simplesmente não consigo encarar a vida", disse Add, exausto. "Não consigo morrer, mas não consigo viver."

"Estou tão assustado e solitário e não sei o que <u>fazer</u>", ele disse a Elisabeth. Não havia opções a não ser aceitar ou rejeitar o que Deus estava fazendo. Elisabeth falou com ele sobre o relato do Antigo Testamento de Deus conduzindo Israel até Mara — onde a Árvore tornou a água doce.

"Nas minhas imaginações mais loucas, não consigo imaginar a cura", ele disse.

"Não, nem eu", disse Elisabeth. "Mas oramos: 'Ajuda-me na minha falta de fé.'"

"Algo está acontecendo em Add", ela escreveu em seu diário. "Alguma mudança e suavização sutis."

"Você me traz paz, querido, quando fala comigo assim. E quando ora por mim. Por favor, continue." Ela leu para ele tudo de 1 Pedro, Romanos 8.14–28 e 2 Coríntios 1.9–11, que diz: "De fato, já tínhamos sobre nós a sentença de morte, para que não confiássemos em nós mesmos, mas em Deus, que ressuscita os mortos. Ele nos livrou e continuará nos livrando de tal perigo de morte. Nele temos colocado a nossa esperança de que continuará a livrar-nos [...]" (NVI).

"Isso foi maravilhoso", disse Add.

Tom Howard sentiu que Add estava sendo gradualmente despojado de tudo o que havia moldado sua personalidade e experiência. "Pouco a pouco, suas responsabilidades foram sendo retiradas; seus poderes, dissolvidos; sua impotência ficou mais óbvia; e, encontrando-se incapaz de fazer qualquer coisa por qualquer pessoa, incluindo por si mesmo, ele não conseguia aceitar o fato de que não havia, afinal, absolutamente nada a fazer". "Apenas deite nos Braços", Tom lhe disse. "Os Braços eternos."[2]

"Mas eu não sei como", disse Add. "Eu tento soltar as mãos e me lançar nas mãos de Deus, mas não sei como."

13 de setembro foi uma noite de sonhos selvagens. Add perguntou a Elisabeth, repetidamente, se seu nível de cálcio no sangue estava aumentando. Ele sabia que se atingisse um certo nível, coma e morte viriam. Ele queria saber se havia alguma maneira de *fazê-lo* aumentar.

Val estava se preparando para retornar ao Wheaton College. Gordon Conwell também estava se preparando para um novo ano acadêmico. Elisabeth havia procurado um aluno como inquilino, alguém que pudesse ajudá-la com as tarefas físicas que Add não conseguia mais fazer. "Walter Shepard, aluno do seminário, vai entrar no barco na segunda-feira", escreveu Elisabeth em seu diário. "Graças a Deus por esta provisão."

Elisabeth leu para Add o relato do evangelho sobre o servo de um centurião romano cheio de fé, a quem Jesus curou quando ele estava "à beira da morte".

---

2 Tom Howard para "Queridos parentes", 22 de setembro de 1973.

A ESTRADA É SEMPRE LADEIRA ACIMA?

"Estou com tanto medo", disse Add.

"Ó Senhor", Elisabeth orou. "Livra-o, querido Senhor, de todos os seus medos."

Às 2h30, Add acordou sem dor. Ele contou a Elisabeth sobre seus sonhos. Ele estava em uma feira rural com sua filha Katherine e o marido dela, Tom. Animais selvagens percorriam o terreno. Havia amoras silvestres.

"*Amoras silvestres?*", perguntou Elisabeth.

"Shhh", disse Addison. "Não mencione isso, querida. Você vai me deixar doente. Estou lutando contra amoras a noite toda!"

Ele continuou. "Não estou bem da cabeça, não é? Se eu fosse você, ficaria de olho em mim."

No dia seguinte, 14 de setembro, ele ainda não estava bem da cabeça. Ele se sentia "perto da borda". Ele queria que Elisabeth o segurasse. "O que eu devo fazer?" Elisabeth leu as Escrituras, poemas de Amy Carmichael, salmos, partes de *O peregrino* e alguns dos hinos clássicos que ambos amavam.

"E, quando a morte a mim vier

e a minha vida aqui aceitar,

por ti guardado, meu Senhor,

contigo irei então morar".[3]

Em 15 de setembro, enquanto Elisabeth banhava o corpo pobre e magro de Add, ele falou sobre cristianismo e sofrimento. "Os dois têm que andar juntos? Minha espécie ignorou tudo isso. Minha vida foi fácil."

"Talvez pareça fácil quando você olha em retrospecto", disse Elisabeth, "porque você estava simplesmente usando o que tinha sido posto à sua mão".

"Mas e toda aquela coisa sobre fazer a vontade de Deus?", ele respondeu.

"É isso que significa — fazer o que lhe foi dado para fazer, usando seus dons."

Elisabeth lavou suas mãos manchadas de roxo. Palavras da poetisa britânica Christina Rossetti vieram à mente. "A estrada serpenteia sempre ladeira acima?"

Ela o rolou para o lado. Ele havia perdido tanta massa que pesava quase o mesmo que Elisabeth, e para ela controlá-lo fisicamente era mais fácil do que

---

[3] "He Leadeth Me", letra de Joseph H. Gilmore e música de William B. Bradbury. Domínio Público (1862). [N. T.: Versão em português extraída do Hinário para o Culto Cristão nº 181, "Jesus me guia".]

antes. Ela banhou sua avermelhada e ossuda espinha com suas escaras, citando a história do Filho Pródigo.

Depois que Add estava limpo, um amigo veio visitá-lo. Ele lembrou Add, um ex-atleta, de como o treinador de futebol americano costuma dar um tapinha nas costas de seu quarterback. É assim que Add será recebido no Reino, o jogo concluído.

No domingo, 16 de setembro, Val partiu para o semestre de outono em Wheaton. As noites de Add eram medonhas, cheias de turbulentas correntes de desorientação, pesadelos, marés escuras de medo turbulento. Quando Tom Howard veio visitá-lo, Add perguntou se ele lhe faria um favor e lhe traria uma arma.

Na manhã de 17 de setembro, Add estava fraco, confuso e sonolento. Elisabeth encheu uma bacia com água morna. Ela elevou ligeiramente a cabeceira da cama e sentou-se ao lado do marido. Ela pegou as mãos finas de Add e as mergulhou com ternura na água, ensaboou-as, enxaguou-as e secou-as. Ela limpou e aparou suas unhas. Ela não tinha certeza do porquê precisava fazer isso, mas era importante.

A memória de Elisabeth fervilhava de textos da Bíblia da versão King James que ela conhecia desde a infância. Sua mente então se voltou para Jesus e a mulher que lavou seus pés, secou-os com seus cabelos e o ungiu com perfume.

"Para o dia da minha sepultura guardou isto", disse Jesus (ACF).

Tom Howard passou pela casa por volta do meio-dia, antes de ir para o Gordon College para dar sua palestra das 13h. Ele encontrou Elisabeth sentada em sua cadeira de balanço estofada, ao lado da cabeceira da cama de Add. Ele parecia estar dormindo. Tom e Elisabeth conversaram um pouco, e Tom perguntou sobre a respiração de Add. Parecia tão superficial e rápida, e Tom estava tentando descobrir se Add parecia pior — ou não — do que uma semana antes, quando todos pensaram que ele iria morrer.

Tom seguiu para a sua palestra.

Enquanto Elisabeth se sentava com Add, sua respiração se tornou mais como um chocalho. Por volta das 14h, ele tentou tossir um pouco de catarro, então seus olhos rolaram para trás e sua cabeça caiu para um lado. Elisabeth não conseguia encontrar o pulso. Ela gritou pela irmã de Add, Margaret, que veio correndo e também não conseguiu. Elas chamaram o médico.

Elisabeth também ligou para Lovelace Howard para ver se conseguia falar com Tom.

A ESTRADA É SEMPRE LADEIRA ACIMA?

Depois da palestra, Tom estava conversando com um de seus colegas, um professor de história que havia perguntado sobre Addison. Eles estavam entrando no prédio da administração, e a recepcionista vinha correndo de seu escritório.

"Dr. Howard!", ela chamou. "Sua esposa está no telefone. Seu cunhado precisa do senhor!"

Tom correu pelo campus até seu carro, entrou e dirigiu o mais rápido que pôde até a casa dos Leitches. Ele correu pela porta da frente.

Nos noventa minutos desde que Tom o vira pela última vez, Add "parecia ter cruzado qualquer que seja a fronteira entre estar gravemente doente, com uma doença terminal, e o momento de partir. Aquilo agora era a morte. A vida tinha acabado. Não havia mais marcação de tempo".[4]

Mais carros pararam bruscamente em frente à casa Leitch enquanto outros familiares e amigos chegavam. Add oscilava entre a consciência e a inconsciência, respirando superficialmente, falando algumas palavras indecifráveis. Ele pediu a Elisabeth para orar o Pai Nosso. Perguntou a Tom e Elisabeth se eles tinham certeza de que ele estava partindo. Como eles sabiam? Por que todas essas pessoas estavam aqui?

O reitor e amigo deles, Jim Hampson, leu o Salmo 23. Elisabeth citou os hinos favoritos de Add. Seus entes queridos seguraram sua mão. A maior parte do tempo, ele parecia ouvir enquanto falavam com ele.

"Está tudo bem?", perguntou Elisabeth.

"Ótimo", ele respondeu. Van colocou uma bolsa de água quente em seus pés. "Isso é maravilhoso". Ele parecia acreditar que havia cometido suicídio. Por que todo esse desfile de pessoas aqui? O que havia acontecido com seu plano?

"Deixem acontecer", ele disse.

Ele disse algo sobre Jesus Cristo, sobre ser ressuscitado. Ele parecia, finalmente, em paz. O reitor Jim Hampson perguntou se ele estava confiante em Jesus Cristo para sua salvação.

"Sim."

Às 23h30, Elisabeth pediu aos outros que a deixassem sozinha com ele. Às 23h45, embora não visse nenhuma mudança, ela sentiu que seu marido morreria antes da meia-noite. Ela orou a Deus que o levasse.

Sua respiração desacelerou. E então, às 23h55, ele deslizou para a liberdade.

---

4   EE para "Querida família", 26 de setembro de 1973.

CAPÍTULO 30
UM FIO TÊNUE

"Grandioso, Todo-Poderoso Deus, como a escuridão e a dureza da nossa carne são tão grandes que é necessário que sejamos afligidos de várias maneiras — concede que suportemos pacientemente o teu castigo e, sob profunda tristeza, fujamos para a tua misericórdia demonstrada a nós em Cristo, para que não dependamos das bênçãos terrenas desta vida perecível, mas que, confiando na tua palavra, avancemos no curso do nosso chamado, até que finalmente sejamos reunidos naquele bendito descanso que está reservado para nós no céu, por meio de Cristo, nosso Senhor. Amém."
— Oração com a qual João Calvino conclui sua exposição de Habacuque, cuidadosamente anotada no diário de Elisabeth Elliot, 3 de outubro de 1973

No dia seguinte à morte de Add, Elisabeth escreveu em seu diário, não pela primeira nem pela última vez, as palavras de Juliana de Norwich, a mística do século XIV: "Tudo ficará bem, tudo ficará bem, e todo tipo de coisa ficará bem".

Elisabeth continuou: "Toda a sequência dos últimos onze meses me parece, agora, completamente insuportável e aterrorizante. Oh, o sofrimento pelo qual aquele querido homem passou. Que requintada tortura de mente, alma e corpo. Não sei como passamos por tudo isso. Que irônico que Add tenha sido capaz de viver uma fase para experimentar outra pior, e outra... Medonha. Totalmente medonha. Senhor, tem misericórdia. Cristo, tem misericórdia".

Ainda assim, ela estava grata que Add tivesse morrido logo após entrar em coma. A Dra. Mair Walters, que tinha sido um grande encorajamento durante aqueles meses longos e horríveis, disse a Elisabeth que tinha visto pessoas na condição de Add continuarem respirando por uma semana ou mais.

Elisabeth preencheu a papelada, deu telefonemas, colocou em ação os planos que ela e Add tinham feito juntos, o que parecia ter acontecido há muito tempo. Na terça-feira, um dia após sua morte, houve um velório na casa funerária. Embora nunca tivesse gostado dessa prática, Elisabeth agora achava reconfortante "ver Add vestido, arrumado, em paz. [...] Há algo a ser dito sobre olhar a morte de frente mais uma vez no ambiente separado da casa funerária — em oposição ao leito de morte em si — aceitando-a, enfim, e se afastando".

Na manhã seguinte, houve uma reunião no Gordon Seminary antes do funeral de Add no final da tarde. O Reitor de Estudantes abriu o microfone para qualquer um que quisesse refletir sobre o Dr. Leitch.

"Foi maravilhoso", disse Tom Howard. "Um aluno após o outro e membros do corpo docente falaram de seu humor, de sua mente incisiva, de sua magnanimidade, de sua estatura e de sua simpatia."[1]

A família voltou para a casa de Elisabeth para a jornada final. Uma longa fila de veículos seguiu o carro funerário preto. O caixão de Addison estava coberto com um manto branco e dourado da Christ Church. O culto foi simples, com os elementos que Addison havia escolhido com Elisabeth em junho. Armand Nicoli falou, e o melhor amigo de Add, Dick Kennedy, trouxe lágrimas e risos em suas palavras sobre Add. O órgão se dilatou com os hinos favoritos de Add. Então, o caixão foi levado para o carro funerário, e lá, "do outro lado da capela, no outeiro em frente à biblioteca, estava todo o corpo estudantil, aqueles que não conseguiram entrar na capela — absolutamente silenciosos, observando seu grande professor e querido amigo ser levado embora".[2]

A procissão solene chegou ao Cemitério de Hamilton, estabelecido em 1713. A luz do sol penetrava através das árvores altas e velhas. As lápides cobertas de musgo marcavam as vidas daqueles que lutaram na Guerra Revolucionária e viveram no solo rochoso da Nova Inglaterra desde então. Liderados por seu reitor, Jim Hampson, na Liturgia para o Sepultamento dos Mortos, Elisabeth, sua família e os entes queridos de Addison encomendaram seus restos mortais à terra, confiantes na ressurreição dos mortos.

---

1 Tom Howard para "Queridos parentes", 22 de setembro de 1973.
2 Ibidem.

Eu sou a ressurreição e a vida. Quem crê em mim, ainda que morra, viverá; e todo o que vive e crê em mim não morrerá, eternamente. Porque eu sei que o meu Redentor vive e por fim se levantará sobre a terra. Depois, revestido este meu corpo da minha pele, em minha carne verei a Deus. Vê-lo-ei por mim mesmo, os meus olhos o verão, e não outros. Porque nenhum de nós vive para si mesmo, nem morre para si. Porque, se vivemos, para o Senhor vivemos; se morremos, para o Senhor morremos. Quer, pois, vivamos ou morramos, somos do Senhor. Bem-aventurados os mortos que, desde agora, morrem no Senhor. Sim, diz o Espírito, para que descansem das suas fadigas.[3]

Os dias passaram. Elisabeth lidou com a papelada, preenchendo formulários sobre "o falecido", que "agora se foi, para não retornar, e a mente não consegue apreendê-lo. Seu passo forte, voz alegre, grande masculinidade estão em todos os cômodos. Joguei fora pentes, escovas de dente, cheques cancelados [...] [e] cartas antigas.

"Sou uma desajustada social novamente."

Um amigo a convidou para um concerto, dizendo-lhe para "levar um amigo".

Elisabeth repetiu as suas palavras em sua mente. "*Levar um amigo*"? *Que amigo? Add era meu amigo.*

Ela e Tom foram ao cinema. Tom não conseguia entender que Add tinha realmente ido embora. "Descobri que minha imaginação rejeitava completamente tudo aquilo. Mil vezes por dia sou chacoalhado pelos meus sentidos e percebo que, por alguns minutos ou momentos, presumi alegremente e subconscientemente que tudo foi um infeliz [mal-entendido] e que eu poderia chamá-lo para jogar tênis, ou algo assim."

"[Elisabeth] e eu fomos ao cinema ontem à noite, e eu fiquei ali pensando:

'Meu Deus, isso é uma farsa grotesca — eu trazê-la para cá, quando esse era o passatempo favorito dela e de Add. Onde está o homem que se sentou ao lado dela nos cinemas por quatro anos?

Este é um substituto miserável, pelo amor de Deus.'"[4]

---

3 *The Book of Common Prayer*, https://www.bookofcommon-prayer.net/burial_of_the_dead_rite_I.
4 Tom Howard, "Carta à família", setembro de 1973.

Mas, como todos os que ficaram enlutados sabem, a vida de alguma forma continua. Você faz a próxima coisa. Em 5 de outubro, Elisabeth estava em um avião para Colorado Springs, onde honrou um compromisso de palestra previamente assumido em uma conferência para mulheres menonitas. Então, passou três dias visitando Val em Wheaton.

De volta para casa, a ausência de Add era insondável.

"Hoje foi um dia ruim. A ideia de usar um vestido longo para sair para jantar na [casa de uma amiga] parece uma encenação horrível. Não quero sair nem ir para a cama sem Add. Enquanto estou na escrivaninha ou lendo, estou bem, pois essas são coisas que sempre fiz sem ele."

Ela pensou em todas as "últimas vezes". A última vez que Add usou gravata, a última vez que dormiram juntos, a última vez que ele usou seus óculos ou seu relógio. Ela se lembrou de quão ansioso ele estava sobre os momentos que passavam, perguntando repetidamente a ela que horas eram, sentindo-se tão perturbado porque sempre era <u>mais cedo</u> do que ele pensava. Ele ansiava por morrer.

"Para mim", escreveu Elisabeth, "diante de sua morte, fui tomada pelo pathos da mortalidade. A sensação de um abismo cada vez maior entre nós. Em novembro passado [quando o câncer foi diagnosticado], o apito do navio soou e, lentamente, imperceptivelmente, ele começou a se afastar. Eu o segurava com um fio tênue, que se rompeu em 17 de setembro."

"Mas que <u>dádiva</u> ele foi para mim! Ó Deus, que dádiva! Obrigada, Senhor, Pai de Misericórdias. E agora, nesta terra estranha onde vivo, como cantarei os louvores do Senhor? Como? 'Pela minha graça', ouço-te dizer. Então, por tua graça, eu canto."

Para Elisabeth, a rotina banal era o melhor apoio para sua alma, o mecanismo improvável pelo qual ela podia "cantar" a graça de Deus. "Consigo funcionar quase com a mesma eficiência e concentração habituais, desde que opere por hábito — a mesmice, o ordinário e a necessidade são confortáveis para mim. É na interrupção da rotina, especialmente na vida social, que me vejo começando a me desintegrar e me voltar para a introspeção. Isso é perigoso, e tenho que tomar as rédeas com firmeza e dizer: <u>arre!</u>"

Ela cutucou seu cavalo interior em direção às festas de fim de ano. No Dia de Ação de Graças, lembrou-se da apreensão do ano anterior, quando ela e Add estavam vivendo com a nuvem escura das possibilidades do câncer, mas seguindo a vida como se tudo estivesse normal. Ela refletiu sobre o décimo aniversário da morte de C. S. Lewis; ele havia morrido pouco antes de seu sexagésimo quinto aniversário, assim como Add. Ela leu o belo novo livro de Clyde Kilby, *Images of [Lewis's] World* ["Imagens do mundo de (Lewis)"]. Se Lewis tivesse tido uma vida "normal", refletiu Elisabeth, com a agitação de uma esposa e filhos durante sua idade adulta, o resto de nós não teria as grandes dádivas de seus livros.

"Suponho que a razão pela qual as grandes alegrias da carne parecem tão importantes quando alguém está de luto é que <u>éramos</u> 'uma só carne'. Então, o que sou agora? Estou literalmente perdida, ou seja, não consigo encontrar o caminho. Fragmentada. Desorientada. Meu corpo, meu rosto no espelho, minhas roupas, meu perfume, tudo está desprovido de significado. Era tudo dele. Ele se foi, ele não precisa de nada de mim mais do que precisa de suas próprias roupas, algumas das quais estão penduradas no armário."

Ela se sentia tão sozinha.

"O Grande Pastor das Ovelhas traz seu rebanho, lenta e cuidadosamente, conforme elas estejam prontas para isso, até os vales e ravinas escuras. Um desses vales é onde a ovelha se encontra aparentemente isolada do resto do rebanho. Solidão, talvez ostracismo por causa de mal-entendidos, talvez outro isolamento. E ela deve então aprender que o Pastor é tudo de que ela precisa."

Aqui, no cerne de sua perda medonha, Elisabeth olhou novamente para as perdas fundamentais de sua vida. Não foi difícil — elas sempre estiveram, ao que parece, presentes em sua mente, parte daquilo que moldou sua experiência e sua compreensão do mistério da fé em um Deus inescrutável. Agora, a morte de Add parecia ser a perda máxima.

"Minha experiência com Macario: tudo o que havia sido dado em resposta à oração, tão maravilhosamente, foi retirado repentina e brutalmente."

Macario foi o informante linguístico de Elisabeth e seu insubstituível intérprete durante seus primeiros dias no Equador. Ela estava tentando traduzir o Novo Testamento para o tsafiki, a difícil língua ágrafa do povo tsáchila. Macario foi uma dádiva de Deus pela qual ela agradecia ao Senhor todos os dias.

Então ele levou um tiro na cabeça. Ela olhou para o corpo dele e protestou contra a cruel soberania de Deus... "A visão daqueles miolos derramados, os únicos miolos no mundo que continham as línguas" de que ela precisava. Será que ela tinha sido uma idiota completa ao tentar realizar o que acreditava ser a vontade de Deus?

Depois que Elisabeth se recompôs e coletou, de forma meticulosa e agonizante, suas anotações, cartões, índices e explicações linguísticas, ela os guardou cuidadosamente em uma mala rígida para manter tudo seguro. A mala foi roubada.

Por volta do mesmo período, o noivo de Elisabeth, Jim Elliot, quase morreu quando uma enorme enchente atingiu a estação missionária de Shandia. Jim e os outros missionários moveram freneticamente o máximo possível do conteúdo, dos suprimentos e dos materiais dos edifícios para terrenos mais altos. As águas se agitaram, subiram, se elevaram e toda a estação missionária foi varrida pelo rio caudaloso. Todo o sério e meticuloso trabalho deles para Deus, perdido. Por quê?

Isso, ela agora escreveu, era uma demanda de Deus por confiança incondicional.

Então Jim, apaixonadamente comprometido em levar as grandes novas do evangelho aos waorani, foi brutalmente atacado e morto a golpes de lança. Abatido aos vinte e oito anos. Por quê?

Isso, disse ela, tornava o significado da cruz real, em vez de apenas teórico.

Então, improvavelmente, o sonho de Elisabeth de alcançar os waorani se tornou realidade. Ela viveu entre eles... e teve de ir embora por causa de uma incapacidade elementar de se relacionar, não com o povo tribal, mas com sua colega missionária americana, Rachel Saint.

Nisso, ela renunciou seus objetivos e reputação.

Então, muito mais tarde, ela se dedicou a escrever *No Graven Image*. Embora sua ficção fosse ambientada em um local diferente, era a melhor versão que ela conseguia produzir da história real que viveu na selva e do mistério absoluto dos modos soberanos e às vezes agonizantes de Deus. E os cristãos odiaram o livro. Livrarias se recusaram a vendê-lo.

Isso, disse ela, foi a destruição de sua "identidade espiritual".

E agora. Deus surpreendentemente a presenteara com sua alma gêmea espiritual, intelectual, emocional e física. Então, ele arrancou Add e o levou embora. Lentamente. Cruelmente. O que mais o Todo-Poderoso arrancaria das mãos dela?

Não foi apenas a perda de seu amado, mas "outra morte de quem eu sou. Outro '[grão] de trigo' (o que eu era quando era sua esposa — meu corpo, a carne dele; minha mente, a resposta para a dele; minha personalidade moldada, mudada e nutrida pela dele; minha autoimagem, a imagem que eu sabia que ele via) caindo no chão para morrer — e agora, se assim o é, que fruto isso produzirá?"

Ela continuou a sondar a "esperança" que tivera quando Add foi diagnosticado pela primeira vez e a analisar o lugar disso em todo o mistério de esperanças frustradas e perdas sofridas. Era esperança em um resultado específico... um resultado que Deus não escolheu conceder.

UM FIO TÊNUE

"Como descrever a esperança da qual nos alimentamos há um ano? Nossas almas são estreitas, nossa visão, limitada, e não suportávamos pensar que as felizes promessas só se cumpririam do outro lado da morte. A esperança de que elas se referissem ao AGORA era a esperança à qual poderíamos nos agarrar e operar. Mas o avançar dia a dia na força dessa (falsa) esperança foi o que nos levou ao lugar da rendição e aceitação final. Não tínhamos a graça para nos rendermos no princípio — não era a hora. Era hora de ter esperança e seguir em frente com fé."

Na época do Natal, e no quadragésimo sétimo aniversário de Elisabeth, ela e Val estavam na nova casa de Ginny e Bud deVries em Grand Rapids.

"Quando penso na minha viuvez", escreveu Elisabeth, "eu a vejo como uma destituição, é claro. Mas um cristão só é 'destituído' em relação à sociedade humana e à medida que experimenta a perda em sua situação imediata. Ele ainda é um membro do corpo de Cristo, insubstituível na oração total da Igreja. Eu oro pela integridade e continuidade no grande movimento da igreja em direção a Deus, pela humilde e grata aceitação da obrigação que me foi imposta especificamente por essa "destituição" — que é, na verdade, uma recolocação.

"O casamento é normalmente a primeira oportunidade de conhecer a nós mesmos, nossa fraqueza e nossas capacidades. Dia após dia, no negócio de amar e viver com o outro — que é ao mesmo tempo uma parte de nós mesmos e alguém oposto —, descobrimos muito do que até então estava escondido de nossos próprios olhos. É um fogo, um fogo purificador, e devemos reconhecer e aceitar sua ação. Na véspera de Natal, Peter deVries e um estudante de intercâmbio finlandês que morava com a família de deVries tocaram violino e violoncelo, com Ginny os acompanhando no piano. "Tão celestial que me peguei chorando enquanto ouvia. Que música — que dons de Deus para iluminar nossa escuridão."

Cumprindo outro compromisso assumido muito antes de sua vida virar do avesso, Elisabeth falou na Urbana, a décima conferência anual de missões estudantis da InterVarsity Christian Fellowship. Iniciada em 1946 e realizada a cada três anos, foi uma celebração de cinco dias com palestrantes plenários e dezenas de seminários sobre vários aspectos do serviço missionário, culminando em um culto de adoração à meia-noite na véspera de Ano Novo de 1973. Alunos e palestrantes de todo o mundo compareceram. Elisabeth Elliot foi a primeira mulher a fazer um discurso plenário na Urbana, cuja plataforma principal, até então, estivera restrita a homens.

Elisabeth se gloriou na música e no canto de dezesseis mil almas no Centro de Convenções. Lágrimas ardiam em seus olhos com os grandiosos refrões de

"And Can It Be" ["E pode ser?"] e o hino da convenção, "Lord of the Universe" ["Senhor do universo"]. Ela pensou em como Add teria amado estar ali.

Os grupos de discussão que Elisabeth liderava à tarde estavam lotados. Perguntaram-lhe sobre mulheres solteiras no campo missionário, "realização no casamento", trabalho com idiomas, escrita, *No Graven Image* e o tema espinhoso do momento, a liberação feminina. Ela observou que "uma militante da liberação feminina me deu um bilhete, depois, dizendo que 'por acaso sabe que o Dr. Mollenkott [velho amigo de Elisabeth] tem sentimentos amargos em relação a mim'".

Suspiro.

Havia crentes de todo o mundo, testemunhos da improvável graça de Deus na Ásia, África, Europa e até mesmo nos Estados Unidos. E John Stott, que conquistou o coração de Elisabeth ao dizer: "Liberdade é submissão à verdade".

Ela descreveu a cena enquanto Philip Teng, da CMA Hong Kong, falava. "As pessoas apoiam as pernas nos corrimões, balançam os pés para cima e para baixo, tossem, [...] vestem e tiram casacos e, quando isso se dá em uma escala tão grande (16.000 pessoas), é uma agitação contínua."

Uma tarde, um estudante sincero abordou Elisabeth e lhe contou como tinha ouvido falar que ela e Jim Elliot, que ele evidentemente considerava super-heróis espirituais, memorizavam um capítulo inteiro das Escrituras em preparação para cada um de seus encontros. Elisabeth lhe deixou claro que não era bem esse o caso.

"Toda a experiência na Urbana foi indescritível e inacreditável. O culto final de comunhão, das 22h30 à meia-noite do dia 31 de dezembro, foi o mais próximo de como eu consigo imaginar que o céu seja. Todos gritando em alta voz: DIGNO É O CORDEIRO!"

A congregação inteira, milhares e milhares de estudantes antes barulhentos, ficaram em silêncio absoluto por quarenta e cinco minutos enquanto o pão e o vinho eram servidos e o ano novo — 1974 — amanhecia.

"Pareceu-me", escreveu Elisabeth, "que Deus havia programado aquilo 'só para mim' — fui imensamente ajudada, curada, encorajada e inspirada a entregar minha vida e tudo o que tenho pelo mundo, especialmente pelo mundo dos estudantes, se Deus quiser".

O diário de Elisabeth, o caderno Herald Square de couro sintético verde, estava quase cheio quando o sol se pôs sobre 1973.

Elisabeth usou suas duas últimas páginas para listar, primeiro, as mortes notáveis de 1973:

UM FIO TÊNUE

Addison Leitch, [...] brilhantismo, criatividade, bravura
Pablo Picasso, o renomado pintor abstrato
Lyndon Johnson, ex-presidente dos Estados Unidos
Edward G. Robinson, uma das estrelas mais bem avaliadas da "Era de Ouro" de Hollywood
Noel Coward, dramaturgo, ator e compositor britânico
David Ben Gurion, primeiro Primeiro-ministro do Estado de Israel

"Foi o ano de Watergate, da volta dos prisioneiros de guerra para casa, dos acordos de Le Duc Tho e Henry Kissinger em Paris, do casamento da princesa Anne com Mark Phillips, da escassez de combustível e dos terroristas árabes sequestrando um jato em Roma."

Foi uma das poucas vezes, de fato, em que ela conscientemente colocou seus escritos de diário em seu contexto histórico.

"Olho para o novo calendário de 1974, em branco, lembrando-me dos grandes X's pretos nos meses de janeiro e fevereiro do nosso calendário de cozinha de 1973, cada um marcando uma sessão de radiação em Boston, cada um deles, um símbolo — 'Agora, aquele acabou, e por fim todas as 33 sessões serão concluídas e poderemos começar a procurar pelos resultados.'"

"E houve aquelas noites horríveis em que Add não conseguia dormir. E a sensação contínua de estar se equilibrando no fio da navalha da sanidade e da fé, um abismo de loucura e desespero abrindo a boca de cada lado."

"Mais uma vez, paz. 'Senhor, tu tens sido o nosso refúgio, de geração em geração' [...]."

"E mais uma vez confio a minha vida àquelas fortes mãos, fazendo a oração de Betty Scott Stam: 'E faz tua plena vontade em minha vida, a qualquer custo, agora e para sempre.'"

CAPÍTULO 31
HOMENS NA CASA

"A vida deve continuar; esqueci exatamente por quê."
— Edna St. Vincent Millay

"Agora tenho dois inquilinos", Elisabeth anotou em seu diário verde cinco dias após a morte do marido. "Walter Shepard e Lars Gren."

Walt e Lars eram alunos da Gordon-Conwell. Ambos eram altos. Ambos tinham maneiras e charme sulistas. Mas qualquer semelhança terminava aí. Seria difícil encontrar dois seres humanos mais diferentes. Um se casaria com Valerie. E o outro se casaria com Elisabeth.

Em 1973, Walt Shepard era um sujeito cabeludo com um passado pitoresco. Ele cresceu no que hoje é a República Democrática do Congo. Seus pais eram missionários corajosos e piedosos. Walt amava seus amigos e sua liberdade na África. Quando tinha dez anos, ouviu no rádio — no programa *Voice of America* — sobre a morte de Jim Elliot e seus colegas missionários no distante Equador.

A família Shepard retornou para sua casa em Nova Orleans em 1960. Walt tinha dezesseis anos e estava no segundo ano do ensino médio. Ele cresceu jogando futebol com seus amigos africanos; agora, no sul dos Estados Unidos, o futebol americano imperava, e futebol era para fracotes e estrangeiros. Seus amigos na África eram todos negros. Agora ele ouvia pessoas de pele escura sendo chamadas de nomes horríveis. "Espalharam a notícia de que meus pais tinham sido missionários para os africanos", Walt conta hoje. "Eu apanhava muito."

Ele se formou no ensino médio, jogou futebol na faculdade por um tempo, depois contundiu os joelhos. Fez faculdade em Belmont e planejava ser intérprete das Nações Unidas no Congo. Mudou de ideia e trabalhou na construção civil, depois trabalhou em administração na Pan American Airlines em Nova York, por dois anos, ganhando um dinheiro decente e vivendo a vida boa com amigos em

Long Island, bebendo muita cerveja Schlitz e comendo muito espaguete e ragu.

Ele decidiu voltar para casa. Parou em Nashville e se encontrou com amigos da faculdade que estavam abrindo ali uma boate com tema de safári africano. Eles queriam que Walt a administrasse.

Parecia bom. O clube contratava as grandes bandas da época e ganhava muito dinheiro. A polícia fez vista grossa quando algumas das atividades clandestinas do clube chamaram a atenção. O subgerente insistiu em ter alguém armado na porta da frente. A atmosfera volátil começou a deixar Walt nervoso.

Uma noite, Walt estava trabalhando no bar, movendo-se rapidamente, bravo com um dos garçons. Ele sentiu um par de olhos sobre si. E sabia que não podiam ser os policiais.

Era pior. O pai dele.

Walt estava vivendo de vodca e suco de toranja; tinha enormes bolsas escuras sob os olhos que eram visíveis mesmo na pouca luz do bar. Seu pai apenas olhou para ele.

"Como você está, filho?", perguntou o Sr. Walter Shepard. "Sua mãe e eu estamos meio preocupados com você."

O pai de Walt foi embora logo depois disso, mas suas palavras sem confrontação quebraram algo dentro de Walt. Ele sabia, mas não admitia de fato, que as atividades em seu local de trabalho eram piores do que apenas o negócio da boate. Ele começou a fazer perguntas e descobriu que havia um parceiro de negócios secreto, o qual fazia parte de alguns negócios obscuros que o deixaram muito desconfortável.

Não sendo alguém que tivesse vergonha de fazer movimentos decisivos, uma noite Walt simplesmente parou de servir bebidas, fechou as caixas registradoras, parou a música e disse a todos que fossem para casa. "Estamos fechados", ele gritou.

Na manhã seguinte, houve algumas repercussões violentas de sua decisão. Seria prudente para Walt seguir em frente. Ele foi para casa na Louisiana. Pensou em Jesus. Leu livros cristãos. Queria a fé de seus pais, mas queria o lado negro também. Ele era popular com as mulheres — em parte porque fazia ótimas perguntas e se importava sinceramente com as pessoas —, mas se sentia um impostor. Ficou noivo. Sua noiva sabia de seu conflito interior, mas esperava pelo melhor. Eles visitaram a casa dos pais dele e, em um domingo, quando estavam sentados na igreja, ela deu um salto e saiu correndo do culto.

Quando Walt a encontrou, ela estava chorando. "Eu vi seus pais de mãos dadas na igreja", ela disse. "Eu não quero o que eles têm. Não posso dividir você com outra pessoa."

"De quem você está falando?", Walt gaguejou. "Não tem mais ninguém."

"Estou falando de *Deus*!", ela sussurrou.

Seu ciúme derrubou Walt. Lá estava ele, tentando voltar lentamente para a vida e a fé, e ela não queria nada disso.

Eles terminaram. Uma noite, Walt estava bebendo muito. No meio da noite, ele decidiu que iria ver seu amor perdido. Mesmo em seu estado alterado, ele sabia que era uma má ideia.

Por que está fazendo isso?, ele pensava enquanto acelerava pela rodovia para encontrá-la. *Você só vai bagunçar a vida dela.* E, no fundo, ele sabia que ela não era o que ele desejava, de qualquer maneira. Seu velocímetro continuou aumentando, cada vez mais rápido — 220 quilômetros por hora. 3h42 da madrugada.

Um carro havia parado no acostamento da estrada na frente dele, para trocar de motorista, e ambos não estavam no veículo. Walt se chocou em cheio contra ele. Atravessou o para-brisa, terminando em algum lugar sobre o motor. Seu carro esportivo pegou fogo. Um gerente de hotel viu as chamas e ligou para a emergência; os policiais chegaram quase imediatamente. Eles não conseguiam se aproximar do veículo por causa do incêndio.

Parados ali, indefesos até os bombeiros chegarem, os policiais viram dois homens desconhecidos caminharem direto para as chamas, tirarem Walt inconsciente do fogo, um levantando seus ombros, o outro segurando suas pernas. A ambulância chegou e os paramédicos correram para colocar Walt sobre a maca. Eles o puseram na ambulância e foram para o hospital.

Os policiais procuraram os dois rapazes que tiraram Walt do fogo. Precisavam do depoimento deles como testemunhas para que pudessem acusar Walt de direção imprudente. Se ele sobrevivesse.

Os dois homens não foram encontrados em lugar nenhum.

Ao chegar ao hospital, Walt teve que ser ressuscitado. Ao despertar, ele enfim percebeu que sua orelha estava em seu ombro, conectada por uma pequena aba de pele; ele sangrava por todo lugar e sua perna estava quebrada em quatro lugares.

"O senhor deveria fazer algo com relação a essa perna", sussurrou uma enfermeira. "Ele não vai precisar dela lá para onde está indo", respondeu o médico.

Mas Walt sobreviveu. Mais cedo ou mais tarde, ele saiu da UTI. Disse às enfermeiras para não deixarem nenhum pastor ou capelão entrar. Ele estava bravo, amargo, sem esperança.

Seus pais vieram. Seu pai trouxe a Walt a sua Bíblia, a que lhe tinham dado quando ele tinha dez anos, a que ele guardava sob o assento de seu carro esportivo como um amuleto da sorte. Estava coberta de sangue seco.

Naquela noite, algo quebrou dentro de Walt.

"Oh, Deus!", ele gemeu. "Se podes perdoar um cara como eu, não apenas me perdoa, mas me dá uma nova vida, pois não consigo mais fazer isso."

Ele dormiu. Foi seu primeiro sono profundo e tranquilo em anos.

Na manhã seguinte, sua cordial enfermeira afro-americana de sempre entrou apressada, cantarolando hinos, arrumando as persianas... e então parou para dar uma segunda olhada em Walt.

"Oh, meu Senhor!" ela gritou, correndo para fora da sala. "Ele tem! Ele tem o Espírito Santo!"

Muitos meses depois, Walt conseguia mancar de muletas. Ele leu e releu Lucas 15, ensaiando o discurso do filho pródigo. Falou com a assistente de seu pai e marcou um encontro no escritório dele. Pegou o ônibus até o ponto mais próximo do escritório.

Como ele havia agendado, entrou direto, desajeitado em suas muletas. Seu pai pulou da mesa. Ele não tinha ideia de que seu "próximo compromisso" era na verdade seu filho. "É você!", ele gritou.

Eles desceram o corredor até uma sala de reuniões privada.

"Pai!", Walt soluçava. "Eu vivi uma mentira terrível. Fiz tudo que pude para negar tudo aquilo em que o senhor acredita. Por favor, me perdoe!" Seu pai também chorou. "Deus perdoou você, filho?", o pai de Walt respondeu. "Então eu o perdoo."

Em seguida, Walt pegou o ônibus para a casa de seus pais. Ele cambaleou pela calçada da frente e foi até a porta de tela. Através dela, ele podia ouvir o telefone tocando. Sua mãe atendeu e depois foi até a porta para encontrar seu filho.

"Ah!", ela disse, sorrindo largamente. "O telefone é para você, Walt!"

Walt entrou em casa e pegou o antigo telefone preto. "Alô?" ele disse, hesitante. Então, ouviu a voz de seu pai. "Bem-vindo ao lar, filho!"

Impulsionado pela poderosa maré de perdão e pelo amor do Pai, Walt continuou a se curar, física e espiritualmente. Ele conseguiu começar a trabalhar na construção civil. Carregava uma Bíblia em seu macacão. Começou a levar o evangelho a adolescentes do ensino médio, moradores de rua e hippies. Ele decidiu ir para um novo seminário liderado pelo autor do "fim dos tempos" dos anos 1970, Hal Lindsey. Ficava na Califórnia; Walt conseguia enxergar um ministério de praia em seu futuro.

O pai de Walt e Billy Graham eram grandes amigos. Quando o Dr. Graham ouviu sobre os planos de Walt para o seminário, ele lhe deu outra opção.

"Filho", ele disse a Walt. "Eu sirvo no conselho de um seminário chamado Gordon-Conwell em Massachusetts..."

A próxima coisa que Walt, de vinte e sete anos, soube no final do verão e início do outono de 1972, foi que ele estava se matriculando no Seminário Gordon-Conwell e chegando às aulas com cheiro de esterco, já que trabalhava limpando estábulos para os pôneis de polo no elegante Myopia Hunt Club. Enquanto procurava um lugar permanente para morar, ele estava dormindo no sofá muito curto de um amigo.

Durante a longa doença de Addison Leitch em 1973, Elisabeth precisava de ajuda com a casa e as tarefas. Ela ficou sabendo do seminarista sem-teto de cabelos longos de Nova Orleans. Ela ligou para ele, em seu jeito formal, e lhe contou sobre sua situação. Ela também lhe deu um aviso justo: "Sou uma dona de casa meticulosa. Isso representa algum problema para você?"

Desesperado para sair do sofá curto, Walt imediatamente mentiu.

"Oh, não, senhora", ele disse. "Eu adoro limpar e colocar as coisas em ordem."

CAPÍTULO 32
CRISE DE INQUILINOS

"A verdade é mais estranha que a ficção, porque a ficção é obrigada a se ater às possibilidades; já a verdade, não."
— Mark Twain

Após a morte de Addison Leitch, tanto Walt Shepard quanto Lars Gren foram um grande conforto para Elisabeth. Mas a dor dela era incessante. Ela escreveu em sua coluna regular no *Christian Herald* sobre os fragmentos, ou pedaços do todo, que vemos quando consideramos outro ser humano. Quando essa pessoa morre, o que resta são as várias impressões de uma personalidade. Ela comparou isso aos cestos de pequenos pedaços de pão que sobraram depois de Jesus alimentar as multidões.

"Chegam-me cartas de todos os tipos de pessoas que conheceram e foram afetadas por uma personalidade. Ele era meu marido e, cinco semanas atrás, perdeu, enfim, uma longa batalha contra o câncer [...] o que você faz com os tacos de golfe, a gaveta cheia de comunicados de imprensa... as vestes acadêmicas e o diploma de Cambridge, a carteira de couro com seu nome gravado, o anel com monograma [...]? Você doa algumas dessas coisas, esperando que as pessoas consigam entender que você lhes está dando um pouco dele."

Pedaços fragmentados de um homem, juntando cestos cheios de migalhas... "Ele sabia que o ministério da própria Palavra da Vida, a Palavra que é Deus, tinha sido confiado às suas mãos, e era seu chamado confiá-lo, por sua vez, a [pessoas] fiéis." Nas fitas de seus sermões gravados, ela observou, sua voz era sempre "natural e vigorosa, jamais tingida com o que Spurgeon chamava de o 'tom ministerial'".

Agora, Elisabeth foi deixada para coletar as migalhas deixadas para trás. "Quando um homem morre, parece que quase tudo se perdeu, mas isso não é verdade. Centenas, talvez até milhares, foram alimentados."

Ela passou a refletir sobre a diferença entre a morte de Jim e a de Add.

No caso de Jim Elliot, não houve muito "fechamento" para Elisabeth; nenhuma oportunidade de ver seus restos mortais, nenhum momento final para encarar a face da morte. O corpo dele só foi encontrado cinco dias após seu assassinato, irreconhecível após sua imersão no lamacento Rio Curaray. A equipe de busca, toda masculina, teve oportunidade apenas para um enterro apressado. Eles enterraram o que restou de Jim, junto com seus amigos, em um buraco lamacento em território hostil, enquanto soldados equatorianos permaneciam em alerta, nervosos, segurando grandes armas e examinando a selva.

Enquanto Elisabeth ponderava sobre a perda de Jim, e agora diante da morte de Addison, ela pensou em um dos eventos que moldaram sua infância. Ela tinha nove anos, e Essie, sua melhor e única amiga, morreu. Essie, como Elisabeth, amava correr e explorar, construir fortes secretos, subir em árvores. Agora, informaram a Elisabeth que ela havia partido. Para onde?

Os pais de Elisabeth a levaram ao funeral para ver sua falecida companheira de brincadeiras. Lá estava Essie, deitada imóvel em um vestido branco, mãos entrelaçadas, seus cachos dourados espalhados sobre um travesseiro de seda.

Ninguém precisou dizer à jovem Elisabeth que sua outrora animada e aventureira amiga estava morta. Elisabeth podia ver: seu espírito havia voado.

"Não foi um choque. Crianças não se chocam com as coisas. São os mais velhos que não conseguem encarar a realidade. Fiquei impressionada e solene."

Pelo resto de sua vida, Elisabeth lembrou-se do dia da morte de Essie a cada ano, em seus muitos diários. Sua primeira experiência com um corpo morto — uma casca vazia — a ajudava a aceitar sua perda.

O mesmo agora era verdade quanto a Add. Quando ela viu seu corpo imóvel no caixão, seu rosto estava em repouso, suavizado da dor. Ele havia voado. A evidência física da realidade espiritual a ajudou a dizer adeus e passar pelo luto, um luxo que ela não tivera com Jim.

Eufemismos socialmente comuns sobre a realidade da morte a irritavam. Quando as pessoas se aproximavam dela hesitantes e falavam sobre a "partida" do Dr. Leitch, ela tinha vontade de dizer: "Ah, não, ele está morto, você sabe". Na maioria das vezes, no entanto, ela se controlou.

Um missionário no Equador — que parecia se especializar em atualizar Elisabeth sobre rumores desagradáveis — escreveu para ela que outro missionário havia lhe dito: "Elisabeth Elliot certamente conquistou fama e fortuna com seus livros — imagino o que ela escreverá sobre a morte desse marido agora!"

Ao compartilhar isso com Val, que estava na faculdade, Elisabeth disse filosoficamente: "Bem, Val, lembre-se do que [o apóstolo] Paulo disse: 'Nossa única defesa é uma vida de integridade'. As pessoas inevitavelmente vão nos criticar, não importa o que façamos, e é a Deus que devemos responder por nossas ações. Deus sabe, e você sabe, que eu jamais pedi pelas coisas que aconteceram na minha vida, e só posso entregá-las a Deus, pedindo-lhe para aceitá-las, santificá-las e usá-las para alimentar suas multidões, assim como ele aceitou, santificou e usou os pães e peixes do garotinho". (Ela também observou que certamente não tinha "feito uma fortuna" com seus livros, mas recebia uma média de US$ 5.000 por ano.)[1]

Em janeiro de 1974, Walt e Lars já eram inquilinos de Elisabeth há cerca de quatro meses.

Como observamos antes, Elisabeth Elliot amava homens altos, jovens, bem-educados e másculos. Walt Shepard estava na casa dos vinte e tantos anos, vinha de uma piedosa família missionária com uma história envolvente de transformação espiritual; era intelectual e espiritualmente curioso, engraçado, atencioso e sensível. Eles tinham um acordo em que ele fazia tarefas domésticas em troca do aluguel, mas ela também apreciava a amizade dele, não apenas sua ajuda. Ela gostava da maneira como a mente de Walt funcionava. Algumas noites eles assistiam na televisão ao então popular drama britânico *A Família Bellamy*. Walt começou a chamar Elisabeth de "Lady". Ela adorava. Ela deu a Walt algumas roupas de Addison e incentivava seu crescimento, sucessos e interesses. Ela ria e dava-lhe conselhos sobre todas as jovens que caíam de amores por ele, algumas das quais ele desesperadamente tentava evitar.

A história de Lars Gren é mais obscura que a de Walt. Quando o conheci em 2017 e 2018, fiz a ele minhas perguntas habituais sobre seus primeiros dias, suas origens, sua vocação, como ele chegou a Gordon-Conwell em 1973 e conheceu Elisabeth, e sua jornada com Jesus. Nenhuma narrativa, nenhum detalhe. Ele me mandou guardar meu laptop, meu bloco amarelo e minha caneta de gel preta.

Eu guardei, e conversamos sobre outras coisas. Fomos caminhar à beira-mar. Ele preparou um jantar para mim. Quando precisei ir embora, ele me convidou a

---

1 EE para "Queridíssima Val", 6 de janeiro de 1974.

ficar mais tempo. Foi sociável, de forma controlada. Lars não estava interessado em compartilhar muito de sua história, embora partes dramáticas dela surgissem ocasionalmente, quase contra sua vontade.

Mais tarde, descobri que sua reticência não era exclusivamente comigo.

Certamente ele tinha essa prerrogativa, mas gostaria que ele tivesse me contado mais.

Lars nasceu em 1936, filho de pais noruegueses que moravam em Nova York. Eles tinham um restaurante e trabalhavam duro todos os dias do ano, exceto no Natal. Lars tinha uma irmã um ano mais velha, e seus pais achavam que não conseguiriam administrar seus negócios e cuidar de dois filhos. Então, quando Lars tinha dois anos, seus pais viajaram para a Noruega a fim de deixar o pequeno Lars aos cuidados de seus avós, Far e Jor. Ele morou com eles por dez anos.

Em uma carta sem data na primavera de 2001, ele escreveu várias páginas sobre sua vida, embora asseverasse que tinha dificuldades de escrever corretamente. Ele disse que era filho da velhice de seu avô. "Eles eram *modêlos* para o verdadeiro *cristãm*. Ele foi o *zalador* da igreja por 37 anos."

Então, quando a Segunda Guerra Mundial terminou, Lars, de baixa estatura para sua idade, foi levado a um navio chamado *Stavangerfjord* para navegar até os Estados Unidos para se reunir com seus pais e conhecer seu irmão mais novo. Ele não falava inglês. Seus avós pagaram uma mulher para cuidar dele na viagem, mas ela nunca apareceu. Lars foi alojado na terceira classe, um garoto jovem e louro se alojando com homens adultos.

Ele chegou à América, reencontrou sua família e trabalhou no restaurante familiar. Frequentou a escola pública, obtendo zero em todas as tarefas por meses até aprender inglês. Lars tinha uma relação difícil com o pai, pois achava difícil amá-lo e respeitá-lo da mesma forma que se importava com o avô. "Eu era teimoso, meu pai era rápido em aplicar a vara, mas com ira. Nove anos difíceis vieram em seguida. Eu fazendo exatamente o que ele dizia, mas não por amor, em vez disso, um 'vou te provar que consigo'. Conversávamos o mínimo possível. Mamãe era a cola que mantinha a família unida."

A carta de Lars de 2001 é um dos poucos documentos que traça seu caminho inicial, em suas próprias palavras e dicção. Ele era um trabalhador esforçado; lavou infinitos pratos no restaurante de seus pais, depois se formou como barman quando adolescente. Ele se alistou na Marinha e depois se tornou vendedor de roupas femininas.

Mais tarde, ele se estabeleceu em Atlanta. De acordo com um anúncio de jornal local, em 9 de abril de 1962, ele se casou com uma jovem chamada Sherry Anne em uma igreja batista em Atlanta.

Sua esposa o deixou em dois anos. Eles se divorciaram, embora Lars não costumasse incluir essa parte de sua história quando chegou ao Gordon Conwell Theological Seminary. Ele não tinha diploma universitário, mas disse aos amigos que Gordon havia dispensado seus requisitos habituais e o admitido com base em "experiências de vida". Ele era um trabalhador esforçado, mas carecia de habilidades acadêmicas e intelectuais.

Após se tornar um inquilino na casa de Elisabeth Elliot Leitch, Lars trabalhou duro, assim como Walt, para fazer tudo o que pudesse para ajudar a cuidar de sua senhoria nos meses difíceis após a morte de Addison. Eles levavam o lixo para fora, juntavam folhas, removiam neve, cortavam e carregavam lenha e limpavam a casa, embora, é claro, ninguém conseguisse atender aos padrões exigentes da senhoria. Porém, Walt e Elisabeth já tinham um relacionamento de confiança, e não demorou muito para Lars sentir uma certa rivalidade.

Quando Elisabeth ia entrar no carro, Walt carregava as coisas para ela, acomodava-a, abria-lhe a porta da garagem e a fechava depois de ela sair.

Para não ficar para trás, Lars se sentava no sofá à noite, quando Elisabeth estava fora, para que ela o visse esperando-a chegar, pronto para entrar em ação e abrir a porta da garagem.

Walt engraxava os sapatos de Elisabeth. Lars percebeu e começou a colocar os seus próprios sapatos para Walt polir. Isso não aconteceu.

Walt também brilhava na mesa de jantar quando ele e Elisabeth discutiam teologia com grande fervor. Incapaz de ou indisposto a contribuir, Lars fervia, furioso, seu rosto gradualmente ficando roxo, até que ele se afastava da mesa.

Os homens eram como dois jovens cervos, competindo pela atenção da fêmea. Ou, como Walt disse décadas depois, cada um era como um garanhão soltando gases para marcar seu território.

Lars geralmente era reticente sobre seu passado, mas, em uma ocasião, ele e Walt estavam conversando, e ele compartilhou o fato de que já havia sido casado antes. Walt não pensou muito a respeito, mas algumas semanas depois, Lars, Elisabeth e Walt estavam sentados à mesa do café da manhã.

Eles estavam falando sobre o casamento de alguém, e Lars mencionou melancolicamente que apenas amaria saber como era estar casado.

Walt se engasgou com os ovos e as torradas. "Uh", ele disse. "Você não acha que precisa ser franco com nossa senhoria sobre sua situação?"

Lars também se engasgou. Lentamente, ele admitiu para Elisabeth que sim, ele tinha sido casado, mas era divorciado. Ele deu uma razão que, hoje, tanto sua ex-esposa quanto seu irmão negam ter sido o caso.

Com o passar do tempo, Elisabeth reuniu seus consideráveis poderes para semear a mais tênue possibilidade de um relacionamento entre Walt e Valerie. Walt era vinte anos mais novo que Elisabeth, e Val era dez anos mais nova que Walt. Lars era nove anos mais novo que Elisabeth.

Só para aumentar a mistura, havia Van, que tinha sido um compassivo apoio para Elisabeth durante a doença e morte de Addison, e o que veio depois, assim como havia ajudado Elisabeth após a morte de Jim no Equador. Ela estava sempre rondando, sempre procurando um caminho de volta para a vida doméstica de Elisabeth.

Elisabeth e seus inquilinos iam a festas, jantares, filmes e outras excursões. Uma noite, enquanto Elisabeth estava datilografando uma carta para Val, ela interrompeu a si mesma para anotar que houve "uma batida muito suave na porta do escritório. Era Walt: 'Obrigado por estar aqui, senhora. Realmente aprecio isso'".[2]

Durante esse tempo, Elisabeth viajava regularmente para dar palestras. Ela conhecera uma amiga e talentosa organizadora de retiros chamada Jan Webb, que Elisabeth considerava "a mulher mais engraçada do mundo". Era alguém que a fazia "desmaiar de tanto rir", mas com quem ela podia compartilhar seus pensamentos mais profundos.

Em junho, Elisabeth escreveu para Jan: "Amanhã faz um ano que descobrimos que o câncer de Add havia se espalhado para o osso. Olho para trás e mal posso acreditar no que Deus fez por mim este ano. Como passei pelo verão passado? Uma coisa — eu me agarrei às Escrituras com minhas unhas, por assim dizer, mais desesperadamente do que nunca na minha vida". Ela contou a Jan como havia colado um bilhete em seu espelho, as palavras de Jesus quando seus discípulos entraram em pânico em seu barco de pesca durante uma tempestade. "Tende bom ânimo! Sou eu. Não temais!"

---

2 EE para "Queridíssima Val", 11 de fevereiro de 1974.

Elisabeth encerrou sua carta: "Penso em você em sua incerteza e anseio, e me pergunto se talvez essas palavras simples possam fazer por você o que fizeram por mim — elas me deram equilíbrio espiritual. Amo você, Jan, e estou tão feliz que você seja minha amiga".[3]

Em outras correspondências, Elisabeth intensificou seus comentários sobre Walt em suas cartas para Val.

Ela escreveu para sua filha, "Lars, Walt e eu jantamos... na casa da tia Van, e Walt viu, pela primeira vez, aquele retrato sério de você que a tia Van tem em sua mesa. Ele ficou boquiaberto e sem palavras e, quando eu lhe disse mais tarde que eu também tinha aquela foto na cômoda do meu quarto, ele disse: "Bem, se a senhora me encontrar no seu quarto algum dia e não for dia de retirar o lixo, saberá o porquê".[4]

Elisabeth observou Walt e o fofo MacDuff brincando lá fora... havia uma crosta congelada no topo da neve, e "o pobrezinho do Duffer" conseguia correr em cima da crosta na maior parte do tempo, mas de vez em quando ela cedia e ele afundava até às orelhas. Ele tinha que pular e lutar para sair, e então voltava a correr atrás de Walt, que galopava pela neve com as botas azuis e brancas de Addison.

Elisabeth enviou a Val o cartão de Walt com suas informações de contato. Val respondeu: "O que a senhora está tentando fazer comigo?! Amo muito você e oro por você. Val".

Elisabeth não era a única tentando arranjar para Walt. Desde o momento em que chegara a Gordon Conwell em 1972, muito antes de pisar na casa de Elisabeth, a maioria de seus amigos e do corpo docente pareciam excessivamente preocupados em casá-lo. Eles lhe arrumaram todos os tipos de encontros. Walt não tinha tempo nem dinheiro para encontros e, além disso, sabia que preferia ficar em casa e ler a enciclopédia ou fazer um tratamento de canal do que sair com algumas dessas mulheres.

Uma noite, ele estava na casa de um professor e viu na mesa de centro o livro *The Savage My Kinsman* ["O selvagem, meu irmão"], o relato vívido de Elisabeth sobre o primeiro ano em que ela e a pequena Val viveram na selva com os waorani. A esposa do professor falou sobre as belas fotografias do livro. Walt concordou; as imagens eram impressionantes.

---

3 EE para "Queridíssima Jan", 14 de junho de 1974.
4 EE para "Queridíssima Val", 21 de janeiro de 1974.

"E essa garotinha nas fotos?", ela perguntou.

"Ah, ela é fofa como um botão," Walt falou arrastado.

"Sabe onde ela está hoje?", perguntou-lhe a esposa do professor.

"Bem, vejamos, a filha fofa de Elisabeth Elliot... provavelmente está casada com um dos filhos de Billy Graham", Walt respondeu.

"Ah, não!", disse sua anfitriã, empolgada. "Na verdade, ela está bem aqui no final da rua, morando com a mãe quando retorna de Wheaton!"

Agora, quase dois anos depois, Val, aluna de Wheaton, estava indo a concertos, jogos de hóquei, retiros, cinemas e se esforçando mais nos estudos, ao mesmo tempo em que as cartas de sua mãe cantam louvores a Walt.

Naqueles dias de correio tradicional, Val "pensou e repensou" sobre enviar um cartão para Walt no Dia de São Valentim, mas "finalmente decidi não fazer isso, porque não queria ser uma das muitas que enviariam um cartão para ele! Acho que era meu orgulho! Então, fiquei brava por não o ter feito. Ah, bem. Por favor, não diga nada a ele!"

Uma ou duas semanas depois, Elisabeth escreveu: "Bem, a essa altura você já deve ter recebido um cartão de aniversário de um ótimo rapaz que mora na casa 746 da Bay Road. Foi difícil eu me controlar quando ele me procurou na sexta-feira à noite [...] e me perguntou se eu achava que seria apropriado ele enviar um cartão de aniversário! [...] Se alguém me acusar de tentar manipular as amizades da minha filha, eu negarei veementemente qualquer participação nisso. Eu só disse ao jovem que tinha certeza de que você não ficaria ofendida, de que você, na verdade, ficaria feliz. Eu estava certa?"[5]

Elisabeth continuou. Início de março: "Adivinha de quem eu cortei o cabelo esta tarde?? Sim! E ele está tão bonito. Não, eu não cortei curto. Só dei uma bela aparada".[6]

Meados de março: "Querida Val, nos últimos dias, passei horas conversando com Walt. Ele é realmente um homem incrível, e agradeço a Deus por trazê-lo até mim quando eu precisava dele. Ele é gentil e atencioso além das palavras. [...] Uma das grandes satisfações de conversar com Walt é que nada se perde. Ele absorve, pensa sobre isso, assimila".

Walt garantiu ainda mais a afeição de Elisabeth ao amar o cachorro dela. Ele levava MacDuff para correr à noite. "Duffer ama Walt, e vice-versa", escreveu

---

5 EE para "Queridíssima Val", 25 de fevereiro de 1974.
6 EE para "Queridíssima Val", 7 de março de 1974.

Elisabeth. "Walt e eu estávamos aqui sozinhos na quarta-feira à noite. Ele insistiu em que não queria que eu cozinhasse para ele, já que eu havia recebido visitas, então me levou para jantar. [...] Não foi algo fofo, e tão típico dele?"[7]

Val enviou um cartão de aniversário para Walt (perguntando-se se seria muito atrevido da parte dela fazê-lo, e então decidindo que aniversários eram ocasiões apropriadas para qualquer um entrar em contato com alguém). Elisabeth escreveu para a filha que "ele ficou tão 'estremecido' (expressão que aprendi no Texas!) que não conseguiu fazer" suas quinhentas páginas de leitura de teologia no fim de semana.

Sentada na biblioteca de Wheaton por doze horas em um triste sábado, Val, que estava insatisfeita com suas notas e "se sentindo burra", consultou um livro sobre arquitetura gótica. E ali, no cartão da biblioteca usado para empréstimos naquela era pré-computador, havia um nome escrito a tinta, datado de outubro de 1945, uma tal de Elisabeth Howard. Val sorriu antes de mergulhar de volta no temido artigo, pensando em quão diferente ela era da jovem Elisabeth, que Val tinha certeza de que nunca lutara com questões acadêmicas em toda a sua vida.

Enquanto isso, Elisabeth ofereceu um jantar de aniversário para Walt com vários casais de seminaristas; eles comeram filé, cogumelos recheados e bolo. "Dei a Walt um par de calças azul-marinho para combinar com o casaco de tweed espinha de peixe que era de [Addison] e que eu também tinha dado a ele. Ele ficou maravilhosamente bonito com essa roupa."[8]

Walt a levava para palestras locais. "É uma grande ajuda tê-lo dirigindo, e tão reconfortante tê-lo por perto. Como sou terrivelmente abençoada de mil maneiras, e sou grata."

No abismo escancarado de sua segunda viuvez, era como se Elisabeth estivesse desesperadamente buscando distração. A presença reconfortante de Walt parecia manter sua solidão e dor sob controle. Por um tempo. Ela preparava um piquenique e parava na biblioteca, encontrava Walt e perguntava se ele podia sair. Eles dirigiam até o mar ou algum lugar pitoresco e jantavam ao ar livre.

Elisabeth escreveu para sua filha: "Queridíssima Bonequinha, Walt e eu almoçamos perto de Bass Rocks. Ondas maravilhosas, mar cintilante, gaivotas

---

7 EE para "Querida Val", 18 de março de 1974.
8 EE para "Queridíssima Val", 11 de março de 1974.

rodopiando e gritando, céu azul — exatamente o que eu precisava para 'desperturbar' minha mente perturbada!"[9]

Era como se Elisabeth pegasse tudo o que apreciava em Walt e canalizasse em direção à sua filha.

Em 25 de março, Val escreveu para sua mãe, que havia chamado Walt para cumprimentá-la durante uma ligação entre mãe e filha: "Acho que Walt ficou envergonhado de ser colocado no telefone. Você o obrigou a fazer isso? Se fez, não faça de novo".

Parte da afeição de Elisabeth se devia ao fato de que Walt ressuscitava suas memórias do jovem Jim Elliot. Ela escreveu para Val que Walt ficou tão animado quando soube que Val estava no telefone que saltou do escritório dela e foi esfregar o chão da cozinha, e então levou MacDuff para a escola para pular obstáculos. "Ele é tão realmente, tão terrivelmente doce e sensível que mal consigo suportar, e às vezes ele me lembra demais do seu próprio pai!"

"Ele ficou triste, é claro, ao saber que você estava tão chateada com suas notas, e entendeu como você se sentia em querer corresponder às expectativas das pessoas. Lars também sentiu muita pena de você quando lhe contei sobre suas notas no café da manhã. Ele tem dificuldades no seminário, eu acho, e de fato deve ter se solidarizado com você."[10] (Sensibilizada com os desafios acadêmicos de Lars, Elisabeth havia pedido a Walt que o ajudasse com alguns de seus trabalhos de seminário.)

Será que Val se sentiu manipulada pela campanha pró-Walt de sua mãe? Será que ela se incomodou por Elisabeth compartilhar os sentimentos de inadequação intelectual de Val com os dois jovens? "Eu estava absolutamente alheia a tudo aquilo. Estava preocupada com minha vida na faculdade. Eu simplesmente sabia que mamãe amava [Walt] muito, e estava muito grata por ele ter sido um conforto para ela após a morte do meu padrasto."[11]

E quanto a Walt? O que ele estava pensando quando não estava esfregando o chão da cozinha e pulando obstáculos com o cachorro de Elisabeth?

"Naquela época, eu nem sequer pensava em Val de uma forma romântica", diz Walt. "Eu pensava: 'Seu idiota! Ela é jovem o suficiente para ser uma irmã mais nova para você, e está saindo com todos esses figurões em Wheaton!'"

---

9 EE para "Querida Val", março de 1974.
10 EE, "Querida Val", 27 de março de 1974.
11 Entrevista telefônica de Ellen Vaughn, uma entre muitas, com Valerie Elliot Shepard, 12 de janeiro de 2023.

Mas ainda assim, em 1974, quando Val acabara de fazer dezenove anos e Walt tinha vinte e oito, algo começou a acontecer que nem mesmo alguém tão determinada quanto Elisabeth Elliot poderia ter orquestrado sozinha.

"Eu fiquei [...] tão animada ao receber a carta de Walt", Val escreveu para sua mãe. "Eu jamais sonhei que ele me escreveria uma carta completa. Nem percebi que ele ficaria tão nervoso com isso! Só espero que quando eu voltar para casa nós dois não estejamos uma pilha de nervos."[12]

Em uma tarde quente, Walt levou Elisabeth aos correios, ao banco e ao supermercado. Quando Elisabeth abriu uma carta de Val com sua foto, Walt "praticamente jogou o carro em uma vala. Ele ficou 'totalmente atordoado'! Então eu li sua carta para ele (respire fundo, relaxe) — tudo, menos o parágrafo sobre ele. Ele continuou me perguntando [...] se poderia ver aquela foto 'mais uma vez'. Ele é um querido, e tão extremamente sensível que dói vê-lo assim".[13]

Para não ficar para trás, na hora do jantar Lars foi pego observando e exclamando sobre a foto de Val. "Ele desejou, em voz alta, ser mais jovem."

Lars ainda tinha algumas roupas femininas não vendidas de seus dias de varejo. Ele tirou uma blusa turquesa que ele achou que serviria em Val, e pediu a Elisabeth para enviá-la a ela.

Val escreveu pedindo à mãe quaisquer fotos de Walt. Ela estava terrivelmente empolgada porque ele "realmente quer escrever para mim!" Ela escreveu para ele de volta, embora "não conseguisse pensar em muitas coisas inteligentes para dizer, como ele fazia".[14]

Uma semana depois, Walt estava doente, de cama. Elisabeth trazia vitaminas, suco de laranja e qualquer outra coisa em que pudesse pensar. Ela escreveu para Val. "Em anexo estão duas fotos terríveis de Walt que foram usadas nos diretórios estudantis do ano passado e deste ano, mais uma que cortei do anuário, que é bonita, mas não muito nítida. [...] Ele é muito mais bonito do que qualquer uma dessas pode mostrar!"[15]

No final de maio, Val estava se sentindo decepcionada e confusa porque Walt não escrevia para ela há cinco semanas. Ela também sentia muita pressão

---

12 Val para "Queridíssima Mama", 31 de março de 1974.
13 EE para "Queridíssima Val", 4 de abril de 1974.
14 Val para "Queridíssima Mama", 22 de abril de 1974.
15 EE para "Queridíssima Val", 29 de abril de 1974.

acadêmica; na família Howard, todos os seus vários primos pareciam ter um alto desempenho, e ela sentia que não estava à altura. De qualquer forma, ela disse à mãe, "Eu não perdi as esperanças sobre Walt. Na verdade, estou dando a ele o benefício da dúvida, esperando que ele tenha crescido muito nas últimas cinco semanas".[16]

Elisabeth respondeu que ela e Van estavam orando por Val e Walt. "Só Deus sabe o que está acontecendo em seu coração. Ele passou por muito sofrimento e agitação em sua curta vida, e tem uma lista de coisas para colocar em ordem, e só posso tentar adivinhar o que ele está vivenciando agora. [...] Estou tão completamente convencida de que o Senhor pôs sua mão sobre Walt, salvando-o repetidamente da morte violenta, salvando sua alma da destruição, e tenho certeza de que aquele que começou uma boa obra nele a completará até o dia de Jesus Cristo. Espero de todo o meu coração que Deus, de alguma forma, algum dia, reúna vocês dois, se esta for a sua vontade. Claro que eu quero a vontade dele, mas hoje me parece tão provável que esta deve ser a sua vontade! É bom podermos pedir e então entregar o assunto nas mãos do Onipotente."[17]

Em maio, Walt terminou seu segundo ano de seminário e voltou para casa em Nova Orleans.

Val passou o verão tendo aulas em Wheaton. Por causa da política de Wheaton contra alunos cursarem muitos períodos acadêmicos seguidos sem uma pausa, isso significava que ela precisaria tirar o semestre de outono de folga, em casa, em Hamilton.

Em junho, Elisabeth compareceu ao festivo casamento da filha de uma amiga próxima. Ela chegou em casa quase à meia-noite, pensando em como tinha sido um momento adorável, "e percebi novamente que querida amiga a Sra. K. é para mim. Queria tanto que [Add] pudesse estar lá — para o meu próprio bem, é claro, já que odeio estar em uma situação social sem um marido — mas também por ele, pois tenho certeza de que ele teria gostado da festa".[18]

Ela prosseguiu observando que Lars, que estava viajando nas férias de verão, havia ligado para dizer que estava voltando inesperadamente para Hamilton. "Ele chegou na hora do jantar e ficará aqui, eu acho, até terça-feira. Eu lhe disse

---

16 Val para "Queridíssima Mama", 2 de maio de 1974.
17 EE para "Queridíssima Val", 26 de maio de 1974.
18 EE para "Queridíssima Val", 4 de junho de 1974.

que não tenho tempo para entretê-lo, já que tenho todas aquelas palestras para organizar para a semana que vem em Wheaton, mas acho que ele vai se divertir cortando a grama etc.!"[19]

Em julho, Elisabeth visitou sua filha, hospedada em seu dormitório. Por alguma coincidência interessante, os pais de Walt Shepard estavam visitando Wheaton na mesma época, e Walt havia sugerido a eles que se encontrassem com sua senhoria e sua filha. O Sr. e a Sra. Shepard levaram Elisabeth e Val para jantar.

Simpatizando-se imediatamente uns com os outros por causa de sua experiência compartilhada em missões internacionais, Elisabeth e os Shepards conversaram sobre o Equador e a África. Val contribuiu, mas na maior parte do tempo se sentiu tímida e envergonhada. Mas aquilo não foi nada comparado ao fim da refeição.

O Sr. Shepard, o Walt pai, colocou as mãos (se não as cartas) na mesa e disse: "Bem, vocês sabem que na parte da África onde morávamos, quando um jovem encontra a mulher com quem quer se casar, a tradição é que sua família dê um bode à família da noiva".

Val começou a afundar debaixo da mesa. As sobrancelhas de Elisabeth se ergueram.

Então o Sr. Shepard prosseguiu alegremente: "Só queremos que saiba que temos um pequeno bode para você. Está no carro!".

Elisabeth adorou. Val morreu de vergonha. E enquanto eles se despediam após a refeição, Walt pai repetiu: "Bem, esse bode vai aparecer muito em breve!".

Quando Walt ouviu a história, ele morreu de vergonha também. Não era como se ele tivesse falado com o pai sobre nada disso. Na mente de Walt, Val estava simplesmente fora do alcance. "Pai!", ele gaguejou. "No que o senhor estava pensando? Não tem como isso acontecer. Eu não sou digno! O senhor conhece o meu passado!"

Seu pai apenas olhou para ele. "Que outras bênçãos você acha que Deus está retendo de você, filho?", ele perguntou. "Se você vai terminar o seminário e pregar o evangelho, é melhor entender direito a parte da graça! Você está perdoado!"

---

19 EE para "Queridíssima Val", 23 de junho de 1974.

CAPÍTULO 33
PASSEANDO COM MACDUFF

"Pai, sei que toda a minha vida está traçada para mim
E as mudanças que certamente virão eu não temo ver,
Mas te peço para hoje uma mente intencionada em te agradar."
—Anna L. Waring, uma das escritoras favoritas da mãe de Elisabeth Elliot

Antes de Val voltar de Wheaton para casa no final do verão de 1974, ela escreveu para a sua mãe: "Estou ficando muito preocupada com Walt estar na mesma casa que eu no outono. Acho que será uma maneira muito pouco natural de conhecer um cara. Será como se eu estivesse em exposição o tempo todo, e não desejo isso. [...] Quer Walt comece alguma coisa comigo ou não, eu realmente não o quero na mesma casa".[1]

No fim das contas, a convite tanto de Elisabeth como de Val, Walt se hospedou na casa de Elisabeth naquele ano acadêmico. Ele dormia no porão, e Val recuperou seu antigo quarto no andar principal. Lars voltou a morar em um dos outros quartos, no final do corredor.

Walt e Val se viram passando muito tempo realizando tarefas juntos. Eles lavavam a louça após cada refeição, amigavelmente esfregando detergente e empunhando panos de prato, conversando sobre pequenas coisas. Nos fins de semana, ele ficava fora a maior parte do tempo, trabalhando para um buffet de eventos.

Todas as noites, Walt se levantava, se espreguiçava e se preparava para passear com MacDuff, o cachorro. Ele convidava Val para ir com ele. Conforme as noites passavam, as caminhadas ficavam cada vez mais longas. "Nós levamos aquele cachorrinho para passear até a morte", diz Walt. "Uma noite, estávamos falando sobre teologia reformada." Walt pontificou com entusiasmo, apresentando uma visão elaborada da complicada doutrina. Val olhava para ele no escuro, com

---
[1] Val para "Queridíssima Mama", 21 de julho de 1974.

o pequeno scottie preto andando na frente deles. "Sim, é nisso que eu sempre acreditei", ela disse simplesmente, talvez relembrando suas discussões com Addison Leitch quando era uma jovem adolescente.

Muitas caminhadas depois, eles saíram no início de uma tarde de inverno para fazer compras para Elisabeth. "Quando você voltar para Wheaton, você vai sair com outros caras, não vai?", Walt perguntou. Ele sentiu que ela era jovem e precisava verificar suas opções. Val não sabia o que dizer. Ela sabia que gostava "realmente, realmente" de Walt. Ela sabia que não queria ir a encontros em Wheaton. O tempo que ela passara com Walt não podia sequer ser chamado de encontros. Exceto por uma dança de salão a que foram juntos no seminário, eles haviam passado o tempo apenas cumprindo tarefas, lavando pratos, juntando folhas e colocando as patas do pobre MacDuff para correr.

"E você?", ela perguntou. "Você vai sair com outras no seminário?"

Walt sorriu. "Ah, não", ele disse. "Já encontrei a garota com quem gostaria de me casar."

Poucos dias depois, eles se sentaram em frente à lareira, observando as chamas dançantes. "Você acha que daqui a trinta anos poderemos estar sentados em frente a uma lareira juntos?", Walt perguntou.

Alguns dias depois, Walt disse a Val que a amava.

Em 21 de dezembro, aniversário de Elisabeth Elliot, ela deu sua tradicional festa de canções de Natal, uma noite festiva cheia de alunos, professores, familiares e amigos, todos entoando canções de Natal ao redor da fogueira. Tarde, tarde da noite, Walt e Val se sentaram juntos no sofá.

"Val." Walt disse nervosamente, "eu realmente gostaria que você fosse minha esposa".

Val, tão prática quanto sua mãe, disse: "Eu não posso responder a uma declaração. Tem alguma pergunta aí?".

Walt recuou. "Quer se casar comigo?"

Val tinha sido criada com certas regras de decoro. "Você pediu a bênção da minha mãe?", ela perguntou.

Oh!, pensou Walt. *Eu sou um idiota. Estou fazendo tudo ao contrário.*

"Não", ele disse a Val, pulando. "Vou perguntar a ela agora."

Eram duas da manhã.

Walt correu pelo corredor até o quarto de Elisabeth, bateu na porta, ouviu um sonolento "pode entrar" e apareceu no quarto enquanto Elisabeth se sentava, encostada nos travesseiros apoiados na cabeceira da cama. Ela estava acostumada a conversas tarde da noite com sua filha e jovens inquilinos.

"Gostaria de pedir sua permissão para me casar com sua filha", disse Walt.

Longo silêncio.

"Você já perguntou a ela?", Elisabeth questionou.

O coração de Walt desfaleceu. Claramente, ele estava condenado. Ele não tinha seguido os protocolos elisabetanos adequados.

"Uh, oh, senhora, sinto muito, eu já pedi a ela."

Houve um silêncio mais longo. Walt se preparou para o pior.

"Walt", disse Elisabeth, "não há nenhum homem a quem eu preferisse entregá-la".

Walt e Val fizeram seus planos. Ele pegou dinheiro emprestado do pai e comprou um anel. Eles esperariam até Val terminar a faculdade — dezessete meses no futuro — antes de se casarem.

Em janeiro de 1975, uma alegre Val retornou a Wheaton. O alegre Walt continuou em seu último semestre do seminário. E o alegre Lars estava empolgado porque sua autodeclarada "rivalidade" com Walt havia acabado. Grande parte da tensão na casa se dissipou, exceto quando Walt lhe perguntava sobre seus sentimentos por Elisabeth. "Você está caidinho de amor por ela", ele disse.

Lars explodiu e saiu de casa.

Jamais sendo tímido, Walt tentou falar com Elisabeth. "Por que Lars está tão mal-humorado, chateado e bravo?", ela perguntou.

"Senhora", ele disse, "a senhora é tão sábia, mas com homens, é tão tonta. A senhora está totalmente alheia ao que está acontecendo aqui".

"Não", negou Elisabeth. "Não consigo imaginar que ele esteja pensando de forma [romântica] sobre mim."

No entanto, mais tarde naquela primavera, certa manhã Lars e Elisabeth estavam na cozinha dela, e ele pode ou não a ter convidado para o que ela percebeu como um encontro. Ele estava fazendo algo para comer; ela estava lavando pratos. Ainda de costas para ele, ela lhe disse que, por causa dos sentimentos dele por ela, não era apropriado que ele morasse na casa dela. Ele precisava encontrar outro lugar para morar.

Furioso, ele saiu batendo a porta e sem dizer mais nada, embora afirme que, depois, tenha voltado até ela e protestado sobre a falta de gentileza dela. Ela ouviu, agradeceu, e só.

CAPÍTULO 34
DEPRESSÃO À ESPREITA

"Alegria não é mera empolgação. Alegria é perfeita aquiescência, aceitação e descanso na vontade de Deus, aconteça o que acontecer."
— Amy Carmichael

Nos meses quentes de 1975, os dias de Elisabeth eram longos, tranquilos e sem compromissos. Ela lia, pensava, caminhava e escrevia. Em junho, ela se encantou com um livro chamado *The Outermost House* ["A Casa Mais Extrema"], do naturalista Henry Beston, um relato de 1928 sobre sua contemplativa e solitária estadia de um ano em uma casa em Nauset Beach.

Ela alugou um chalé em Cape Cod. Rosas e madressilvas floresciam, levando-a de volta à sua infância na Pensilvânia. Elisabeth saiu sozinha para uma caminhada à beira do mar, terminando no Fish Pier para observar os pescadores descarregando suas capturas. Ela comprou um pedaço de peixe-espada — reclamando que havia custado astronômicos US$ 1,50 por duzentos e cinquenta gramas — de um afiado pescador de olhos azuis que parecia o personagem de um romance.

A Tyndale House a havia convidado a contribuir com um capítulo de livro, na condição de uma entre vinte "líderes cristãos" que relatariam sua "experiência mais significativa com Deus". Elisabeth se recusou a ser incluída.

"Como alguém pode falar _disso_?", ela escreveu em seu diário.

Lars ligou de Atlanta. Sem motivo.

Elisabeth sonhou que estava com Addison em um quarto de hotel em São Francisco.

Seus dois meses sozinha foram pontuados com cartas dos "queridos Walt" e Val, que estavam "borbulhando de alegria". Então, em 1º de agosto, ela voou de Boston para Londres, cheia de um "profundo senso da rica bênção de Deus", embora os Estados Unidos estivessem "uma bagunça. Recessão, desemprego, preços exorbitantes (a gasolina está a 54 centavos agora, e em breve deve chegar a 75 centavos, e meu Chrysler 1972 consome um litro a cada quatro quilômetros). Minhas despesas com alimentação (somente — sem entretenimento, sem sobremesas, cardápios <u>muito</u> simples) foi de US$ 60 em julho". Enquanto isso, vários amigos estavam lidando com cânceres, desafios com filhos adultos, e um casal de quem ela era próxima estava à beira do divórcio, pois o marido já estava morando com outra mulher.

"Pessoas estão morrendo de sede na África, de fome na Índia. A Rússia compra nosso trigo, então nosso custo de vida aumenta. Aleksandr Solzhenitsyn [o celebrado romancista russo e dissidente soviético] está aqui nos EUA fazendo apelos inflamados a que não ajudemos a Rússia. Ninguém ouve. [O presidente] Ford se recusa a vê-lo porque [o secretário de Estado] Kissinger diz não. O Movimento da Liberação Feminina defende a Emenda da Igualdade de Direitos e a obrigatoriedade de creches públicas. A Sra. Ford apoia isso."

"Ainda assim, estou contente em meu próprio mundo, grata por tudo que tenho, consciente de sua fonte, confiante de que Deus fará comigo, com Val, com Walt, com <u>todos</u>, o que ele tem o propósito de fazer."

Elisabeth seguiu para a Escócia. Todos que ela viu estavam "mastigando, bebendo, comendo, engolindo ou carregando uma cesta ou garrafa térmica. Os trens são desconfortáveis, turbulentos, lentos, atrasados e <u>imundos</u>. E o papel higiênico — parecia uma lixa". As paisagens, no entanto, eram "simplesmente de tirar o fôlego" e superavam tudo que ela já tinha visto, incluindo o Equador e o Wyoming. Ela apreciou os castelos, os tocadores de gaita de fole, os kilts e os lagos.

Ela terminou sua viagem na Inglaterra com as joias da Coroa, a loja Harrods e uma visita à casa de J. I. Packer em Bristol. Ela mal podia esperar para voltar para casa. "Meu lar nunca pareceu tão acolhedor. Temo que não leve jeito para turista. Adoro ficar parada. Adoro paz e produtividade — duas coisas que viajar não proporciona de forma alguma."

De alguma maneira, ela voltou inteira para a Bay Road nº 746. "Ah. Que felicidade ter <u>espaço</u>, <u>conforto</u>, <u>ordem</u>, <u>previsibilidade</u> mais uma vez!"

Sua escrivaninha estava abarrotada de convites para escrever e falar, o que oferecia uma miríade de oportunidades para perturbar sua rotina e viajar um pouco mais.

Ela levou o vestido de noiva antigo de Val para ser ajustado. Ele pertencera à sogra de Addison.

"Sinto falta de Walt em casa", escreveu ela em seu diário, "— a cada esquina".

Elisabeth recusou o convite da *Christianity Today* para escrever um artigo sobre o vigésimo aniversário do incidente waorani, um convite para discursar para alunos do MIT, um convite para "liderar o ministério feminino" em uma igreja congregacional e um pedido para debater com uma proponente da "liberação feminina". "Bom Deus — livra-me das mãos dos meus opressores! E mostra-me quando dizer sim. Chegará o dia, tenho certeza, quando ninguém vai me pedir para fazer nada. Se eu estiver ocupada na vontade de Deus, tudo ficará bem. Senhor, mantém-me avançando em direção ao alvo."

Ela tinha novos inquilinos. Cronometrava os banhos deles, preocupada com o óleo de aquecimento e a água quente. Ambos também cometiam o pecado de dormir até mais tarde do que ela achava apropriado.

Lars passou por lá para visitar Elisabeth. Ele tinha um novo carro esportivo vermelho.

"A depressão espreita na esquina. [...] Nenhum ânimo para assumir minhas tarefas de preparar os cursos que vou dar. [...]"

"Tirei quase o dia inteiro de folga, como um parêntese, sentada ao sol no terraço, lendo Bring Me a Unicorn ["Traga-me um unicórnio"], de Anne Morrow Lindbergh. Hoje consigo ser grata pelo silêncio e por estar sozinha — ontem, ambos pareciam intoleráveis... mas hoje estou em paz novamente. Sentir falta de Val e Walt não me afeta hoje como uma dor. Muito consciente de como a vida para uma pessoa significa morte para outra. Estou ficando velha, não querendo passar os meses e anos tão rapidamente...".

Val e Walt oravam para que ela fosse guardada da solidão e do desânimo. Elisabeth lhes assegurou que se mantinha ocupada.

Ela ensinava na escola bíblica da igreja, lia, passeava com seu cachorro e visitava amigos. Ainda assim, ela tinha todos os tipos de pesadelos — vampiros azuis, vermes, ela mesma grávida de sete meses, sua casa roubada, sua bolsa perdida, atrasada para pegar um avião, sua casa cheia de pessoas famintas e a refeição não estando pronta.

Ela se sentiu "imensamente agitada" sobre o movimento feminino depois de participar da primeira reunião de "Evangélicos Preocupados com as Mulheres" em Gordon Conwell, certa noite. Ela examinou Escrituras em busca de encorajamento, à medida que revisava suas próprias visões, e da coragem de que precisaria para tomar posição sobre o que acreditava fervorosamente ser verdade. "Senhor, dá-me força para obedecer. Eu não quero estar nesta arena. Mas se isso é parte da 'carreira que me foi proposta', ajuda-me a corrê-la — olhando para Jesus. Sinto-me repelida por isso, tenho medo, estou relutante, mas já passei por isso antes e tu me ajudaste a superar. Sou tuas mãos."

No Dia de Colombo, ela foi a um piquenique na praia com pessoas de sua igreja. Era uma tarde de outono fresca, mas quente, a água brilhando ao sol, veleiros deslizando pelo azul. Havia cachorros brincando na praia, sua sobrinha e sobrinho pequenos coletando conchas... Elisabeth sentiu, como muitas de nós sentimos em um cenário tão lindo, uma noção da natureza fugaz do tempo. Ela olhou ao redor, sentindo-se sozinha. Todos os outros estavam relaxados, vivendo o momento, e ali estava ela olhando para o relógio, pensando nos trabalhos que precisava corrigir, nas palestras que precisava preparar, nos discursos que precisava esboçar.

"O Dr. Anderson disse que eu deveria <u>reduzir</u> minha autodisciplina!!! Isto é <u>BOBAGEM</u>. Deus, <u>fortaleça-me</u> para fazer a tua vontade."

Ela continuou. "Porém, não considerei o tempo na praia como desperdiçado. Tentei praticar as palavras de Jim: 'Onde quer que você esteja, esteja plenamente lá. Viva plenamente todas as situações que você acredita serem a vontade de Deus.'" Ela não pareceu perceber que, ao olhar para o relógio e pensar na sua lista de afazeres, ela não estava plenamente presente no piquenique.

Ainda assim, aqueles eram preciosos dias de outono. O sol entrava obliquamente pelas cicutas na Bay Road. A casa dela brilhava com a luz dourada e rosada refletida do tapete de folhas caídas no quintal.

"Foi um prazer colocar as mãos na água quente da louça e limpar o fogão e os balcões hoje de manhã. <u>Amo</u> limpar coisas!"

Mas ela entrava em pânico na sua escrivaninha. Palestras. Trabalhos para corrigir. Discursos para preparar. Voos para reservar. Correspondência. Cardápios. Troca de óleo do carro. Mantimentos para comprar. Preocupações com sua mãe solitária e idosa. Sentimentos de fracasso. Deveres não cumpridos. Ela não tinha tempo suficiente para pensar. Cansada.

Ela viajava. Palestrava. Ensinava. Lia biografias missionárias e sentia uma grande responsabilidade, a noção de que seres humanos que pertencem a Cristo carregam "todo esse tesouro" em vasos de barro. Ela estava bem ciente das rachaduras em seu próprio pote. Ela se perguntava o que as pessoas viam. "Elas veem esse tesouro [Cristo, em um vaso muito ordinário], ou veem apenas o barro sem graça — Elisabeth Elliot — missionária, autora, palestrante, professora visitante, etc. etc.??"

A Bíblia dos Gideões em seu quarto de hotel estava aberta no Salmo 26. "Faze-me justiça, SENHOR, pois tenho andado na minha integridade e confio no SENHOR, sem vacilar."

"As reivindicações de Cristo", escreveu ela em seu diário, "na missão, na vida diária individual (o que inclui toda a questão da mulher — cada vez mais um problema e um fardo para mim, pois alguns cristãos engolem tão acriticamente muito do que é fraudulento): obediência à vontade do Pai, a entrega da própria vida pela vida do mundo."

A essa altura, Elisabeth havia escrito 112 páginas de seu novo livro, que seria eventualmente lançado como *Deixe-me ser mulher*. "Elas são legíveis?", ela se perguntava. "Mal posso descobrir." O livro era essencialmente um presente de casamento para Walt e Val, escrito para Val como "lições sobre o significado da feminilidade". Foi composto no auge do movimento de mulheres o qual Elisabeth acreditava obscurecer as questões essenciais, não de biologia ou igualdade de oportunidades, mas a natureza elementar da feminilidade e masculinidade no cerne da criação de Deus.

Ela leu um livro chamado *The Female Woman* ["A mulher fêmea"], de Arianna (hoje conhecida como Arianna Huffington). Ela "tinha (aos vinte e cinco anos!) demolido o Movimento da Liberação Feminina com um ataque acadêmico e muito bem documentado. Eu estou apenas brincando no raso".

Não é meu propósito fazer uma sinopse ou resumo das visões de Elisabeth Elliot sobre feminismo e sexualidade, nem a rotular. Os escritos e discursos de Elisabeth sobre papéis de gênero estão disponíveis para qualquer um que deseje lê-los para estudo aprofundado. Alguns a reverenciam, outros a desprezam, por causa deles.

O que é relevante para nossa compreensão desse ser humano e sua história, no entanto, é como ela pensava sobre essas questões. Tanto quanto conseguia, ela não começava com suas próprias preferências que lhe pareciam confortáveis. Ela buscava o que acreditava ser a vontade e o desígnio de Deus, não importava como aquilo a fizesse sentir-se. Ela habitualmente sentia que, se alguém fosse apresentado a duas opções, seja em uma escolha de vida ou uma consideração de pontos de vista opostos, geralmente era mais sábio tomar o caminho mais difícil. Se ela acreditava em um Deus soberano cujo sopro criou o universo, um Senhor onisciente e eterno que de fato morreu por ela e a comprou com seu próprio sangue, então o elemento mais importante em toda a vida não era seu próprio conforto ou sentimentos, mas a vontade dele.

Assim, Elisabeth habitualmente tentava crucificar seus próprios desejos, orgulho, preferências, ambição, liberdade, identidade — qualquer coisa que pudesse impedir a obediência. Ela se sentia assim sobre qualquer decisão de vida, ou qualquer questão sobre a qual ela assumisse uma posição com base em seu entendimento das Escrituras.

Quando as pessoas se opunham aos seus pontos de vista, Elisabeth percebia essa oposição como sofrimento em prol da verdade, embora as críticas a machucassem profundamente. Ela se considerava, como seu cunhado Bert Elliot havia dito anos antes, uma "vidente". Ela se identificava com os desprezados profetas do Antigo Testamento que foram rejeitados em sua época como malucos rabugentos.

Durante uma conversa com seu reitor, o qual ficara surpreso quando várias mulheres da paróquia se irritaram e se ofenderam por ele pagar a conta para elas num almoço, os dois exploraram "a questão feminina e o que está por trás de tudo isso. Eu suponho que remonta a um ódio fundamental à autoridade que é natural a todos nós".[1] Elisabeth acreditava firmemente que as mulheres foram criadas "para" o homem, conforme observado no relato do Gênesis, e "que esta mulher, por exemplo, de fato gosta que seja assim!".

Mais tarde, em um evento do Gordon College, ela observou em seu diário que uma "liberacionista inflamada (embora casada) estava lá com todas as armas em punho, desafiando o painel sobre se de fato Deus havia criado a mulher em uma posição inferior ao homem. Eu disse que ele enfaticamente o fez". Ela acreditava que o cerne da questão era enxergar a masculinidade e a feminilidade, não meras distinções biológicas entre gêneros, e que essas essências eram um reflexo do arranjo do universo e da harmonia e do tom geral das Escrituras."[...] uma gloriosa ordem hierárquica de diferentes graus de esplendor".[2]

Quando Elisabeth discutia essas questões com as feministas de sua época, não era como se ela tivesse um ego inflado e se visse como a super-heroína designada por Deus para proclamar a verdade. Ela tinha um senso de inferioridade

---

1 EE para "Minhas duas queridas", 24 de novembro de 1975.
2 Elisabeth Elliot, *The Essence of Femininity, A Personal Perspective*, Council on Biblical Manhood and Womanhood, https://bible.org/seriespage/25-essence-femininity-personal-perspective.

bem arraigado desde sua família de origem, o tratamento recebido de Jim Elliot durante seu longo cortejo, e seu próprio senso de fracasso como escritora. Ela também buscava habitualmente a humildade como uma virtude.

Mas, até onde Elisabeth Elliot podia dizer, ela havia recebido uma plataforma pública e não deveria deixar que a oposição a impedisse de falar a verdade segundo ela acreditava, mesmo que fosse doloroso.

Ela havia sentido o mesmo quando suas visões sobre Deus e a manipulação evangélica de relações públicas sobre "resultados" no campo missionário culminaram em críticas, convites para palestras desfeitos e boicotes ao seu livro *No Graven Image*. As rejeições doíam. Mas Elisabeth esperava uma vida de dor, sofrimento e rejeição. Isso é o que Jesus havia prometido a seus seguidores.

Às vezes, essa mentalidade parecia atrair Elisabeth a decisões que incorreriam em desfechos dolorosos, mesmo que fossem desnecessários.

Elisabeth escreveu em seu diário de 1975: "Estou começando a perceber que há um sentido no qual devo dar minha vida por essa questão feminina. Eu não queria me envolver. Não queria ler ou ouvir a respeito. Não queria arriscar meu pescoço novamente defendendo uma visão impopular. Não queria ser colocada contra Mollenkott, Jewett, Hardesty, Scanzoni e, agora, Kay Lindskoog. Eu não queria ser 'descartada' com um: 'lá vai ela de novo!'".

"Mas devo tomar minha posição em obediência e fé. Isso, eu acredito, pode ser aceito como parte do meu 'culto racional' (Rm 12.1). Deus sabe que eu faço isso somente por acreditar que estou certa. Acredito que me identifico com Cristo nisso. Então, Deus me ajude!"

CAPÍTULO 35
GUARDA-ME DAS LÁGRIMAS

"Meça sua vida pela perda, não pelo ganho;
não pelo vinho bebido, mas pelo vinho derramado;
pois a força do amor está no sacrifício do amor,
e quem mais sofre tem mais a dar."
— Ugo Bassi

Um ou dois meses depois, Elisabeth recebeu uma surpresa referente aos anos em que vivera em enorme conflito com sua colega missionária Rachel Saint entre os waorani. Ela recebeu uma carta de desculpas de John Lindskoog, diretor da Wycliffe no Equador. Ele disse a Elisabeth: "Acho que entendo a situação do conflito com Rachel Saint muito melhor agora do que entendia naquela época ou em qualquer outro momento até recentemente. [...] Eu não estava ciente da gravidade de certos problemas comportamentais que R. tem. [...] [Elisabeth], desejo que uma relação de comunhão e confiança desimpedidas prevaleça entre nós [...]."[1]

Foi uma carta muito gentil, disse Elisabeth a Val e Walt. "Aparentemente, eles estão tendo um momento terrível com a pobre Rachel, e ela foi removida do [território waorani] e colocada em Quito como medida disciplinar."

No início de fevereiro de 1976, Elisabeth teve um leve pânico ao perceber que o casamento de Val em maio seria exatamente dali a três meses. "Muito em que pensar. Meu próprio estado de espírito atual (provavelmente algo bastante crônico ao longo da minha vida até aqui!) — culpa por não realizar mais em menos tempo; apreensão quando penso na responsabilidade da conferência Urbana;

---
[1] EE para "Queridíssima Val", 21 de fevereiro de 1976.

mágoa e desconforto sobre o que as pessoas dizem a mim e sobre mim; e aquilo sempre subjacente, choro, anseio." Ela ansiava constantemente por um homem.

Brent, o inquilino, foi embora e espalhou histórias rudes, insensíveis e arrogantes sobre ela. Um ou dois dias depois, ela recebeu uma carta de Virginia Mollenkott, acusando Elisabeth de uma "visão muito leve (baixa) das Escrituras. Uma carta muito perturbadora". Ela se animou com sua leitura bíblica naquela manhã, que incluía as palavras de Deus ao apóstolo Paulo em Atos 18: "Não temas; pelo contrário, fala e não te cales; porquanto eu estou contigo [...]" (v. 9-10). Enquanto isso, as vendas de seu recém-lançado pequeno livro sobre solidão estavam indo muito bem. Ela recebia constantes cartas de fãs que compartilhavam seus problemas e como ela os havia encorajado por meio de seus escritos.

Ela ainda tinha dois inquilinos, um que ela raramente via e parecia voar debaixo do seu radar, e o outro que deixava pratos sujos na pia, tomava banho quente de vinte minutos e não esfregava a banheira do banheiro. Por esses e outros pecados, ela ficou empolgada quando ele decidiu se mudar para a casa de um casal mais velho que não lhe cobraria aluguel.

Lars Gren, que estava trabalhando constantemente para se tornar indispensável, encontrou um novo inquilino que havia cuidadosamente selecionado para Elisabeth. Ele repintou o hall de entrada de Elisabeth e aparecia "imponente e garboso, todo arrumado" em seus compromissos locais de palestra. Convidava Elisabeth e amigos do seminário para jantarem em sua casa. Levou Elisabeth para jantar em um restaurante de luxo perto de Bunker Hill. "Comi um delicioso filé de peixe-espada, macio e suculento, coberto com manteiga e limão", escreveu Elisabeth para Val. "É divertido estar com Lars; ele nunca é insistente, é sempre cortês e me faz sentir como uma mulher. De vez em quando, é <u>preciso</u> se sentir como uma mulher, não é?"[2]

Lars era muito bom em fazê-la se sentir assim. Outra vez, ele levou Elisabeth para jantar em Gloucester no aniversário dela, presenteando-a com "um perfume e uma colônia White Shoulders — algo adorável. <u>É</u> muito bom ser bem-cuidada. Ele sabe exatamente como me tratar, sabe o que e como pedir, sabe que gosto do meu molho de salada à parte, que quero café [descafeinado] em vez de [normal], e sabe o que me faz rir. Gosto dessa companhia — de uma forma diferente de quando ele morava aqui".

---

2 EE para "Queridíssima doce Val", 9 de fevereiro de 1976.

GUARDA-ME DAS LÁGRIMAS

Outras noites não eram tão agradáveis. Certa vez, Elisabeth jantou na casa de seu irmão Tom com o editor de uma revista evangélica bem conhecida. "Um homem <u>muito</u> estranho, colossalmente egoísta [...] que falava sem parar. Ele nunca saberá que seu anfitrião era uma das pessoas mais interessantes do mundo — ele nunca deu a ele, ou a qualquer outra pessoa, uma chance de mostrá-lo. Oh céus — não <u>sejamos</u> assim! Se você me vir indo nessa direção de me tornar uma velha tagarela, ponha um freio em mim!"[3]

Em outra ocasião, ela falou a alunos da Universidade de Massachusetts, Smith, Williams e Dartmouth em um retiro. Os jovens responderam entusiasticamente, embora Elisabeth ficasse perplexa com suas escolhas de vocabulário. "Uau, isso foi bem massa", disse um. "Eu só quero realmente agradecer à senhora, Sra. Leitch, quero dizer, a senhora sabe, foi realmente ótimo aprender algumas coisas realmente legais que eu só nunca tinha pensado realmente."

Enquanto isso, ela enviava para Val receitas e dicas de culinária. "Pêssego melba. [...] Incluí na minha sugestão de menu no livro de receitas. É apenas sorvete de baunilha com a metade de um pêssego e framboesas (ou framboesas congeladas descongeladas com calda). Elegante e fácil!"

Mas o foco principal era o planejamento do casamento. "Sim, quinhentos convites", ela escreveu para Val. "Não, não vamos reduzir. Já estão encomendados."

"Sim, quando chegar em casa, é hora de procurar e comprar o véu."

"Que gentil da parte daquele senhor enviar dinheiro para você!"

Elisabeth estava empolgada com a temporada de amor jovem; o início de Walt no ministério, como pastor presbiteriano na zona rural de Louisiana; a beleza, o frescor e a excitação de Val diante de tudo o que estava por vir.

Elisabeth agradecia a Deus pela alegria e pelo amor deles. Ela orava fervorosamente para que "a doença do anseio (que me inunda quando vejo a felicidade deles e agradeço a Deus por isso) não tenha poder sobre mim. É por isso que devo orar. É um anseio humano — e, humanamente falando, às vezes tem um poder tremendo. O Senhor pode reduzir esse poder, pode me dar domínio sobre ele e transformá-lo em 'algo lindo'".

Ah. Mas "maturidade é a capacidade de aceitar com equanimidade as mudanças de papéis que a vida exige. Meu relacionamento com Walt percorreu

---

3 EE para "Queridíssima Val", 12 de fevereiro de 1976.

um espectro estranho — de senhoria a sogra. Será que sou madura o suficiente para isso?".

Ela pensou em pintar o cabelo para o casamento, mas decidiu simplesmente mantê-lo grisalho. Um dente quebrou — simplesmente "cedeu" enquanto ela mastigava. Ela se sentia velha e muito consciente de sua solidão. Não importava quantas pessoas ela recebesse em sua casa, ou quantos ouvintes a aplaudissem após um discurso, ela estava exausta com o trabalho de fazer reservas, responder a pilhas de correspondência, olhar adiante para uma vida de mais do mesmo. Sozinha.

Elisabeth releu as anotações que havia feito em preparação para a escrita de *No Graven Image*, anos antes. Ela ficou "surpresa ao encontrar pensamentos que eu diria serem de origem mais recente, ideias que já havia esquecido e uma compreensão (ao que parece) de conceitos que estou agora mesmo tentando entender! Ó Senhor — como sou lenta, como sou esquecida. Não tenho tempo para pensar".

Val voltou para casa nas férias de primavera. Elisabeth enviou convites de casamento, após se conformar em gastar US$ 72,11 em postagem. Lars ofereceu em seu apartamento um jantar para Elisabeth, Val, Van, o inquilino de Elisabeth, Ken, e outras duas pessoas. Van não escondeu a animosidade que sentia por causa do interesse de Lars em Elisabeth. Elisabeth escreveu em seu diário: "Uma corrente oculta de amargura percorre tudo o que Van diz para Lars ou para mim. Ela foi realmente rude e cortante comigo, taciturna e desinteressada nos outros. E eu tinha acabado de escrever um artigo sobre perdão!".

Elisabeth compareceu a uma reunião do conselho de curadores/administração na Stony Brook School em Nova York. Ela era a única mulher. "Homens muito interessantes. Dezenove deles."

No final de abril, o Gordon College deu posse a um novo presidente, e Corrie ten Boom veio para falar e receber um doutorado honorário. Ela falou usando "muitas Escrituras, poesia, epigramas e um impacto avassalador. A convicção de todos nós — aqui está a grandeza, aqui está a verdade, dita a partir do profundo conhecimento do sofrimento".

"Você não me conhece", Corrie disse a Elisabeth mais tarde. "Mas eu conheço *você*!"

Ah. Ser conhecida. À 1h da manhã, Elisabeth refletia sobre tudo isso em seu diário. "Estou na cama, lembrando-me das noites, do amor, dos êxtases —

'A lua está alta
E eu deitada sozinha!'"

"Mas estou absolutamente certa de que na vontade de Deus está minha paz — e alegria suprema; e eu entreguei tudo, mais uma vez."

Para a sua alegria, Corrie convidou Elisabeth e Val para um chá. Elas conversaram sobre sofrimento. Elisabeth estivera intrigada com o livro de Corrie e o filme, *O refúgio secreto*. Corrie lhe disse que o filme mostrava 0,01% das crueldades e dificuldades do campo de concentração. Elisabeth perguntou se ela já havia se cansado de contar a mesma história, repetidamente, para públicos ao redor do mundo.

"Não", disse Corrie, cuja sabedoria comunicava um profundo senso de simplicidade em Jesus. "Esta é a história que Deus me deu para contar. Às vezes penso: 'Oh, preciso de algo novo!'. Mas não. É humilhante ter que dizer a mesma coisa. O jumento que carregou Jesus não era orgulhoso; ele sabia que os gritos, aplausos e hosanas eram para Jesus."

Elas discutiram sobre o sofrimento, os mistérios de por que Deus permite que crianças e outros "inocentes" suportem coisas horríveis, bem como as profundezas das agonias do próprio Cristo. Corrie disse a Elisabeth que os cristãos americanos, embora ávidos e receptivos à sua mensagem, não têm ideia de como os cristãos em nações repressivas sofrem rotineiramente. Corrie disse a Elisabeth que "os cristãos em países [tirânicos e hostis] são muito mais felizes — eles têm que ser genuínos por causa do preço terrível que devem pagar". E eles se preparavam para o sofrimento, o que só pode acontecer quando se mergulha na Palavra de Deus.

Apesar de suas próprias perdas horríveis nas mãos dos nazistas, Corrie disse a Elisabeth que ela tivera "uma vida muito feliz". Ela havia dito ao Senhor que pertencia a ele. Ele escolheu para ela uma vida de solteira. Ela orou por "vitória sobre a vida sexual — e Jesus concedeu".

Tremendamente energizada por aquela "verdadeira santa e profetisa" e as vitórias dela em lutas semelhantes às suas, Elisabeth escreveu em seu diário: "Graças a Deus por este grande encorajamento em minha jornada. Uma mensageira muito especial enviada a mim, bem agora, em uma encruzilhada — Val indo embora, minha vida prestes a mudar, e o que vem a seguir?".

Ela refletia sobre "estranhas fraquezas e tentações" em si mesma. Onde estava a vitória sobre a "vida sexual" que Corrie havia recebido? (Com isso ela se referia a preocupações contínuas, não atividade sexual real.)

Ela orou parte do poema de sua heroína Amy Carmichael:

> Põe a marca da tua cruz, ó Senhor Crucificado
> Sobre motivos, preferências, desejos e apegos,
> Sobre tudo o que seja inspirado pelo ego
> Imprime tal sinal de um viver renunciado.

Conforme se aproximava o casamento de Val em 1º de maio, ela descobriu que tinha um desejo sutil, mas constante, de lembrar aos outros que logo ficaria sozinha. Ali estava ela, viúva novamente, sentindo-se velha e presa, ao mesmo tempo que a jovem Val estava prestes a partir para novas aventuras com seu marido forte e atencioso, deixando Elisabeth em uma vida seca e solitária. Aquela era "uma daquelas atitudes condenáveis inspiradas pelo Ego. Perdoa-me, Senhor, e guarda-me das lágrimas, por favor".

Elliots, Howards, Shepards e amigos chegaram. Com um pé-de-cabra, Elisabeth consertou seu triturador de lixo emperrado. Ela serviu cogumelos recheados com carne de caranguejo e mousse de chocolate para as madrinhas. No último dia de abril, Val dormiu com Elisabeth, enquanto o resto das camas estava ocupado por Jane, Jean, Beth, Marion e a filha de Add, Katherine.

"Senhor", Elisabeth orou por sua filha, "Tu conheces minha gratidão".

No dia seguinte, 1º de maio de 1976, sua mão tremia enquanto ela escrevia em seu diário, duas horas antes da cerimônia. A noiva havia tomado seu banho de espuma, as madrinhas estavam se vestindo, e tudo o que Elisabeth conseguia orar era: "Senhor, protege meus olhos das lágrimas [visíveis]!! Por favor".

Por que ela estava tão preocupada com amigos e familiares vendo-a chorar?

O casamento foi glorioso, com todos os habituais imprevistos de última hora que irritaram a mãe da noiva, mas não foram notados por mais ninguém. Lars, que tinha experiência em eventos, foi imensamente útil com seu planejamento e execução. Os noivos partiram para a lua de mel nas Ilhas Virgens, com, dentre todas as coisas, uma cópia do recém-lançado *Deixe-me ser mulher*, que Walt havia prometido ler.

Elisabeth recebeu um telegrama. "Privacidade luxuosa. Seu livro faz o forte Walt chorar. Nós amamos você. Val e Walt."

Após a lua de mel, Walt e Val se estabeleceram no pequeno apartamento de Walt em Centerville, Louisiana. Não havia cortinas. "Que história é essa?", perguntou Val, preocupada com a privacidade. "A gente só se abaixa e corre", disse o ex-solteirão Walt.

Logo eles se mudaram para uma pequena casa em um campo de cana-de-açúcar, de onde Walt, cheio de energia juvenil, pastoreava simultaneamente três pequenas igrejas. Eles estavam felizes.

Elisabeth seguiu em frente. Viajou. Palestrou. Escreveu. Pensou. Seu novo livro entrou em sua segunda impressão; Jim Packer escreveu para ela uma carta de aplauso, exaltando a obra.

Em agosto de 1976, Elisabeth retornou ao Equador. O casamento de Val criara para ela uma nova temporada. Ela sentira muitas mudanças por dentro. "A atração de vir e viver aqui me é surpreendente, e surpreendentemente forte. Senhor, faz a tua vontade na minha vida, a qualquer custo. Minha casa, meu trabalho, meu ministério..."

Ela viajou com velhos amigos missionários. Houve uma avalanche de lama que bloqueou a estrada para Shandia, mas eles finalmente chegaram, e ela se viu sentada no que tinha sido o quarto de Val na antiga casa dos Elliot em Shandia, a casa que Jim havia construído. "Que memórias me inundam. Jim está por toda parte. Val é um bebê e eu me sento neste quarto, à luz de velas, como agora, amamentando-a no meu peito às 2h da manhã, Jim dormindo no quarto ao lado."

Ela percorreu todos os livros ainda nas prateleiras e vasculhou seus arquivos antigos que estavam armazenados em um barril no sótão. Havia arquivos da língua waorani, arquivos de quíchua, notas e histórias rabiscadas na selva em pedaços de papel fino.

"<u>Devo</u> voltar para cá, Senhor? Deixa-me dizer novamente tudo o que Betty Scott Stam disse em sua oração — mas tu sabes, Senhor, como minha carne e meu coração <u>desfalecem</u> aqui diante dessa perspectiva. Minha bela casa em Hamilton, em contraste com esta. Meu carro, em comparação com a trilha horrível que percorremos hoje a pé após o fim da estrada. Meus 'fãs', em comparação com esses índios [os quais, Elisabeth sentia, muitas vezes a achavam levemente divertida e não se importavam com nada do que ela tinha a dizer] — perdoa-me, Senhor, e me dá graça para <u>obedecer</u> a tudo quanto ordenares."

"O casamento de Val deve ser para mim como uma <u>encruzilhada</u>. Tenho que encarar a possibilidade de voltar para o Equador. Eu saí por causa dela. Meu trabalho com ela está feito. E agora, Senhor e Mestre?"

Ela visitou Puyupungu, onde ela e Jim viveram depois de se casarem. Passou um tempo em Tewaeno com os waorani, descobrindo que Rachel Saint tinha partido no dia anterior. Ela apertou as mãos de velhos amigos como Mincaye, Dabu, Kumi, Wiba e Dayuma, junto com muitos waorani rio abaixo que ela nunca havia conhecido. Dabu, cuja vida ela salvara tantos anos antes, lhe disse: "Eu chorei muito quando soube que seu marido morreu".

Depois de seu tempo no Equador, Elisabeth foi para a Colômbia e para a casa de sua heroína, Katherine Morgan, que ministrou na cidade montanhosa de Pasto por um frutífero tempo de vida.

Ao voltar para casa, Elisabeth falou para 2.700 jovens da Evangelical Covenant Church of América. Seu tema: "Dando os próximos passos: o futuro".

Ela escreveu em seu diário: "Sentindo-me isolada, confusa, inadequada. Além disso, eu mesma preciso muito de orientação, em relação a:

1. O que dizer aqui
2. O que escrever para [um próximo artigo de revista]
3. Meu romance
4. Equador???".

"Se eu quiser assegurar esses jovens do cuidado do Pastor, eu mesma devo descansar nessa certeza."

Ainda assim. Debaixo de tudo isso, havia aquele desejo flamejante. "Fome insaciável ainda ameaça me paralisar — e pensar que, com quase 50 anos, ainda tenho que orar: 'Sopra, através dos calores do [meu] desejo, teu bálsamo e tua fria calma.'"

Ela ansiava por um homem. Durante uma conferência na igreja de Stuart e Jill Briscoe, em Wisconsin, de quem ela gostava e admirava muito, ela se viu quase falando em voz alta um "'Querido', — querendo que meu homem esteja comigo, para carregar comigo as responsabilidades" que ela sentia sempre que falava para uma audiência, mas querendo, acima de tudo, aquela "consciência de que outra consciência está consciente de mim! Querendo importar para alguém. O fato de 950 mulheres terem se inscrito para hoje e outras 700 para amanhã — de que eu, de certa forma, 'importo' para elas — não preenche o espaço".

Ainda não preocupada com sua própria sanidade em relação ao "Querido" invisível, ela levou 2 Pedro 1.1–11 a sério: "'Esforcem-se, então, para confirmar com seu comportamento o fato de que Deus os chamou e escolheu'. Isso inclui tanto minha conduta sozinha em um quarto de hotel quanto minha conduta no meio de [quase] 1000 mulheres. [...] Será que confio que aquele que me chamou preencherá o vazio ou me capacitará a abraçar minha perda para a sua glória? Por tua graça, Senhor".

Ela foi levada ao aeroporto para voar até seu próximo compromisso no Kansas. Outra decolagem, aquela estranha sensação de acelerar rumo ao esquecimento. "Meus pensamentos voltam-se, sempre, para o Homem. Onde ele está? Ele de fato existe?" Neste avião, ela era uma passageira sem nome. "Ninguém me conhece. Não de fato. Um nome. Uma palestrante. Uma presença em um evento. [...] Risque na lista. Risque-a da lista. Eu os risco da lista."

E lá se foi ela para o próximo compromisso.

"Se ao menos eu tivesse alguém em uma viagem como esta, para compartilhar tudo. Impossível. Eu não poderia ter um marido e estar fazendo isso. Não quero um 'companheiro de viagem!'. Parece que o que eu quero é um consorte, um amante, e isso não é uma opção. A própria <u>carência</u> me dá a chance de negar a mim mesma e tomar a cruz. Obrigada, Senhor. Abençoa esses jovens aqui. Deixe-me ser vinho derramado em libação em favor deles."

No alto, em outro voo, em direção a outro discurso. Em Wichita, ela ficou encantada com seu quarto de hotel, com sua "cama king-size, cesta de frutas frescas, buquê de gloriosas peônias rosas, pátio perto da piscina cintilante. Eu amei. O anonimato, o silêncio, o isolamento, muito embora eu queira <u>O HOMEM</u>!".

CAPÍTULO 36
É DEMAIS

"O atroz cinzel destrói uma pedra a cada corte. Porém, o que a pedra sofre com os golpes repetidos não é nada menos do que a forma que o artífice está criando dela. E se questionassem a uma pobre pedra: 'O que está acontecendo com você?', ela talvez respondesse: 'Não me pergunte. Tudo o que sei é que, da minha parte, não há nada para eu saber ou fazer, apenas permanecer firme sob a mão do meu mestre, amá-lo e permitir que ele opere meu destino. Cabe a ele saber como realizá-lo. Não sei nem o que ele está fazendo nem por quê. Só sei que ele está fazendo o que é melhor e mais perfeito, e sofro cada corte do cinzel como se fosse a melhor coisa para mim, embora, para dizer a verdade, cada um seja minha ideia de ruína, destruição e desfiguração. Porém, ignorando tudo isso, descanso contente com o momento presente. Pensando apenas no meu dever para com ele, submeto-me ao trabalho deste mestre habilidoso sem me importar em saber do que se trata.'"
—Jean Pierre de Caussade, *The Sacrament of the Present Moment* ["O sacramento do momento presente"], cuidadosamente registrado no caderno desgastado de citações favoritas de Elisabeth

Elisabeth foi para Portland, Seattle, Denver, Boston e depois New Hampshire para um tempo de escrita e reflexão. Recentemente, ela havia lido livros de Erica Jong (*Medo de voar*, que Elisabeth chamou de "brilhante"), Jill Briscoe ("não brilhante, mas alegre") e do Padre Robert Capon, um clérigo episcopal, teólogo e chefe de cozinha. Agora ela lia *De bar em bar: à procura de Mr. Goodbar*, de Judith Rossner, o best-seller nº 1 do *New York Times* de 1975. Elisabeth escreveu em seu diário: "Será que o Deus que forneceu a Rossner (e Erica Jong) a visão, a imaginação e o cérebro para retratar uma vida de desespero ajudará sua humilde serva Elliot a retratar uma vida que mostre alguma esperança cristã??".

Mais uma vez, ela anotou temas para o romance que queria desesperadamente escrever. "Um bom, desta vez!"

"<u>Se</u> eu for escrever um romance, como Jim Packer está absolutamente convencido de que devo fazer, devo ter a coragem de ignorar o que as pessoas vão pensar — especialmente como elas vão ler isso como minha autobiografia. [...] Jim prometeu 'cobrir' esse assunto em oração."

"Segundo, devo receber a <u>visão</u> que agora tarda. As imagens que devo mostrar devem primeiro ser mostradas a mim."

"Não devo tentar escrever para os livreiros menonitas, ou para as senhoras batistas, ou para Jill, o Dr. Ockenga, minha mãe ou meus alunos de seminário, ou Hattie ou Vic Oliver, e não devo me distrair com o que imagino que será a opinião deles."

Ela fez anotações enigmáticas sobre seu romance. Por um lado, são apenas fragmentos, migalhas indecifráveis de seus anseios criativos. Por outro, são quase como um código, ou um poema metafísico, pelo qual podemos ter uma ideia dos mistérios por trás de algumas das decisões de Elisabeth nos próximos um ou dois anos, as quais de fato determinariam as margens estreitas do resto de sua vida.

- Amor proibido... obediência à Vontade. Sofrimento e morte. Medo. Aqueles não eram <u>problemas</u> a enfrentar, mas <u>dádivas</u> a abraçar.
- Um hábito de tristeza.
- Uma dor oferecida.
- Satisfação — não por meio da "autorrealização", mas por meio da autodoação.
- "Controle" do namoro de alguém — termina tornando-se vítima.
- Maternidade espiritual — receber, carregar fardos, morrer para dar vida, doar-se para nutrir, orgulho, um ato de fé (quem sabe que filho ela dará à luz?). Mulher que se vê como inadequada para este homem... ato deliberado de vontade: renunciá-lo.
- Transcender os próprios desastres. Ser obediente à vontade de Deus (por exemplo, resistir à tentação) pela vida do mundo.

É DEMAIS

- Perdão — a cura da memória.
- Morte: o Portão da Vida.

"Devo empregar cada grama de <u>energia</u> intelectual, emocional e imaginativa que puder reunir. (E isso é realmente muito difícil — muito trabalho)." Ela decidiu não contar a ninguém o que estava escrevendo.

"Preciso <u>ver a verdade</u>. Ó Deus — sei que não posso fazer isso sem esta condição elementar: 'Se permanecerdes na minha palavra.'"

"O livro deve ser bem fincado na terra — fortemente encarnacional, carne e sangue, osso e nervo. Atrelado à luz, espírito, eternidade, os fundamentos do mundo, a Palavra."

Ela conseguia sentir esse cósmico, imponente e excitante projeto criativo diante de si. Mas era esmagador. Intimidador.

Ela concluiu: "Bem — é demais. Grande demais para mim".

Ela lia escritores seculares que a agitavam profundamente com verdades arquetípicas sobre a humanidade e o universo. Mas, às vezes, ela sentia que só conseguia escrever com estereótipos. Essa percepção de que não conseguia escrever como desejava foi outra perda gritante e escancarada dessa fase de sua vida, uma que não é comumente reconhecida. Desde que Elisabeth Elliot retornou aos Estados Unidos do Equador, no início dos anos 1960, ela havia devorado literatura clássica e moderna que evocava a condição humana contra o pano de fundo do universo misterioso de Deus. Ela queria escrever grandes romances. Queria envolver e agitar urbanos nova-iorquinos. Queria chamar à existência verdades humanas essenciais por meio do poder da narrativa. Ela queria que as páginas escritas por ela agitassem o coração das pessoas da mesma forma que ela era tão profundamente agitada, seu coração e olhos elevados, pela boa literatura, arte visual e música.

"Para escrever um romance, deve-se ter um poder de concentração que lhe permita viver na história. Se alguém pudesse operar em dois níveis simultaneamente, poderia ser uma romancista e uma dona de casa, professora, palestrante, anfitriã etc. Eu não pareço capaz de fazer isso. Eu gasto a maior parte da minha energia em papéis secundários, então tento (geralmente em vão) me lançar na história por algumas horas de cada vez. Como posso <u>conhecer</u> Erica e Ann [duas de suas personagens] com tantas distrações?"

Era mais fácil, é claro — embora ainda doloroso, pois qualquer escrita é excruciante — escrever artigos e livros de não-ficção, dar aulas e falar em conferências e retiros cristãos. Isso a mantinha ocupada, pagava as contas, e talvez esse estilo de vida fosse tudo o que ela conseguia fazer.

Mesmo quando Elisabeth Elliot fez esse incomum reconhecimento de fracasso, aquilo se encaixava em sua mentalidade do início do outono de 1976. Ela estava em um momento crítico. Havia sido dilacerada pelo terrível sofrimento e desintegração do homem que amava. Vinte anos depois, com lágrimas escorrendo pelo rosto e Lars bem ao seu lado, ela o descreveria como o maior teste de sua fé.

Ao mesmo tempo, ela desejava profundamente ser uma escritora verdadeiramente grande, expressando experiências humanas universais, primitivas e viscerais no contexto de realidades eternas invisíveis. O fato de ela não conseguir fazê-lo a feriu profundamente e fez com que ela recuasse ao que *podia* fazer. O que era seguro.

Não foi tanto a morte de um sonho, mas sim a perturbadora percepção de que o sonho era impossível de alcançar por causa do que ela considerava serem os limites de seu próprio talento.

Como todas nós, ela era bastante consciente das próprias limitações e estava bem familiarizada com a dinâmica de depender da suficiência de Cristo para fazer o que não podemos.

"Um dos aspectos da minha vocação é a repetida experiência de fraqueza, o conhecimento de que não posso fazer o que me é pedido, de que não posso atender às expectativas. Pois o poder de Cristo é 'aperfeiçoado' na fraqueza. A dolorosa disciplina da preparação dá ocasião ao reconhecimento dessa fraqueza, e é algo que devo suportar sozinha, pois falar sobre isso é convidar comentários — 'Você tem muito com que se preocupar! Olha o que você fez em _____.'"

O sentimento trouxe à tona uma de suas primeiras memórias vulneráveis. "Na primeira e segunda séries da Henry School, eu tinha pavor de fracassar e acordava à noite chorando. Lembro-me de (tia) Anne sentada comigo na cadeira de balanço, perto da janela da frente, tentando me ajudar com aritmética e me assegurar que eu seria capaz de aprender, assim como os demais alunos. Mamãe, finalmente preocupada com minhas lágrimas, foi até a professora, a qual lhe disse, é claro, que eu estava entre as melhores da classe."

Como dissemos, o romance de Elisabeth causou mais consternação do que contemplação entre os leitores cristãos, e os leitores seculares não tinham interesse em ler uma história sobre o despertar espiritual de uma jovem missionária presa nas restrições de sua subcultura evangélica.

É DEMAIS

Durante seu casamento com Addison, ela talvez estivesse muito feliz ou distraída para escrever ficção, embora ele frequentemente em sua correspondência casual mencionasse a sua esposa ocupada, "trabalhando em um romance". A certa altura, ela havia imaginado uma história no ambiente gótico e surreal do internato legalista onde passara sua adolescência.

Embora Elisabeth continuasse a escrever páginas de ficção aqui e acolá ao longo dos anos seguintes, outro romance de Elisabeth Elliot simplesmente não aconteceria. Ela sentiu que não conseguia fazê-lo.

Elisabeth <u>poderia</u> ter escrito grandes romances, mas desistiu e escreveu outras coisas por causa do cansaço, das restrições de tempo com sua agenda de palestras e, depois de se casar com Lars, da pressão para fazer dinheiro.

Claro que a escolha foi dela, e dezenas de milhares de leitoras têm testemunhado como suas vidas foram influenciadas e mudadas para melhor por causa do ministério de Elisabeth, seus escritos de não-ficção e suas palestras, no final dos anos 1970, 1980 e 1990.

Pessoalmente, porém, foi outra perda. Não tão grande quanto a morte de Addison, é claro, mas uma perda fundamental para quem Elisabeth era. Seus sonhos, objetivos e esperanças literárias elevaram o sarrafo a uma altura que ela não conseguiu alcançar.

Assim como as outras perdas em sua vida em meados dos anos 1970, isso levou Elisabeth, eu acho, a um ponto de concessão não declarado. *Se não posso fazer o que anseio, então farei o que puder. Outra morte para si mesma. Ótimo.*

E talvez ela não conseguisse viver a vida "ao máximo", como Jim havia dito tantas vezes. Livre e plena, deleitando-se com experiências, confiante na presença de Deus.

E a juventude, com certeza, se fora para sempre. Ela lamentava as rugas ao lado dos olhos, as dobras no pescoço, o estranho crepe fino que se infiltrara em sua pele outrora flexível. Ela lamentava a perda de sua intimidade com o falecido marido e ansiava, a cada dia, por aquilo de que tinha sido forçada a desistir, embora não tenha agido de acordo com esses desejos.

Embora estivesse empolgada com o casamento de Val e Walt, ela enxergou neles os novos começos que sua própria temporada de vida não permitia. Ela sentia falta deles; eles estavam longe, ocupados com suas próprias vidas e ministério. Ela se lembrava, nostálgica, do começo de seu casamento com Jim. Mas ela seguiu em frente, viajando, falando, escrevendo... com multidões, fãs e até mesmo com amigos e familiares, ela se sentia sozinha.

Como vimos, ela ansiava constantemente pelo cheiro, sensação e companhia de um homem. Ela o procurava constantemente. "Eu só quero pensar no Homem", resmungou em seu diário, sabendo que seu próximo passo seria se chutar no traseiro e fazer a Próxima Coisa Certa. "Não posso apenas chafurdar por um minuto?"

Durante o outono de 1976, Elisabeth continuou ensinando na escola bíblica em sua igreja congregacional. Ela recebia alunos do Gordon para jantares e cântico de hinos empolgantes. Ela se envolvia na vida de seus quatro inquilinos tanto quanto eles permitiam. Esses jovens moradores de sua casa forneciam uma distração magnética, às vezes melodramática. Ela realmente se importava com eles e queria o melhor para eles, mesmo quando se contorcia pelos hábitos deles que a deixavam louca. Ela sentia falta deles quando viajava e se sentia invisível e sozinha. "Eles me reconhecem", escreveu em seu diário.

Ainda assim, quando em casa, as ocupadas idas e vindas do pessoal, sua juventude, paixão e senso de oportunidades ilimitadas pela frente a lembravam intensamente de sua própria idade avançada e seus sentimentos de opções decrescentes.

O diário de Elisabeth transborda de trechos dramáticos. "Domingo. O habitual mau humor da parte de Van porque Lars estava aqui para o jantar. Devo simplesmente me recusar a recebê-la quando quiser receber Lars?"

Uma das inquilinas ficou noiva. Uma noite, ela e seu noivo se sentaram no sofá de Elisabeth, "radiantes, animados", escreveu Elisabeth em seu diário. Porém "[...] eu — separada. Ansiando".

O anseio de Elisabeth não era por uma pessoa específica. Ela ansiava por alguém, não sabia quem, que pudesse agitá-la com a poderosa paixão e unidade que havia conhecido com Addison.

Enquanto isso, Lars sentava-se ali, ansiando por *Elisabeth*. "É algo maravilhoso ser amada. Faz meus dias e noites brilharem um pouco." Ela sentia que o anseio de um amor não correspondido era como uma "dor [que] prende [as pessoas] firmemente como uma corrente e grilhões. Agora, não estou acorrentada".

Mas, oh, as noites eram longas!

"O pessegueiro está chegando às suas últimas folhas do lado de fora da janela do meu escritório. O inverno e a morte vêm outra vez." Ela se lembrou das folhas encharcadas em uma encosta do lado de fora da janela do hospital de Addison quando seu câncer foi descoberto pela primeira vez.

É DEMAIS

"O amor que eu tive — não é possível novamente", escreveu. "Quase cinquenta anos de idade."

Um dia, uma inquilina se sentou com Elisabeth, derramando "tempestades de lágrimas" porque seus pais queriam que ela voltasse para casa por um trimestre.

"Você está agindo como uma criança de doze anos", disse Elisabeth, que talvez não fosse exatamente a conselheira mais talentosa de sua época.

"Não posso expressar meus sentimentos agora e agir como uma cristã amanhã?", lamentou a garota.

Elisabeth se sentiu mistificada pela falta de dever, diligência, disciplina, determinação, denegação e todas as outras virtudes com a letra D que haviam sido os próprios pilares de sua criação. Mas ela *amava* todos os jovens cujas vidas cruzavam com a dela. Suas gafes a deixavam ainda mais consciente de suas próprias falhas. Ela escreveu depois:

"Dúvidas, sempre, sobre meu direito de falar como falo, quando eu mesma sou tão egoísta. Que pontos cegos, que egoísmo eu nutro em meu coração, Senhor? Tenho medo de perguntar. Medo, também, de ser descoberta em alguma inconsistência grosseira, 'terror da fraqueza e mutabilidade de si mesmo', como diz G. K. Chesterton."

"Há um preço a ser pago se formos porta-vozes de Deus. É abnegação em todos os pontos. <u>Não</u> ao meu desejo de preservar minha autoimagem. <u>Não</u> aos meus medos de fracassar e ser descoberta. <u>Não</u> a tudo aquilo que se mostra inspirado pelo ego. <u>Não</u> ao conforto de não encarar a verdade."

A abordagem de Elisabeth diante do pecado, do medo e do ego — "Apenas diga não" — é admirável. Porém, pego-me desejando uma reviravolta em seu pensamento, pois "apenas diga 'não'" não é um mantra forte o suficiente para a maioria de nós. É somente o nosso grande "sim" para Deus — sim à sua vontade, sim ao seu amor, repetidamente, em cada ponto e cada tentação em nossa quebrantada jornada — que pode eclipsar e diminuir o poder do pecado e da tentação.

Perto do Natal de 1976, Elisabeth notou sombriamente que seria seu primeiro período natalino sem Val por perto.

Pouco antes do Natal, Lars levou Elisabeth ao balé *O Quebra-Nozes* e depois a um elegante jantar. Ele deu a ela "um lindo anel de jantar. Conversamos sobre a impossibilidade de qualquer futuro. Sem ilusões. Sem falsas esperanças. Mas é tão confortável ser amada e cuidada. Ele sabe que sou grata, mas não posso oferecer mais".

Ele lhe contou o que imaginava que as pessoas diriam sobre ele. "Ele está perseguindo um arco-íris. De onde ele tira essa paixão? Por que ele não fica em seu próprio quintal?"

"Nenhuma resposta. Tudo o que sei é que estou feliz por ele estar por perto."

A certa altura, Val perguntou à mãe se ela tinha algum sentimento por Lars e, no próximo suspiro, indagou se Elisabeth já havia pensado em sua própria vida como um bom material para um romance.

Quando 1976 terminou, Elisabeth voltou para falar na conferência de missões Urbana. Ela conversou um pouco com Billy Graham e ficou surpresa ao descobrir que os alunos lotavam suas sessões, assim como faziam com as dele. Pessoas lhe contaram sobre como haviam dedicado suas vidas ao serviço de Deus por causa de sua palestra. Outros, já no campo missionário, lhe contaram como seus livros haviam influenciado sua decisão de ir. Ela se sentiu humilhada. Impressionada.

E então houve conversas como esta, nas quais uma jovem ligou para ela.

"Sra. Leitch, só queria saber se poderia falar com a senhora por um minuto?"

"Sim, pelo telefone."

"Certo. Bem, hum, eu só estava me perguntando se a senhora conhecia 'Sam' e 'Constance'."

"Não, creio que não."

"Certo. Bem, hum, eu só estava me perguntando isso porque eles conheciam seu marido [Jim] muito bem. Eles trabalharam com ele na selva."

"Ah?", disse Elisabeth. "E onde foi isso?"

"Contemana. Eles realmente o conhecem bem lá."

"Onde é Contemana?"

"É onde ele esteve — no *Peru*. É onde eles trabalham, e eles queriam que eu lhe dissesse olá."

"Ah", disse Elisabeth. "Obrigada."

Após essa estranha troca, Elisabeth encerrou seu ano e seu diário. Ela pensou no incrível ministério de Billy Graham e na equipe que ele tinha para ajudá-lo. Ela se sentiu sozinha. Quando ele desafiou os alunos a estarem dispostos a ir a qualquer lugar que Deus pedisse, ela aceitou o desafio para si mesma. "Ele é teu servo, Senhor. Eu também. Deixa-me fazer o teu trabalho, do teu jeito, no lugar que tu escolheres. Aqui? No Equador? Onde?"

CAPÍTULO 37
A CERCA

"Algumas coisas podem ser legitimamente aliviadas, outras necessariamente suportadas. Que Deus nos dê sabedoria para entender a diferença."
— Registro não atribuído e sublinhado no caderno de citações favoritas de Elisabeth Elliot

Emocionalmente, a peça central da história de vida de Elisabeth Elliot, desde quando ela retornou aos Estados Unidos do Equador, em 1963, até o final de 1976, foi seu casamento com Addison Leitch e sua morte angustiante. Sua segunda viuvez foi uma temporada irônica de dor, perda, distração, anseio e busca pela vontade de Deus. Após a morte de Add e o casamento de Val, o Senhor queria que Elisabeth voltasse para o Equador? Ela se perguntava e orava a respeito. O que antes era impensável agora estava sobre a mesa.

Mas ela não voltou a viver na selva equatoriana.

O ano de 1976 foi de solidão primitiva, quase insuportável. Elisabeth sabia que nunca haveria outro Addison Leitch. Ou Jim Elliot. Os homens desejáveis e com a idade apropriada que ela conhecia eram poucos, raros e casados. Mas então ela leu *Uma misericórdia severa*, o relato do amor brilhante e intencional de um jovem casal ateu, sua amizade com C. S. Lewis, sua jornada até à fé e, então, a morte horrível da esposa aos quarenta anos. Algo vibrou dentro de Elisabeth. Ela se identificou com o amor profundo, o sofrimento e a perda que o autor, Sheldon Vanauken, evocou tão bem. Vanauken tinha seu mestrado em Yale e era um professor muito querido de história e literatura inglesa no Lynchburg College. Ele parecia ter um espírito como o dela, e Elisabeth se viu pensando repetidamente naquele homem que ela nunca havia conhecido.

Elisabeth escreveu em seu diário que seu irmão Tom lhe informara que Sheldon "ainda não se casara novamente, está na meia-idade e, imediatamente, meu coração salta! Sua história é de um grande amor, e ele sabe escrever. Senhor, tu o sabes!".

Algumas páginas depois, Elisabeth relatou a ótima notícia de que Tom havia compartilhado outras informações cruciais com Elisabeth, que se preocupava com a altura: sim, Sheldon Vanauken era "muito alto". Ele estava se correspondendo com Tom. Talvez ele viesse para a área de Boston na primavera... "Sobre o que conversaríamos se tivéssemos oportunidade?"

Mas aquela breve e trêmula esperança não deu em nada. Onde, então, estava O Homem que Deus tinha para ela? Talvez ele não existisse.

Mas havia um homem na vida de Elisabeth que era totalmente devotado a ela. Ele aparecia em todas as oportunidades, solícito, prestativo, abrindo portas, elogiando sua aparência, sempre pronto para fazer o que ela precisasse.

Em 2 de setembro de 1976, ela anotou em seu diário: "Jantar com Lars em Portsmouth. Excelente sopa de cebola francesa, caranguejo apimentado, sorvete dinamarquês e uma conversa indizivelmente chata. Não. Lars não consegue se expressar. Ele é um amontoado de inibições. Ele faz coisas por mim constantemente — ele acabou de recolocar todas as lajotas do terraço. Mas não posso lhe dar nada além de uma noite de vez em quando, com apenas metade da minha atenção. Adormeci enquanto ele falava no carro, no caminho de volta".

Mas Lars estava sempre lá. Aparando a grama, pintando o corredor, buscando-a no aeroporto. A conversa dele a fazia cochilar. Mas ele a levava para bons restaurantes. Ele conhecia suas preferências e necessidades e queria cuidar dela. Ela se sentia uma mulher com ele, não apenas uma palestrante e escritora. E ele era alto.

Com o passar do tempo, Elisabeth se contentou com uma vida de escritora diferente daquela com a qual sonhava. Ela se contentou com um homem diferente também. Ela tinha que ter um homem. E aqui estava ele. Talvez ela tivesse apenas ignorado todas as qualidades excelentes de Lars. Talvez ele fosse a provisão perfeita de Deus para ela.

No começo, Lars simplesmente não era uma opção. Eles não combinavam muito bem. Mas ele estava na vida dela. Ela passou uma noite adorável com ele e sua mãe em Palm Beach. Ela ponderava, ponderava constantemente. No final de janeiro de 1977, ela escreveu:

"Tumulto na mente e no coração. Uma semana atrás, eu estava dizendo [a uma amiga] que não havia a mais remota possibilidade de eu me casar com Lars, mesmo que eu me apaixonasse por ele. 'É absurdo. Fora de questão'. No dia seguinte eu me perguntava se me seria possível amá-lo. Agora eu me pergunto se poderia me casar com ele. Será mesmo absurdo?"

"Sim.
1. Eu sou velha demais para ele. Seria injusto com ele.
2. Ele não está no nível de Jim Elliot e Addison Leitch.
3. O que ele vai fazer da vida?
4. Como podemos organizar uma vida juntos?"

"Mas será que a ideia me atrai, apesar de todas as probabilidades? Sim.
1. Ele <u>cuida</u> de mim. Eu amo isso.
2. Ele me aprecia.
3. Ele tem me amado desinteressadamente por três anos.
4. Estou perfeitamente à vontade em sua companhia."

"Mas:
1. O que as pessoas diriam?
2. E a 'imagem'?
3. E a vida dele — ele não deveria ter filhos?
4. Ele teria que ser 'eclipsado', ofuscado, ficar em segundo plano — se eu fosse continuar minha vida 'pública'.
5. Dinheiro?"

Ela se perguntava se deveria pedir um sinal. E, como sempre, Elisabeth orou para que a vontade de Deus fosse feita, qualquer que fosse o custo.

Em 30 de janeiro, Elisabeth escreveu: "Quando se trata de amor, <u>tudo</u> pode acontecer. Mas o que é esse negócio de se apaixonar?".

Ela pensou em seu próprio conselho, que, quando duas alternativas parecem iguais, deve-se escolher a mais difícil. O problema era que ela simplesmente não sabia o que seria mais difícil, permanecer solteira ou se casar com Lars.

Elisabeth deu um jantar casual para alguns amigos, com "Lars atuando como <u>anfitrião</u>. Genial, eficiente, confiável. Ele me faz sentir como uma mulher completa, à vontade, cuidada. O que devo fazer?".

Poucos dias depois, sua campainha tocou e ela saltou, e se pegou torcendo para que fosse Lars. Era ele. Eles tomaram chá e aperitivos no escritório.

Elisabeth contou a uma amiga sobre Lars. A amiga "não ficou chocada nem achou a possibilidade absurda. Encorajou-me a pensar no homem real à parte da 'imagem' ou do que ele faria à minha própria imagem. Esse, estou começando a pensar, é o verdadeiro xis da questão. Será que estou pensando de forma totalmente secular em minha preocupação com minha imagem?".

Elisabeth estava em um ponto de sua vida de escritora e palestrante no qual ofertas e oportunidades choviam do mundo todo. "Você está no auge agora", sua amiga lhe disse; "então, está sendo testada para saber se escolherá as luzes brilhantes ou um 'ninguém' que, humanamente falando, não aumentará sua reputação pública. Pode muito bem ser uma questão espiritual — e ela vem logo no auge, quando deve ser mais difícil fazer essa escolha".

No dia seguinte, Lars colocou os braços em volta de Elisabeth e disse: "Eu quero cuidar de você".

"Como eu anseio por ser cuidada!", Elisabeth escreveu mais tarde em seu diário.

"Obstáculos:

1. El que diran [suas preocupações sobre o que as pessoas poderiam dizer]
2. Dinheiro — o fundo Addison Leitch está para ser dissolvido
3. Sua carreira
4. Esta casa
5. Assumir outro nome
6. As comparações — Jim, Addison
7. Val, Walt?
8. Meus inquilinos (não deveria parecer um problema, mas parece)
9. Idade."

Dois dias depois, o irmão de Elisabeth, Tom Howard, falou com ela em termos metafísicos sobre "graça cortês" e a "devoção constante, perseverante e destemida de Lars — o dado mais impressionante".

Quanto mais velho se é, pensou Elisabeth, *menos coisas importam no casamento.* "Companheirismo e amor vêm em primeiro lugar. Um mês atrás, casar-me com Lars era uma impossibilidade." Agora, ela se perguntava, seria uma "inevitabilidade"? Ela sentia que estava sendo movida em direção a uma possibilidade, e apenas uma. "Manter minha viuvez não parece ser uma opção, contudo renunciar a ela era algo remoto algumas semanas atrás."

Ela sentia como se Deus estivesse abrindo seus olhos. "Talvez eu tenha buscado somente alegrias definidas por mim mesma. E agora, e se o universo me oferecer um outro tipo? Devo recusar? Ou devo, com humildade, aceitar a dádiva? (Dádivas não são algo que se escolhe!) Preciso ser purificada para fazer isso — expurgada do amor-próprio que está na raiz da minha hesitação."

A CERCA

Ela anotou as severas palavras de Charles Williams em seu diário. "A abordagem pelo amor é a abordagem do fato; amar qualquer coisa que não seja fato não é amor." Sua jornada não era tanto sobre amar Lars, mas amar o "fato" — o princípio de morrer no altar? Aqui, finalmente, estava algo tangível a que ela podia se apegar — o sacrifício de sua própria autoimagem. Derrubar "imagens de escultura" havia sido seu tema desde o início dos anos 1960. Será que essa noção, então, a atraiu para Lars como o meio pelo qual ela poderia perder suas percepções idólatras de si mesma?

Cogitando sobre isso, pela primeira vez tive um vislumbre do porquê, em princípio, Elisabeth pode ter se casado com um homem que era tão inadequado para ela. Talvez tudo pudesse ter corrido bem, se ele não tivesse problemas de raiva e controle, o que ela ainda não sabia.

"O amor", escreveu Elisabeth, "é, eu suponho, passagem. É um Vale (da Sombra da Morte, de certa forma), mas assim como o Grande Vale, não é um em que eu ande sozinha. O Senhor está ao meu lado — ele já esteve aqui antes, viu e conheceu tudo, ele me guia por amor ao seu nome, e me diz: 'Não temas. Eu te guiei por este caminho. Vejo o fim desde o começo, e tudo o que te perturba agora. Apenas ande comigo'. Andar com ele significa, eu sei, deixar para trás coisas que eu estimo e às quais me apego. Não adianta carregá-las — meu nome, o nome de Add, meu dinheiro, o dinheiro de Add, esta casa, meus inquilinos, minha turma — tudo deve ser entregue. Lars não precisa se encaixar na minha vida. Eu devo me encaixar na dele. E, até agora, não tenho ideia do formato da vida dele, então não consigo me organizar para me encaixar nesse formato".

Depois de Elisabeth Elliot escrever essas palavras pensativas, a campainha tocou, Lars de pé na porta dela. Ela abriu. Ele ficou por quatro horas. "Se alguma vez um homem fez uma mulher o amar...", escreveu Elisabeth mais tarde.

Alguns dias depois, Lars levou Elisabeth para uma palestra com 550 mulheres da Cruzada Estudantil (CRU). Era outro exemplo, ela pensou, da disposição dele de fazer qualquer coisa para facilitar a vida dela, mas também nos faz questionar se a vida dele tinha alguma "forma", exceto a de Elisabeth.

Ela sentiu um "momento da verdade" na plataforma. "Ele, vestido com um terno azul-marinho, usando óculos, andando de um lado para o outro lentamente na periferia da multidão, esperando por mim. Parecia um paradigma..."

Mais tarde, ela ouviu um sermão sobre obediência a Deus — "disposição de fazer o que não se quer, esquecendo os próprios planos".

Ainda assim, Lars conhecia a personalidade forte dela. Ele não queria ser manipulado. "Você não deve pensar que eu sou uma marionete", ele disse. Ele colocou os braços em volta dela. "Eu só quero cuidar de você. [...] Eu nunca amei ninguém, nunca quis ninguém, do jeito que eu quero você."

Elisabeth pensou na confiança, na firmeza, na coragem que Lars havia demonstrado por anos, mesmo quando rejeitado, ignorado, até mesmo desprezado. "Eu lhe devo muitas desculpas", ela pensou.

Ela fez um discurso para mais uma casa lotada de ouvintes ansiosos. Ela se viu engasgando-se um pouco com uma de suas falas padrão: "Meu primeiro casamento foi um milagre, meu segundo foi inacreditável, e eu realmente não espero que Deus resolva meus 'problemas' me dando um terceiro marido. As chances contra isso seriam astronômicas".

Agora, ela se perguntava. Seriam mesmo?

No Dia de São Valentim, eles jantaram no apartamento dele. Ele lhe deu um cartão romântico e um frasco do perfume favorito dela. "Ele me faz sentir como uma mulher. Existe algo mais importante em um relacionamento homem-mulher?"

"Bem, *sim*", penso comigo mesma, sentada em meu escritório décadas depois.

Na noite seguinte, eles se sentaram "como adolescentes" no cinema, o braço de Lars em volta de Elisabeth, "sua mão segurando a minha. Felicidade!".

"Ele me faz sentir como uma mulher", ela repetiu em seu diário. "Existe algo mais importante na lista de prioridades? Cristo amou a Igreja — tomou a iniciativa, amou-a quando ela não o amaria, cortejou-a, ganhou-a, entregou-se por ela, acalentou-a, segurou-a, confortou-a, [...] aceitou toda a indiferença e rejeição, e finalmente conquistou seu coração endurecido. As analogias são impressionantes." "Mas Elisabeth!", quero sussurrar para ela no passado. "Lars não era Cristo!"

Então, em fevereiro de 1977, Lars disse as palavras que foram ao cerne da necessidade mais profundamente sentida por Elisabeth na época.

"Sou eu quem vai construir as cercas ao seu redor", ele lhe disse, "e vou ficar de todos os lados".

"Que coisa para se dizer! Inspirada!", escreveu Elisabeth. "Continua ecoando na minha mente."

Daquele ponto em diante, o diário de Elisabeth está cheio de dúvidas, listas de suas preocupações, principalmente sobre finanças e o fato de Lars não ter um emprego, bem como a determinação dela de ser fiel à vontade de Deus e, como sempre, sua disposição de morrer para si mesma para fazê-lo. Enquanto isso, ela escreveu ardentes bilhetes de amor para Lars, como uma tonta jovem mulher cheia de paixão.

Em novembro, Lars a presenteou com um anel, o pequeno solitário de diamante de sua mãe. Ela aceitou. Eles se casaram no aniversário de 51 anos de Elisabeth, em 21 de dezembro de 1977. E ele realmente construiu cercas ao redor dela. De todos os lados.

Em nove dias, ela disse a seus amigos mais próximos e familiares que havia cometido o maior erro de sua vida.

PARTE III
CRENDO EM DEUS

CAPÍTULO 38
QUEM ERA ELA?

"Leia biografias cristãs para que você possa ver a mão de Deus em todos os altos e baixos, nas tristezas e alegrias, nas perplexidades e perigos, nos desastres de uma vida individual. Isso o ajudará a confiar nele."
— Elisabeth Elliot

Como qualquer autor sabe, ao escrever um livro, seja de ficção ou não-ficção, você entra na vida de seus personagens. Eles falam com você. Você lamenta suas perdas, espera pelo melhor deles, perde a paciência com suas gafes, e vive em um estranho mundo intermediário em que às vezes a pessoa biografada e sua própria experiência consciente se fundem. Durante esses momentos, sua família tende a evitá-lo.

Para mim, no entanto, houve uma estranha reviravolta na minha própria vida que ecoou a jornada emocional de Elisabeth Elliot de uma forma tão assustadora que fez minha cabeça girar.

Eu disse antes que, emocionalmente, a peça central deste livro é seu relato da batalha de Addison Leitch contra o câncer e sua morte subsequente. Quando eu estava escrevendo aquela longa e triste parte da história de Elisabeth, eu morei em meio a seus diários angustiados. Escrever episódios tão intensos, palavra por palavra, canalizando suas emoções em constante espiral, exigiu que eu vivesse experiências que eu ainda não tivera. O fluxo intimamente pessoal de medos, esperanças e súplicas a Deus da parte de Elisabeth me acompanhava de dia e de noite, na realidade e em meus sonhos. Eu andei com ela pelo seu passado.

Então, seu passado se tornou meu presente.

Poucas semanas depois de chorar ao escrever a história da morte de Addison, corri com meu amado marido de trinta e sete anos para um pronto-socorro. Lee havia lutado corajosamente contra um raro câncer cerebral por uma década.

Ele passou por cirurgias cranianas gigantescas e quase morreu. Havíamos passamos por muita coisa, mas o câncer de Lee estava em remissão. A vida estava meio "normal" por vários anos.

Agora, de repente, ele tinha novos sintomas. A tomografia cerebral do pronto-socorro revelou um tumor grande, de rápido crescimento, induzido por radiação, que não estava lá três meses antes. Era um tipo de câncer novo, diferente, e se estendia para o cérebro dele. A radiação de prótons que salvou a vida do meu marido dez anos antes havia causado uma malignidade crescente, voraz e ameaçadora que agora estava rapidamente consumindo tudo em seu caminho.

A vida "como de costume" parou bruscamente. Eu empurrei meu manuscrito de Elisabeth Elliot, e todo o resto, para o segundo plano.

Lee foi internado no hospital. Ele fez um milhão de testes e depois uma cirurgia cerebral paliativa para reduzir o tumor e fazer uma biópsia. Um de seus médicos me ligou da sala de cirurgia. Nada poderia ser feito, clinicamente. Os relatórios de patologia logo confirmariam que Lee não teria muito tempo de vida.

A jornada íntima e terrível de Elisabeth Elliot imediatamente se tornou a minha. Metástase, morfina e cuidados em um nível totalmente novo. Houve muitas bênçãos, como a incrível ajuda da casa de cuidados paliativos, algo que não existia quando Addison Leitch estava morrendo. Nossos filhos adultos se reuniram em nossa casa. Nossos netos entenderam que o vovô logo partiria para o céu. Amigos e vizinhos trouxeram comida, abraços, risos e memórias.

Lee era corajoso, engraçado e cheio de fé em Jesus. Três semanas após o diagnóstico efetivo do novo tumor, ele deu seu último suspiro, o que foi uma misericórdia. Nós lhe dissemos que grande corrida ele havia corrido; cantamos e o encorajamos naquela jornada final. Nós o seguramos e o vimos deslizar deste mundo de sombras para o mundo invisível, mas real e eterno de luz, poder, liberdade e alegria na presença de Cristo. Nós exultamos. Nós choramos.

Não havia, e não há, nada de único ou especial sobre minha própria dor. Nós, irmãs e irmãos em Cristo, todos passamos por perdas sombrias, difíceis e dolorosas de todos os tipos em nossa jornada terrena. Tudo o que sei é que a Rocha que segurou Elisabeth Elliot na morte de seus amados maridos também me segurou. Isso me mantém firme.

Como enfatizei repetidamente nestes livros sobre Elisabeth Elliot, as histórias dos seguidores de Cristo neste planeta quebrado não terminam todas com um floreio vitorioso e triunfal do qual os leitores possam extrair um manual de

QUEM ERA ELA?

lições de vida bem-organizado. A questão para as fãs fervorosas de Elisabeth Elliot nunca foi "O que Elisabeth faria?" ou "Como ser como ela?". É, como para todas nós, que busquemos ser como Jesus e obtenhamos tanto conforto como advertência a partir das histórias dos falhos amigos de Jesus que vieram antes de nós.

Após a morte de Lee, em meu próprio luto, acabei retomando os meus compromissos de escrita. Continuei com a história de Elisabeth de onde havia parado. Enquanto viajava no tempo por meio de seus diários, vi claramente que a história dela nos anos cobertos por este livro não terminaria enfeitada com um laço de fita do Pinterest. Sim, ela heroicamente resistiu à miserável dor da morte de Addison. Mas então, dia após dia, página após página, eu me arrepiava até os ossos por algumas das decisões que Elisabeth tomou em sua segunda viuvez, particularmente sua gradual escolha de se casar com Lars Gren.

Eu tinha sido avisada sobre aspectos do caráter de Lars desde o começo. Os amigos e a família de Elisabeth, assim como pessoas que o tinham visto em eventos ou sessões de autógrafos, me inundaram com observações não solicitadas dos comportamentos dele. Eu não sabia bem o que pensar a respeito e evitei tirar conclusões precipitadas. Ainda evito. Isso não cabe a mim. Como já disse em outro lugar, eu pessoalmente experimentei os dois lados de Lars — seu lado charmoso, engraçado e envolvente, e seu lado frio, controlador e iracundo. Não tenho antipatia por ele. Somos todos pessoas confusas.

Mas o luto faz a mente focar e, talvez, leve a pessoa a descrever as coisas como as vê, não como os outros gostariam que fossem. No doloroso luto posterior à morte do meu próprio marido, enquanto relia os diários às vezes muito francos de Elisabeth e absorvia sua experiência nos quatro anos de sua segunda viuvez, tudo o que conseguia enxergar era que a compreensível solidão de Elisabeth, sua profunda necessidade de afirmação, apetite físico, cansaço e desejo de ser "protegida", gradualmente, insidiosamente, a levaram passo a passo a um difícil terceiro casamento que a confinou e controlou pelo resto de sua longa vida.

Lars a cortejou generosa, fiel e habilmente. Embora ele fosse "um amontoado de inibições" que não conseguia se expressar, e tivesse uma conversa tão "indizivelmente chata" que ela não conseguia ficar acordada, gradualmente, finalmente, ele a desgastou, e ela se convenceu de que ele era a vontade de Deus para sua vida. O divórcio anterior de Lars não foi um obstáculo.

Muitas que reverenciam Elisabeth Elliot o fazem por causa dos muitos livros que ela escreveu durante suas décadas de casamento com Lars. Sob seu forte controle e gestão astuta, Elisabeth falou por todo o mundo e, durante doze anos, apresentou um programa de rádio chamado *Gateway to Joy* [Portal para a Alegria], que teve uma enorme influência sobre milhares de mulheres. Ela escreveu best-sellers de não-ficção para seu público evangélico. Ela foi muito amada e respeitada por muitos cristãos nas décadas de 1980 e 1990, como ainda é hoje, por causa de suas visões intransigentes sobre obediência bíblica, sofrimento e prioridades eternas, assim como por suas perspectivas sobre sexualidade e papéis femininos. Por causa da gestão de Lars, esse corpo da obra de Elisabeth existe hoje para todos que desejam acessar os seus fortes ensinamentos.[1]

Outros não concordavam com algumas das opiniões de Elisabeth e não tinham interesse em seus livros ou discursos, mas ainda admiravam seu corajoso serviço missionário tantas décadas antes. Ela se tornou um ícone evangélico admirado. Ela não ficou muito conhecida no "mundo secular" que outrora havia desejado influenciar. Mas ela teve uma influência incalculável sobre alunos que creditaram a ela suas decisões de trabalhar no serviço internacional, bem como mulheres que buscaram moldar lares piedosos e se tornar mais como Jesus.

Em tudo isso, Lars estava ao lado dela. Ele era frequentemente charmoso e amigável com aqueles que participavam das conferências de Elisabeth, equilibrando o fato de que Elisabeth às vezes podia ser abrupta e retraída ao assinar os livros dos participantes. Ele trabalhava duro e podia ser bem engraçado e amável, zombando de si mesmo como "o terceiro Sr. Elliot". Ele e Elisabeth desenvolveram, se não uma parceria, uma aliança muitas vezes amorosa que perdurou por quase quatro décadas.

Mas não foi "uma grande história de amor", como alguns escritores ou entrevistadores quiseram fazer parecer. A verdade não se encaixava na imagem que os fãs queriam ouvir. Mesmo enquanto eu me angustiava com essa parte da história de Elisabeth, alguns queriam que eu mantivesse tudo em ordem. "Você não iria querer escrever nada que refletisse mal em Elisabeth", ponderou um líder cristão.

Bem, não, eu não *gostaria*, e acho que não o fiz.

Mas essa aversão à complexidade humana é exatamente o tipo de pensamento nos círculos cristãos que frustrava Elisabeth Elliot enormemente. Ela teria sido a primeira a me encorajar a falar a verdade, por mais áspera que fosse. Exceto que Elisabeth não teria dito "áspera".

---

1 Confira os extensos recursos da Elisabeth Elliot Foundation, elisabethelliot.org.

QUEM ERA ELA?

Elisabeth era rápida em advertir seu público a não colocar nenhum líder cristão em um pedestal. "Pedestais são para estátuas", ela dizia. Elisabeth não era uma efígie de mármore, mas uma mulher de carne e osso com pontos fortes e fracos, como todas nós. Na temporada após a morte de Addison, ela ainda não era a mulher que se tornaria em seus últimos anos de ensino, escrita e no cadinho tantas vezes doloroso de seu relacionamento com Lars. Aquela dor, na verdade, pode muito bem tê-la conduzido à sua temporada mais profunda de crescimento e produtividade como seguidora de Cristo.

De novo: não podemos estereotipar o casamento. Houve muitas temporadas de doçura, risos e amor. Houve também muitos casos em que a ira, o controle, o abuso verbal e as saídas abruptas de seu marido partiram o coração de Elisabeth. Lars a deixava fisicamente por um tempo, ou passava dias sem falar com ela. Na minha primeira entrevista com um dos irmãos de Elisabeth, Dave, ele não mencionou nada disso; porém, uma hora depois, ele me ligou com a consciência pesada, para relatar o que havia deixado de fora: que Lars era consumido por ondas irresistíveis de raiva, seu rosto ficando "roxo de raiva". Todos os dias.[2]

Elisabeth havia escolhido um relacionamento que certamente aumentava seu próprio sofrimento. Talvez ela sentisse que isso a mantinha em uma postura constante de oferecer-se no altar do Senhor, ou era um espinho na carne para mantê-la humilde.

Então, para mim, sua biógrafa escolhida e às vezes miserável, surgiu um grande desafio. Sou uma pessimista, embora prefira chamar isso de realismo. Sempre enxerguei e celebrei a bagunça das verdadeiras histórias humanas, tendo vivido a minha própria. Isso aumenta minha admiração pela graça de Deus.

Não podemos pintar a história de Elisabeth com lindos tons pastéis e contornos suaves, belos e plácidos. É através dos contornos afiados e das rachaduras no verniz que a graça de Deus, não importa o que aconteça, brilha.

Também não podemos sondar e pesar a história com uma mentalidade de "isso ou aquilo", como um melodrama. Lars não era um vilão maligno unidimensional. Ele evidentemente pensava ser um seguidor de Cristo, mas sua vida não mostrava evidências desse fato. Nem tampouco Elisabeth era uma heroína inocente e ingênua. Em vez disso, devemos ver a história deles, e todas as nossas

---

2 Entrevista de Ellen Vaughn com Dave Howard, Ft. Myers, Flórida, 8 de fevereiro de 2018.

histórias, com uma mente de "isso e aquilo". Sim, houve um ministério bom, forte e viável, e hinos felizes cantados ao redor do piano na casa de Lars e Elisabeth. Sim, também houve feridas, angústia e pecado. Exatamente como em nossas próprias vidas. Muitas pessoas hoje amam os livros, programas de rádio, discursos e cartas de Elisabeth oriundos da mesma época da vida em que ela estava vivendo com discórdia, controle e dor dentro de casa. Elisabeth conseguia escrever verdades factíveis sobre a liberdade em Cristo, mesmo quando seu marido verificava no odômetro quantos quilômetros ela havia percorrido e imprevisivelmente negava-lhe acesso à filha, genro e netos que ela amava. Lars podia ser tanto charmoso como grosseiro. Elisabeth também. Ela se propôs a honrar seu marido, mas nem sempre teve sucesso. Sua língua era uma arma formidável. Bem, mal, glória, dor, tédio, esperança e desespero estavam todos misturados na história de sua vida.

Não há dúvida de que Elisabeth Elliot foi uma mulher subjugada pelo dever, obediência e fidelidade aos mandamentos de Deus. Ao mesmo tempo, ela foi essencialmente uma pessoa, nas décadas de 1960 e 1970, que amava a liberdade. Ela amava o senso de independência nas pessoas que admirava, como a viúva Katherine Morgan, que servia a Deus com humor e imprudente abandono, e parecia tão livre em seu próprio jeito de ser.

Elisabeth se gloriava nas belezas da natureza desimpedida, fazendo trilhas com seu cachorro, que corria livremente pelos caminhos e bosques à sua frente. Ela se recusava a prender seus cães em casa, independentemente do perigo da estrada — "oh, como eu amo vê-los correr!", mesmo que isso significasse a morte prematura de três deles.[3]

Como vimos, ela se identificava profundamente com a escritora Isak Dinesen, que contou uma história da época em que seu gerente da fazenda na África tentava domar um boi para que pudesse ser atrelado e usado nos campos. O gerente amarrou o boi durante a noite e, na manhã seguinte, ele foi achado gravemente ferido, atacado por um leopardo quando indefeso. O boi teve que ser sacrificado.

Mas talvez, na verdade, ele tivesse se libertado. Isak Dinesen escreveu com grande eufemismo: "Ele já não seria mais atrelado".

Se alguém sabia o que era tomar o jugo de Cristo, esse alguém era Elisabeth Elliot. Não estou sugerindo que ela desejava libertar-se *dele*. Mas algo na citação de

---

3 Zippy teve que ser sacrificado porque continuava fugindo e atacando as galinhas dos vizinhos, ou algo assim, e Muggeridge e MacPhaerce foram atropelados por carros.

QUEM ERA ELA?

Isak Dinesen reverberou em mim. Eu vi a Elisabeth Eliot dos anos 1960 e início dos anos 1970 como uma mulher que amava não a liberdade desenfreada da autoexpressão daquela era hippie, mas a verdadeira liberdade bíblica encontrada na obediência. Tal pessoa não precisa ser amarrada, pois retornará ao Mestre por amor e fidelidade.

Quando jovem, Elisabeth não geria rebanhos em uma fazenda na África, mas ela tinha sido aquela mulher que corria pela selva sul-americana para dar à luz bebês e salvar mulheres indígenas nas dores de partos complicados. Ela se sentou indefesa quando algumas morreram. Ela viveu na natureza, comeu dedos carbonizados de macacos, banhou-se em rios com pessoas que, de repente, poderiam se virar e matá-la com a mesma facilidade de quando traspassaram seu primeiro marido até a morte. Ela sorriu com a energia pulsante nas ruas de Nova York e caminhou, alta e resoluta, pelos becos e labirintos de Jerusalém, por volta de 1967. Ela resistiu às ofertas sedutoras de admiradores equatorianos, professores europeus e de seu velho amigo Cornell Capa.

Ela tentou, com uma crescente sensação de desespero, escrever histórias que capturassem a verdade de uma forma que os céticos pudessem vê-la. Como Amy Carmichael e outros heróis corajosos que vieram antes dela, ela protestou contra hábitos da Máquina Evangélica, que se preocupava obsessivamente com a própria imagem, e cujas histórias sempre devem terminar com uma conversão gloriosa e finais felizes coerentes, para que Deus não pareça mau. Ela nunca esqueceu aqueles que fizeram isso com as mortes de Jim Elliot, Nate Saint, Ed McCully, Pete Fleming e Roger Youderian.

Ela queria viver a vida ao máximo e, em Addison Leitch, encontrou uma alma gêmea para esse fim. Eles podem não ter balançado em cipós pelas selvas latino-americanas, mas nele — em sua capacidade intelectual, cuidado espiritual por seus alunos, amor a Deus, sagacidade, entusiasmo sexual e humor — ela encontrou um aventureiro com a mesma mentalidade.

Porém, no rescaldo da morte de Addison, aquela Elisabeth Elliot começou a mudar. Seu amor e paixão pela natureza, música, literatura e a Bíblia ainda estavam lá. Mas agora houve uma troca, um acordo que ela deve ter feito consigo mesma, no qual ela desistiu da liberdade pela segurança. Essa mulher que nem sequer colocava coleira em seus cães, porque amava que eles corressem livres, independentemente do perigo, tornou-se uma pessoa cujo maior valor era o desejo de se sentir *segura*. Assim, as palavras de Lars sobre cercá-la, e de algum modo protegê-la de todos os lados, não a repeliram. Elas a atraíram.

O presidente Dwight Eisenhower disse uma vez: "Se você quer segurança total, vá para a prisão. Lá você é alimentado, vestido, recebe assistência médica e assim por diante. A única coisa que falta... é liberdade".

Certamente essas palavras são muito duras. Mas há um ponto importante aí. Como muitas mulheres com quem falou, Elisabeth se viu em um casamento caracterizado pelo controle. O marido dela ditava a configuração do termostato, ouvia suas conversas, interrompia seu tempo com outras pessoas, criticava seus hábitos e frequentemente a afastava de pessoas de quem ela gostava. Elisabeth fez o que aconselhava outras mulheres a fazerem: ela se submeteu. Ela via Lars como seu cabeça. Mas ela sofreu.

"Meu querido", ela escreveu para Lars em uma carta sem data escrita no auge de seu ministério de viagens e palestras. "Algo está certamente errado, como naquela outra vez, quando onze dias se passaram sem nenhuma comunicação. [...] É difícil estar nessas viagens [de palestras], tentando dar algo, pedindo para ser a porta-voz de Deus, mas ciente de que, se meus ouvintes soubessem do impasse que existe entre nós, da irritação constante que eu causo em você (postura, polegar, atitudes...), eles achariam minhas palavras difíceis de engolir. E eu mesma quase engasgo com elas às vezes."

Ela prosseguiu, dizendo humildemente a Lars que suas críticas aos hábitos e comportamentos dela "geralmente estão certas, e estou ciente de seus apelos, correções e sugestões. Sei que você é um presente de Deus para mim, meu cabeça, meu senhor, meu amante (ou seja, marido) e, de acordo com Efésios 5, você deve me tornar sem 'mancha ou ruga'. Quero ser o tipo de mulher que você pode amar e da qual pode se orgulhar — estou trabalhando nisso".

"Sinto-me quase esquizoide quando estamos em uma viagem como esta — de um lado, pessoas falando com tanto apreço e gratidão e, de outro, a dolorosa consciência de que nada (quase nada?) é do jeito que você gostaria. Você foi muito específico sobre eu expressar apreço por [alguém por causa de um anúncio pago em um dos livros de Elisabeth]; talvez seja mais importante começarmos em casa."

"Eu o amo, querido. Sou grata por você. Lamento que este fim de semana tenha sido tão miserável para você. [...]"

Após cada discurso, ela voltava para o quarto de hotel que compartilhava com Lars e media a reação dele à sua apresentação. Se ele estava satisfeito, tudo estava bem. Se ele achasse que ela tinha feito um trabalho ruim, ele não falava com ela e se afastava dela fisicamente.

QUEM ERA ELA?

Certamente, Elisabeth poderia ter aliviado o sofrimento de seu terceiro casamento se não houvesse entrado nele em primeiro lugar. Ela exerceu a escolha. Eu acredito, como ela disse, que foi um erro. Mas uma vez que fez a sua escolha, ela estava comprometida. Ela suportou por trinta e oito anos até Deus levá-la para casa em 2015. Sendo Elisabeth Elliot, ela não tinha escolha a não ser fazer isso. Nesse contexto, ela se esforçou, em seu desconforto, para se render ao seu Pai celestial.

Ao ser diagnosticada com Alzheimer no final dos anos 1990, Lars proibiu o uso do que ele chamava de "a palavra A" e a manteve no circuito de palestras. Ela estava cansada e não queria mais viajar. Mas ela tinha que se submeter ao marido. Ela obedeceu.

Gradualmente, ela chegou ao ponto em que não conseguia mais se lembrar das letras de seus hinos frequentemente citados, ou da data em que Jim Elliot foi morto; ou se perdia em suas anotações, das quais agora dependia. Lars continuou a agendar eventos para ela, mesmo quando havia sussurros entre os ouvintes e as pessoas se perguntavam se Elisabeth estava doente. Sempre meticulosa com seu vestido, ela agora subia às plataformas parecendo desgrenhada, seu blazer abotoado errado. Em pelo menos uma ocasião, Lars fez Elisabeth sentar-se em uma cadeira no palco, muda ao lado de um grande gravador que tocava uma de suas mensagens dadas na época em que ela estava forte e bem.

Sua família e amigos mais próximos estavam preocupados que o espírito outrora forte de Elisabeth tivesse sido esmagado. Ela precisava descansar. Ela expressou medo e confusão. A família encenou uma intervenção, removendo Elisabeth, que havia concordado, para um local não revelado fora dos Estados Unidos. Eles imploraram a Lars. Porém, com o tempo, a própria Elisabeth implorou para voltar para Lars. "Ele é meu marido", ela disse. "Ele é meu cabeça."

Aos poucos, Elisabeth Elliot, linguista brilhante, perdeu a própria linguagem. Ela falava coisas sem sentido, então, pouco a pouco, se refugiou no silêncio. Grande parte de sua voz privada também se perdeu, pois Lars queimou a maioria de seus diários dos anos de seu casamento, uma escolha da qual ele agora se arrepende, pois de fato entregou sua vida a Jesus em 2019. Lars e um grupo fiel de jovens cuidadoras atenderam às necessidades diárias de Elisabeth à medida que sua saúde piorava.

A morte de Elisabeth em junho de 2015 foi, de fato, estranhamente reminiscente do que a própria Elisabeth havia escrito sobre o protagonista de sua biografia de 1968, Kenneth Strachan. "Longe de coroa[r] com glória uma vida de esforço sincero para ser um servo fiel", ela escreveu, a morte daquele servo "pareci[a] o grito de zombaria final". Não houve nenhum resumo glorioso, nenhuma última palavra triunfal da grande líder. Nenhuma clareza do leito de morte em relação a tudo o que havia acontecido antes. Apenas um último, longo e trêmulo suspiro.

"Será que conseguimos, por um instante que seja, contemplar uma vida como Deus a vê, sem sentimentalismo? Ou será que, no instante em que enxergarmos claramente, vamos nos dilacerar, seja por olhar através de lentes cor-de-rosa, seja por julgar sem caridade? Sentimentalismo não é compaixão, pois é cego e ignorante. A compaixão enxerga a verdade, reconhece-a e a aceita, e talvez somente Deus seja totalmente compassivo."

"E somente Deus pode responder à pergunta: 'Quem era ele?'" O mesmo pode ser perguntado sobre Elisabeth Elliot. *Quem era ela?*

Eu diria que ela foi uma mulher que viveu imperfeitamente, como todas nós, que amou a Deus e buscou servi-lo com tudo o que tinha.

Porém, uma coisa sabemos: Elisabeth preferiria responder com suas próprias palavras, não as minhas.

"A resposta está além de nós. Aqui estão os dados com os quais conseguimos lidar. Há muito mais que não sabemos — parte foi esquecida, parte escondida, parte perdida —, mas olhamos para o que sabemos. Admitimos que não é uma imagem imaculada e satisfatória — há ironias, contradições, inconsistências, coisas imponderáveis. [...]"

"Aqui, então", Elisabeth Elliot concluiu, como eu concluo, "está o máximo de verdade que um biógrafo poderia descobrir sobre [uma pessoa]. Que o leitor encontre o máximo de seu significado que puder".[4]

---

4 Elisabeth Elliot, *Who Shall Ascend: The Life of R. Kenneth Strachan of Costa Rica* (Nova York: Harper & Row, 1968), p. 162.

EPÍLOGO
A VERDADE É AMOR

"Ninguém já viu os pássaros voando em direção a esferas mais quentes que não existem, ou rios quebrando seu curso através de rochas e planícies para correr até um oceano que não se pode encontrar. Pois Deus não cria um anseio ou uma esperança sem ter uma realidade pronta para preenchê-los. Mas nosso anseio é nossa promessa, e bem-aventurados os que têm saudades de casa, pois voltarão ao lar."
— Isak Dinesen

Houve muita perda desde que me inclinei pela primeira vez contra a lápide de Elisabeth Elliot em 2018. Tantos túmulos foram adicionados às fileiras dos mortos. É tão estranho, penso nisso agora, que meu próprio bondoso marido seja um deles, embora Lee ainda não tenha sido enterrado. Suas cinzas repousam em uma caixa preta ereta sobre a lareira da casa que construímos tantos anos atrás.

Em muitos dos escritos de Elisabeth, ela descrevia a vista de seu escritório em sua última casa, onde as ondas fortes e frias do Oceano Atlântico quebravam sobre as rochas maciças da costa além de sua janela. Agora, sento-me à minha própria escrivaninha, uma nova viúva recém familiarizada com a morte, ponderando com percepção mais aguçada a vida e a morte de Elisabeth Elliot. A floresta além das janelas do meu escritório está congelada pelo inverno, seus galhos pretos e sem folhas subindo em um céu cinza opaco.

Eu conheço muito mais sobre Elisabeth, Lars, Addison, Jim e os outros amigos cujas histórias contei nestas páginas. Mas não há necessidade de contar tudo, nem seria possível. O legado de Elisabeth é muito mais do que a soma de suas escolhas no período coberto por este livro e do trabalho que ela criou em seus últimos anos. Ao escrever este tanto de sua história, procurei seguir a orientação que senti anos atrás, enquanto me apoiava na pedra irregular do túmulo de Elisabeth Elliot.

A verdade, em amor. Ah. Muitas vezes ouvimos essa frase como uma dialética. Como Tim Keller disse: "Amor sem verdade é sentimentalismo; ele nos apoia e nos afirma, mas nos mantém em negação sobre nossas falhas. Verdade sem amor é aspereza; ela nos dá informações, mas de uma forma que não conseguimos de fato ouvi-las".[1]

Certamente, no corpo de Cristo, tanto hoje quanto no primeiro século, quando o apóstolo Paulo exortou os seguidores de Jesus, precisamos tanto da verdade quanto do amor ao lidar uns com os outros. Aquelas de nós que escrevem livros devem procurar incorporar ambos em nossas observações daqueles de quem falamos.

Mas, no final, há um mistério mais profundo na própria natureza da verdade e do amor, e do próprio evangelho. Essas não são apenas realidades proposicionais a serem estudadas academicamente e exercitadas em nossas relações uns com os outros, por mais excelente que isso seja. Há mais a ser encontrado na pessoa do próprio Jesus Cristo. Ele não apenas fala essas palavras poderosas e multidimensionais. Ele é a Verdade. Ele é Amor. O Verbo se fez carne e habitou entre nós. Sua misericórdia é nossa salvação e assegura nossa ressurreição. Sua misericórdia também é nosso legado, aquele que transmitimos àqueles que nos sucedem.

No frio do inverno, os dias são curtos e as noites são longas. Ontem à noite, fui dar uma volta. A lua fria nasceu diante de mim. O vento sacudia os galhos das árvores sem folhas. Desolação, mas a noite gelada parecia, por sua própria tristeza, agitar-se com um grande segredo. Deus está conosco. O que parece morto viverá novamente. O vento sopra onde quer. A grande dança continua... vida, morte, a virada das estações e das páginas, não apenas dos diários de Elisabeth, mas de todos os nossos diários, dia após dia, ano após ano, até que nossa voz terrena seja silenciada por aquele que ordenou cada página do nosso livro, antes mesmo de qualquer uma delas existir.

Podemos escolher olhar apenas para o que vemos e viver de acordo. Ou podemos saber disto: dançando sob a superfície congelada, a vida ainda flui. Vastas vistas azul-esverdeadas esperam adiante. O que estava morto viverá novamente. Aquele que é tanto verdade como amor o declarou. A primavera, a primavera definitiva, está chegando.

---

1 Tim Keller, *The Meaning of Marriage* (Nova York: Penguin Books; reimpressão, 2013).

COM GRATIDÃO

Se alguma vez houve uma estação em que experimentei o incrível apoio, amor e ajuda de nossa comunidade de amigos antigos e novos, foi enquanto escrevia este livro. A doença final e a morte do meu marido eclipsaram o processo de escrita, é claro, mas o imenso cuidado que recebi durante a partida de Lee se misturou com minhas responsabilidades profissionais. Para um escritor, assim como para todas as vocações criativas, não há uma linha divisória clara entre a vida e a arte. Elas se misturam, informando e enriquecendo uma à outra. Meus amigos "pessoais" e meus amigos "profissionais" todos contribuíram para quem eu sou e para o que este livro se tornou.

A Valerie Elliot Shepard e Walt Shepard; a Arlita e Joe Winston, amigos de longa data de EE; e a Kathy Reeg, da Fundação Elisabeth Elliot: obrigada, primeiro pela amizade de vocês, pela confiança e apoio em oração, e por compartilharem a riqueza dos diários, cartas, notas, rascunhos, cadernos, listas, sonhos e esperanças de Elisabeth. Obrigada a todos por lerem o manuscrito. Obrigada, Kathy Gilbert, por compartilhar suas cartas e documentos da EE, e por tão graciosamente ler o rascunho do manuscrito também. Obrigada, Peter deVries, por suas memórias e percepções sobre sua tia Betty, Addison e sua mãe, Ginny.

A Joni Eareckson Tada, obrigada por sua rica amizade, apoio de oração e solidariedade ao escrever o prefácio deste livro, bem como sua abertura para o próximo projeto que Deus pode ter para nós!

A Patti Bryce, Royden Goodson, Ellie Lofaro: obrigada por compartilharem suas atenciosas e espirituosas percepções sobre o rascunho do início e do fim deste tomo.

Obrigada a Bob Schuster, do Wheaton College Archives, por originalmente me ajudar a acessar todas aquelas caixas recheadas de correspondências de EE alguns anos atrás; e a Anthony Solis, por sua disposição em desenterrar detalhes arcanos.

A Andie e Jim Young, Kelly e Rob Stuckey, Carey e Steve Keefe, Janice Allen e Laura e Jim Warren: sou muito abençoada por ter amigos queridos, sábios, generosos e fiéis que por acaso têm casas na praia ou nas montanhas, provendo-me habitats enriquecedores da alma nos quais pude escrever.

A Robert Wolgemuth, meu amigo e agente de longa data, e a Nancy DeMoss Wolgemuth, obrigada pelo seu generoso apoio. A Erik Wolgemuth, obrigada pela sua solidariedade e por tão habilmente carregar a bola pelo campo e cruzar a linha do gol neste projeto.

A Devin Maddox e Clarissa Dufresne, da Lifeway, obrigada pelo seu apoio, experiência e flexibilidade, principalmente quando este livro demandou tornar-se algo que não fora originalmente projetado para ser!

Enormes agradecimentos a: Supper Club, Church Group — particularmente meus companheiros elfos Connie e Sam Shabshab — HSM, Medium Group, colegas do ICM e meus muitos outros grupos de amigos que não têm nomes oficiais.

Obrigada aos irmãos e irmãs da McLean Bible Church e da McLean Presbyterian Church — particularmente aos pastores David Platt, Ryan Laughlin e Steve Smallman. Obrigada ao exército de amigos e familiares que oraram por nós, riram e choraram conosco e nos alimentaram. Obrigada por permanecerem presentes em minha vida, embora eu não possa deixar de sentir falta de todas aquelas ótimas refeições entregues durante a jornada de Lee de volta ao Lar!

Aos meus incríveis filhos adultos e netos engraçados: Emily, Haley, Ben e Walker; Brielle e Daniel: eu amo partilhar a vida com vocês e sou muito grata por podermos todos nos juntar em tanto amor e unidade enquanto nos despedíamos de seu pai e vovô. (Por enquanto.)

Agora, amigas — já que somente amigos leem os agradecimentos de um livro — não estou apenas embrulhando estas páginas com um belo laço cristão, mas de fato sou profundamente grata a Deus. Obrigada, Deus, por me dar um trabalho que eu amo. Obrigada por tua extraordinária provisão de todos os relacionamentos e bênçãos acima. Sou esmagada, acima de tudo, pela certeza de que tu tens me dado de tua graça, presença e provisões indescritíveis para a eternidade. Obrigada.

Ellen Vaughn
Reston, Virgínia
29 de março de 2023

FIEL
MINISTÉRIO

O Ministério Fiel visa apoiar a igreja de Deus, fornecendo conteúdo fiel às Escrituras através de conferências, cursos teológicos, literatura, ministério Adote um Pastor e conteúdo online gratuito.

Disponibilizamos em nosso site centenas de recursos, como vídeos de pregações e conferências, artigos, e-books, audiolivros, blog e muito mais. Lá também é possível assinar nosso informativo e se tornar parte da comunidade Fiel, recebendo acesso a esses e outros materiais, além de promoções exclusivas.

Visite nosso site
www.ministeriofiel.com.br

Esta obra foi composta em Arno Pro Regular 12, e impressa
na Promove Artes Gráficas sobre o papel Pólen Natural 70g/m²,
para Editora Fiel, em janeiro de 2025.